La femme eunuque

Éditions J'ai Lu

GERMAINE GREER

La femme eunuque

Traduit de l'anglais
par Laure CASSEAU

Cet ouvrage a paru sous le titre original :

THE FEMALE EUNUCH

DÉDICACE

Ce livre est dédié à Lillian qui vit seule avec une colonie de cancrelats new-yorkais, qui n'a jamais démissionné en dépit de son anxiété, de son asthme et de son obésité, qui s'intéresse à chacun, souvent avec une irritation hargneuse, mais sans jamais demeurer indifférente. Lillian, généreuse, éloquente, à la fois bien et mal aimée. Lillian qui est belle et croit être laide. Lillian qui est infatigable tout en se plaignant d'être toujours fatiguée.

Il est dédié à Caroline, qui dansait, mais mal, qui peignait, mais mal, et quitta la table en larmes, en criant qu'elle voulait être une personne. Elle s'en alla et devint une personne en dépit de sa beauté. Caroline qui souffre de chaque critique, doute de tous les éloges, qui a réalisé de grandes choses avec douceur et humilité, qui n'hésita pas à attaquer les autorités avec le courage de l'amour, ne peut être vaincue.

Il est écrit pour ma merveilleuse marraine, Joy, dont le mari dénigrait le bon sens et l'esprit parce qu'elle était plus passionnément intelligente et plus intelligemment passionnée que lui, jusqu'à ce qu'elle le quitte pour redevenir elle-même, retrouvant sa perspicacité et son sens de l'humour. Elle n'a plus jamais pleuré, excepté de compassion.

Il est pour Kasoundra, qui fabrique des merveilles

avec des peaux, des écheveaux et des plumes, n'est jamais inactive, jamais distraite et poursuit son étrange destinée dans la jungle de New York, loyale et amère, résistante comme l'acier, douce comme un soupir.

Pour Marcia, dont l'esprit absorbe tout sans rien détruire, qui comprend rêves et cauchemars, assiste à des tempêtes sans être ébranlée, vit parmi les damnés sans en avoir peur, âme vivante parmi les morts.

AVERTISSEMENT

La seconde vague du féminisme dont ce livre n'était qu'une manifestation s'est transformée en marée. Le mouvement est vaste et n'a pas de chef. Il naît dans la conscience des femmes à tous les niveaux sociaux. Il serait d'une prétention absurde de dire que ce livre en a été l'origine. Au contraire, le succès du livre est dû à son actualité. Il n'a été diffusé en Angleterre à une telle échelle par les journaux et les magazines féminins que parce que les rédactions savaient que le sujet traité était brûlant, en dehors de toute considération sur la valeur de ma contribution personnelle. L'énergie féminine est aujourd'hui libérée par une gigantesque réaction en chaîne. On en voit les manifestations sur les moyens de communication de masse où les femmes journalistes et cinéastes ont pris le mors aux dents, dans l'industrie où des milliers de femmes mal payées ont fait grève sans indemnisation, avec une compréhension lucide de l'enjeu en dépit des campagnes de presse qui vilipendaient les grèves dans l'espoir de les briser.

Ce sont ces femmes qui ont formulé les critiques les plus pertinentes à propos de mon livre. A celles qui me reprochent de n'avoir pas proposé de stratégie, je réponds que c'était une tactique délibérée car il n'était pas dans mon intention d'assumer la direction d'une entreprise qui est essentiellement anarchique et ne peut qu'être fondée sur la coopération. A celles qui me disent que j'ignore les problèmes de la femme obligée de lutter pour sa survie, j'avoue mon ignorance et j'attends qu'elles m'éclairent. A celles qui affirment que je ne comprends rien à la femme parce que je n'ai pas d'enfants, je ne peux que répliquer que l'argument est un non-sequitur. La liste des critiques pourrait être interminable et il serait vain de tenter de les réfuter ou d'y répondre. Je m'en fais moi-même auxquelles je ne trouve pas de solution. Ce livre ne prétend pas faire autorité. Chacune de ses propositions doit être vérifiée à la lumière de l'expérience et rejetée si elle se révèle fausse. Idéologiquement, la situation que ce livre décrit sera bientôt dépassée. Ce sera sa seule contribution d'importance à la cause qu'il plaide.

Maintenant que La femme-eunuque a franchi les frontières de la langue dans laquelle il a été écrit et atteint des pays qui ont des cultures et des structures socio-économiques différentes, le dialogue peut être élargi et approfondi. Son auteur est appelée à voyager et à enrichir son expérience dans les années à venir, mais les critiques et les contributions les plus précieuses viendront des femmes qui comprennent la réalité profonde de leur situation et ont le courage et l'honnêteté de l'analyser. Je me rends déjà compte après quelques semaines passées dans le Proche-Orient des illusions que je me suis faites sur la condition des femmes dans les civilisations agricoles.

Je souhaite surtout que toute femme qui lira ce livre comprenne qu'elle est seule juge de sa propre condition et se mette à en discuter dans la communauté dont elle fait partie et dont doit naître l'activité révolutionnaire des femmes.

Depuis la publication de mon livre en 1970, j'ai rencontré des femmes étonnantes. Je pourrais allonger

*indéfiniment la liste de celles auxquelles ce livre est
dédié. Le plus simple est que chaque lectrice considère
qu'il lui est dédié personnellement.*

Germaine Greer
Londres, le 14 février 1971.

INTRODUCTION

> Le monde a perdu son âme et moi mon sexe.
>
> Toller, *Hinkerman.*

Les anciennes suffragettes, après avoir été envoyées en prison, ont vécu les années où les femmes furent progressivement admises dans des professions libérales qu'elles refusèrent d'embrasser, reçurent des droits politiques qu'elles refusèrent d'exercer, accédèrent à des universités qui, toujours davantage, devinrent pour elles des boutiques où l'on allait acquérir un diplôme avant le mariage. Leur esprit s'est réincarné dans une nouvelle génération de femmes d'un dynamisme tout différent. Mme Hazel Hunkins-Hallinan, qui dirige le *Six Point Group*, a accueilli chaleureusement les nouvelles militantes, approuvant même leur franchise sexuelle. « Elles sont jeunes », a-t-elle dit à Irma Kurtz, « et dénuées d'expérience politique, mais pleines d'énergie. Jusqu'à présent, les membres de notre groupe étaient beaucoup trop âgés pour mon goût ». Après l'exaltation de l'action directe, les militantes d'il y a cinquante ans ont entrepris de consolider leur œuvre par une foule de petites organisations. Mais l'essentiel de leur énergie s'est dissipé au cours de la réaction de l'après-guerre, qui remit en honneur les fanfreluches, les corsets, la féminité, bannis par le libéralisme en 1920. Lorsque débuta la duperie sexuelle de la deuxième moitié du siècle leurs revendications devinrent de plus en plus timides et respectables. Le militantisme dégénérait en excentricité.

Ses buts ont changé. Autrefois des femmes bien élevées, appartenant aux classes moyennes, réclamaient à grands cris des réformes. Aujourd'hui, des femmes de la classe moyenne, toute bonne éducation oubliée, appellent à la révolution. Pour beaucoup d'entre elles, le désir de la révolution a précédé l'exigence de la libération de la femme. La nouvelle gauche a servi de serre chaude à la plupart de ces mouvements et pour beaucoup d'entre eux, la libération dépend de l'avènement d'une société sans classe et du dépérissement de l'État. C'est une différence radicale. La foi des suffragettes dans le système politique existant et leur profond désir d'y avoir leur place a disparu. Autrefois, les femmes répétaient avec insistance qu'elles ne cherchaient pas à bouleverser la société ni à détrôner Dieu. En fait leurs actes menaçaient le mariage, la famille, la propriété privée, mais elles s'efforçaient de calmer les craintes des conservateurs. Ce faisant, les suffragettes ont trahi leur cause et ouvert la voie à l'échec de l'émancipation. Il y a cinq ans, cet échec semblait acquis. Le nombre des femmes, au Parlement, s'était stabilisé à un niveau très bas. Dans les professions libérales, les femmes constituaient une infime minorité. La plupart d'entre elles exerçaient des emplois mal payés, subalternes ou auxiliaires. On avait ouvert la porte de la cage, mais le canari avait refusé de s'envoler. On en déduisit qu'il n'eût jamais fallu ouvrir la porte, que les canaris étaient faits pour vivre en captivité. En leur offrant la liberté, on n'avait réussi qu'à les troubler et les chagriner.

Certaines organisations féministes actuelles s'en tiennent encore aux principes réformistes définis par les suffragettes. La *National Organization of Women*, de Betty Friedan, est représentée dans les comités du Congrès des États-Unis, particulièrement dans ceux qui s'occupent de questions qui concernent plus spécialement la femme. Les femmes qui font de la politique défendent les intérêts féminins, mais surtout ceux de la femme qui dépend de l'homme et qu'il faut protéger contre un facile divorce ou les abus des séducteurs. Le *Six Point Group* de Mme Hunkins-Hallinan est une entité politique respectée. Ce qu'il y a de nouveau dans la situation, c'est la notoriété de ces groupes. Il n'y a pas de semaine, voire de jour, où il ne soit question de la libération de la femme dans les moyens de communication de masse. Subitement, chacun s'y intéresse. Même ceux qui critiquent les mouvements existants se passionnent pour leurs revendications. C'est surtout parmi les étudiantes qu'ils trouvent le plus de soutien. Rien de surprenant que des femmes mal payées demandent des comptes au gouvernement. Mais ce sont aussi celles qui n'ont apparemment aucun motif de mécontentement qui commencent à protester. M'adressant à des femmes de province chapeautées et bien élevées, j'ai été étonnée par l'empressement avec lequel elles accueillaient les idées les plus radicales et par l'âpreté et l'ampleur de leurs critiques. La révolte des suffragettes était loin d'avoir des racines aussi profondes que le féminisme actuel, qui ne cesse de gagner du terrain.

Les causes de ce regain de dynamisme sont incertaines. Peut-être la duperie qu'était l'émancipation sexuelle a-t-elle dépassé son but. Peut-être les femmes n'ont-elles jamais cru à l'image de la féminité qui leur était imposée par les psychologues, les

Églises, les magazines féminins et les hommes. Peut-être les réformes qu'on a opérées à la longue leur ont-elles permis de prendre conscience des causes de leur situation. N'étant plus assujetties à des maternités anarchiques et à des travaux domestiques épuisants, elles ont eu le loisir de réfléchir. A moins que l'état désespéré de notre société ne soit devenu si évident que les femmes ne se résignent plus à s'en remettre aux hommes pour y remédier. C'est l'argument par lequel les ennemis de la femme ont expliqué son mécontentement. Les femmes doivent voir dans ce mécontentement le germe de la revendication de leur droit à l'existence. Elles ont commencé à dire tout haut ce qu'elles pensent et à en discuter entre elles. Le spectacle de femmes parlant entre elles a toujours inquiété les hommes. Aujourd'hui, il s'agit de subversion déclarée.

Nous pouvons affirmer en toute certitude que la connaissance que les hommes peuvent acquérir des femmes, de ce qu'elles ont été dans le passé, de ce qu'elles sont, sans parler de ce qu'elles pourraient être, est déplorablement limitée et superficielle et le restera tant que les femmes n'auront pas dit tout ce qu'elles ont à dire.

John Stuart Mill.

Les militantes des organisations qui luttent officiellement pour l'émancipation de la femme sont une minorité en vue. Chaque fois qu'il est question d'une revendication féministe, ce sont les mêmes visages qui apparaissent. Il en résulte qu'on les considère comme les chefs de file d'un mouvement dont la particularité est de n'en pas avoir. Pas plus aujourd'hui qu'hier elles n'ont de stratégie révolutionnaire. Manifester, compulser des documents, siéger dans des comités, ne sont pas des preuves de liberté, surtout lorsque ces comportements sont assortis de tâches domestiques et de ruses féminines. En tant que moyens d'éducation pour des personnes qui doivent agir pour conquérir leur liberté, leur portée est faible. Le concept de liberté impliqué par une telle libération est vide de sens. Lorsqu'il n'est pas défini par la condition de l'homme qui lui-même n'est pas libre, il demeure sans contenu dans un monde qui n'offre que des possibilités d'épanouissement très limitées. Tantôt les féministes défendent l'idée d'égalité sociale, juridique, professionnelle, économique, politique et morale et s'en prennent à la discrimination en préconisant la compétition et la revendication. Tantôt elles rêvent d'une vie meilleure, qui sera acquise à tous un jour, grâce à des institutions politiques appropriées. Les femmes qui ne croient plus aux méthodes politiques classiques, qu'elles soient constitutionnelles, totalitaires ou révolutionnaires, n'ont guère d'intérêt ni pour l'un ni pour l'autre de ces points de vue. Il est compréhensible que la ménagère dont la libération dépend de l'avènement de la révolution universelle perde l'espoir. Et la politique traditionnelle ne peut concevoir de solution de rechange à la cellule familiale fondée sur un homme unique, nécessaire au bon fonctionnement de l'économie. Néanmoins, il y a une dimension dans laquelle la femme peut trouver des raisons d'agir même si aucune utopie n'est à l'horizon. Au lieu de commencer par changer le monde, elle peut réévaluer ses propres capacités d'épanouissement.

Il est impossible de plaider avec succès la cause de l'émancipation féminine tant qu'on n'aura pas déterminé avec certitude le degré d'infériorité ou de dépendance naturelle de la femme. C'est pourquoi ce livre commence par une étude du corps. Nous savons ce que nous sommes, mais nous ne savons pas ce que nous pourrions ou aurions pu être. La science présente dogmatiquement notre état actuel comme le résultat inéluctable de lois biologiques. Il faut que les femmes apprennent à mettre en doute les normes les plus fondamentales de la féminité théorique pour reconquérir les possibilités d'épanouissement dont leur conditionnement social les a dépouillées. Nous commencerons donc par étudier le sexe des cellules. On ne peut pas déduire grand-chose des différences chromosomiques tant qu'elles ne se manifestent pas dans le développement de l'organisme, et celui-ci ne s'effectue pas dans un vide. Toutes les observations que nous pouvons faire à propos de la femme sont consciemment ou inconsciemment influencées par des préjugés auxquels nous ne pouvons échapper et que nous sommes souvent incapables d'identifier. Dans cette description du corps féminin, j'ai supposé que toutes ses caractéristiques pourraient être autres. Pour montrer les effets du conditionnement social, j'ai cité quelques effets du comportement sur le squelette. De l'ossature, nous passons aux rondeurs, que l'on considère encore comme une attribution essentielle du sexe féminin, puis aux cheveux, dans lesquels on voyait également une caractéristique sexuelle secondaire.

On s'est toujours beaucoup intéressé à la sexualité féminine. Je me suis efforcée de montrer qu'elle a été niée ou dénaturée par la plupart des observateurs, particulièrement de nos jours. Nous avons dit que la constitution physique de la femme est le résultat d'un conditionnement. Ici, la nature du conditionnement apparaît. La femme est considérée comme un objet sexuel destiné à l'usage et à l'appréciation de l'homme. Sa sexualité est à la fois niée et dénaturée en étant définie comme passive. Le vagin est exclu de l'image de la féminité comme on a tenté d'effacer tous les signes d'indépendance et de vigueur du corps féminin. Les qualités qui valent à la femme les compliments et les bonnes grâces des hommes sont celles du castrat : la timidité, l'embonpoint, la langueur, la délicatesse, la préciosité. A la fin de cette partie consacrée au corps de la femme, on trouvera une brève esquisse de l'influence que la fonction de reproduction est censée exercer sur l'ensemble de l'organisme féminin et des méfaits de la matrice considérée comme une source d'hystérie, de dépressions menstruelles, de faiblesse interdisant à la femme toute entreprise suivie.

L'amalgame de ces caractéristiques physiologiques et des particularités psychologiques que l'on en a déduites constitue l'*Éternel féminin*. Ce stéréotype de la féminité domine notre culture ; il est l'idéal auquel les femmes aspirent. Partant de la supposition que la déesse de notre société de consommation est un produit artificiel, nous examinerons par quels procédés on fabrique l'âme féminine. Le facteur principal du processus est analogue à la castration que nous avions évoquée à propos du corps. On réprime ou on détourne l'énergie féminine. Nous verrons à propos du bébé comment on réduit le plus au moins. Puis nous suivrons les luttes de la petite fille cherchant à concilier une formation scolaire de type masculin avec sa mise en condition familiale jusqu'à ce que la puberté mette un terme à cette ambiguïté, la cantonnant dans une attitude féminine si le processus a été efficace. Dans le cas contraire le conditionnement est poursuivi par des mesures correctives, notamment par les psychologues dont nous évoquerons les thèses et les recommandations.

En raison des innombrables théories sur la différence d'aptitude intellectuelle des sexes, j'ai souligné l'échec de toutes les tentatives que l'on a faites depuis cinquante ans pour les vérifier. Malgré ces échecs on a continué à croire que les femmes étaient illogiques, subjectives et généralement sottes.

J'ai cité des extraits de l'œuvre de Otto Weininger, *Sex and Character*, qui exprime l'ensemble de ces préjugés, et j'ai montré que les défauts qu'il y définit deviennent des avantages si l'on rejette sa conception de la vertu et de l'intelligence pour embrasser celle de Whitehead et d'autres. Dans le chapitre consacré au travail féminin, on trouvera, contredisant la théorie, un exposé de la contribution féminine à la vie active et de la façon dont elle est appréciée.

O femmes ! approchez et venez m'entendre. Que votre curiosité, dirigée une fois sur des objets utiles, contemple les avantages que vous avait donnés la nature et que la société vous a ravis. Venez apprendre comment, nées compagnes de l'homme, vous êtes devenues son esclave ; comment, tombées dans cet état abject, vous êtes parvenues à vous y plaire, à le regarder comme votre état naturel ; comment enfin, dégradées de plus en plus par votre longue habitude de l'esclavage, vous avez préféré les vices avilissants, mais commodes, aux vertus plus pénibles d'un être libre et respectable. Si ce tableau fidèlement tracé vous laisse de sang-froid, si vous pouvez le considérer sans émotion, retournez à vos occupations futiles. Le mal est sans remède, les vices se sont changés en mœurs.

Choderlos de Laclos,
De l'éducation des femmes, 1783.

La castration des femmes s'est effectuée en fonction d'une polarisation homme-femme dans laquelle les hommes ont accaparé toute l'énergie pour la convertir en un pouvoir agressif et conquérant, réduisant les rapports hétérosexuels à des modèles sadomasochistes. Notre conception de l'amour en a été pervertie. De la célébration de l'idéal nous passerons à ses principales perversions, l'altruisme, l'égotisme, l'obsession. Nous les retrouvons dans diverses mythologies, notamment la littérature sentimentale dont se nourrit la femme en quête de satisfaction sexuelle ou déçue, et dans les images auxquelles se complaît la littérature masculine. Le chapitre traitant du mythe de l'amour et du mariage dans les classes moyennes décrit la formation des fantasmes les plus couramment acceptés par les hommes et les femmes dans leurs rapports sexuels, alors que notre conception de la vie normale sera exposée dans celui qui est consacré à la famille. La famille nucléaire actuelle y est sévèrement critiquée et j'ai tenté de suggérer quelques solutions de rechange. Mais le but principal de ce chapitre, comme du livre dans son ensemble, est de faire comprendre la possibilité et la désirabilité d'un mode de vie différent. L'insécurité est l'épouvantail de ceux qui ont peur de la liberté. J'ai donc démontré le caractère illusoire de cette sécurité, l'idole de l'État-providence, à l'époque de la guerre totale, de la pollution généralisée et de l'explosion démographique.

L'amour étant perverti, dans beaucoup de cas il engendre de la haine. Au pire, c'est l'aversion ou le dégoût provoqué par le sadisme, l'obsession de la séduction corporelle, le sentiment de culpabilité. Ils inspirent parfois des crimes hideux mais se réduisent le plus souvent à des injures obscènes ou des facéties grossières. Plutôt que de s'étendre sur les injustices que les femmes subissent individuellement dans leur vie privée, ces chapitres traitent de comportements officiels qui échappent à l'ambiguïté des systèmes complexes d'exploitation réciproque existant entre les individus. La littérature féministe abonde en descriptions subjectives de souffrances individuelles ; c'est pourquoi, dans ce livre, j'ai préféré aborder le problème dans une perspective plus générale en citant des exemples objectifs qui prouvent que les femmes, même lorsqu'elles se conforment aux recommandations des conseillers sentimentaux et familiaux et au système qu'ils incarnent, ne sont pas heureuses. Bien qu'il n'y ait pas d'agressions féminines qui soient comparables aux violences que les hommes font subir aux femmes, le ressentiment féminin s'exprime en d'âpres conflits qui prennent habituellement la forme d'un jeu, d'une situation ritualisée, toujours à côté des véritables questions. Parallèlement à cette vindicte inconsciente, une rébellion féminine plus organisée et plus explicite définit l'homme comme un ennemi auquel il faut tenir tête, éventuellement en le battant sur son propre terrain. Dans la mesure où de tels mouvements attendent des hommes qu'ils émancipent la femme ou les forcent à y consentir, ils perpétuent l'antagonisme des sexes et leur propre dépendance.

Il ne peut y avoir de révolution qu'autant que l'on rectifie des perspectives faussées par nos préjugés sur la féminité, la sexualité, l'amour et la société. J'ai suggéré qu'il y faudrait une redistribution de l'énergie qui ne devrait plus servir à la répression mais s'extérioriser en désir, mouvement, création. La sexualité ne doit plus être un rapport de maître à esclave, d'homme actif à femme neutre, mais une communication entre personnes également dynamiques, bienveillantes et tendres, qui ne peut se faire par le refus de contacts hétérosexuels. La *femme ultra-féminine* doit désormais s'abstenir de nourrir les illusions du *seigneur et maître*, non pas en l'attaquant mais en s'affranchissant elle-même du désir de répondre à son attente. Il était normal que les hommes s'opposent à l'émancipation féminine parce qu'elle menace les fondements du narcissisme phallique. Mais on perçoit des signes qui indiquent que l'homme lui-même est en quête d'un rôle plus satisfaisant. En se libérant, les femmes libéreront aussi leurs oppresseurs. Les hommes ont des raisons de penser qu'en tant que seuls détenteurs de l'énergie sexuelle et protecteurs universels des femmes et des enfants ils ont entrepris l'impossible, surtout aujourd'hui où leur génie créateur dévoyé a produit l'arme nucléaire. En admettant des femmes dans des domaines jusque-là réservés aux hommes, ils ont montré qu'ils étaient disposés à partager les responsabilités, même si l'offre n'a pas été acceptée. Il n'est pas surprenant que les femmes, invitées à partager le fardeau du gâchis provoqué par l'homme, aient manqué d'enthousiasme. Si elles comprennent que la civilisation ne peut parvenir à la plénitude qu'une fois qu'elles y seront engagées à part entière, elles envisageront peut-être l'avenir avec plus d'optimisme. Il se peut que la crise spirituelle que nous traversons ne soit qu'une douleur de croissance.

Le chapitre consacré à la révolution n'en suggère qu'une première ébauche, en impliquant que les femmes devraient refuser de s'engager dans des relations sanctionnées par la société, telles que le mariage, et n'avoir aucun scrupule à les rompre si elles les ont déjà contractées sans y trouver de satisfaction. On pourrait même en déduire que les femmes devraient pratiquer délibérément la promiscuité. En tout cas, les femmes doivent être capables de se suffire à elles-mêmes et s'abstenir de rapports de dépendance exclusifs et d'autres formes de symbioses névrotiques. Les initiatives que j'ai préconisées peuvent passer pour de l'irresponsabilité mais c'est un risque minime dans une lutte dont l'enjeu est le droit à l'existence, à la liberté, que la femme n'entreprendra qu'à la condition d'avoir retrouvé d'abord la volonté de vivre. Il y a presque cent ans que Nora, dans la *Maison de poupée*, demandait à Helmer quel était son devoir le plus sacré. Il lui répondait que c'était son devoir envers son mari et ses enfants. Elle rispostait :

« J'ai un autre devoir, tout aussi sacré... Mon devoir envers moi-même. Je crois qu'avant toute chose, je suis un être humain, tout autant que toi... du moins, j'ai l'intention d'essayer de le devenir. Je sais très bien que la plupart des gens t'approuveraient, Torvald, et que ce qui est écrit dans les livres te donne raison. Mais je ne peux plus me contenter de ce qu'on dit et de ce qu'on écrit. J'ai besoin de réfléchir par moi-même afin d'y voir clair. »

Notre société ne reconnaît que les rapports qui sont contraignants, symbiotiques, économiquement déterminés. Les relations les plus spontanées, les plus généreuses, les plus tendres, se dégradent en convention sitôt qu'elles cherchent à prendre appui sur les supports conventionnels, la légalité, la sécurité, la permanence. Le mariage n'est pas une carrière sociale. Le statut de la femme ne devrait pas dépendre de sa capacité à séduire un homme et à le prendre au piège. Lorsque la femme se rend compte qu'elle est ligotée par un million de liens lilliputiens et réduite à l'impuissance et à la haine sous le masque de la sérénité et de l'amour, elle n'a d'autre choix que la fuite si elle ne veut pas être pervertie ou anéantie. La liberté inspire de l'effroi mais elle est également stimulante. La vie n'est pas plus facile ni plus agréable pour celles qui, comme Nora, se sont engagées, solitaires, sur le chemin de la lucidité. En revanche, elle est plus intéressante, plus noble même. On dira que c'est encourager l'irresponsabilité. Mais c'est la femme qui accepte un mode de vie qu'elle n'a pas consciemment choisi, poussée par une suite de circonstances abusivement qualifiées de destin, qui se montre véritablement irresponsable. Renoncer à son propre jugement, tolérer des crimes contre l'humanité, s'en remettre constamment à l'autre, le père, le chef d'État, voire l'ordinateur, est la seule véritable irresponsabilité. C'est en refusant de reconnaître qu'une faute a été commise, alors que son résultat est un chaos évident et généralisé, qu'on se montre irresponsable. L'oppression n'engendre pas le sens de la responsabilité mais celui de la culpabilité.

La femme révolutionnaire doit savoir identifier ses ennemis, les médecins, les psychiatres, les assistantes sociales, les prêtres, les conseillers conjugaux, les policiers, les magistrats, ceux qui préconisent les réformes dans la respectabilité, tous les individus autoritaires et dogmatiques qui l'assaillent de leurs conseils et de leurs mises en garde. Elle doit savoir identifier ses amies, ses sœurs, découvrir en elles ses semblables. C'est avec elles qu'elle peut apprendre la coopération, la sympathie, l'amour. La fin ne justifie pas les moyens. Si la femme s'aperçoit que son cheminement révolutionnaire n'aboutit qu'à un renforcement de la contrainte et à une incompréhension persistante avec leurs corollaires, l'amertume et l'avilissement, il faut qu'elle se rende compte que le but qui le justifiait, si séduisant soit-il, est illusoire et le moyen, mauvais. Une lutte qui n'est pas joyeuse est une duperie. La joie de la lutte n'a pas pour origine l'hédonisme, ni l'hilarité. Elle provient du regain de vitalité que donnent à une énergie étiolée la résolution, l'affirmation de soi, et le sentiment de dignité qui en découle. Ce sont les seules sources qui assurent la permanence de l'énergie. Les problèmes qui se posent à la femme ne sont égalés que par ses possibilités d'avenir. Chaque erreur commise peut être réparée une fois comprise. Ce n'est que par des mesures radicales que la femme peut parvenir à cette joie. Plus ses initiatives seront tournées en dérision ou vilipendées, plus elles seront efficaces.

En rompant avec la tradition, la femme s'engage sur un terrain inexploré. Nous ne savons rien de ce que peut être le comportement sexuel d'une femme non castrée. Si loin que porte notre regard, nous sommes incapables de distinguer, fût-ce dans ses grandes lignes, ce qui sera désirable au terme de son évolution. C'est pourquoi il est impossible d'arrêter une stratégie définitive. Momentanément, il nous suffit d'être libres de nous mettre en route et de chercher des compagnes de voyage. Le premier exercice d'une femme libre est d'inventer la forme de sa révolte individuelle, celle qui exprimera le mieux sa propre indépendance et son originalité. Plus elle prendra conscience des moyens dont on se sert pour l'opprimer, plus elle sera capable de concevoir comment elle doit réagir. Dans la conquête de la lucidité politique il n'y a pas de substitut à la confrontation. Il serait trop facile de duper les femmes avec de nouvelles formes d'abnégation et d'éveiller en elles des désirs appelés à être déçus. Les femmes en ont assez d'être brimées. On les a manœuvrées jusqu'au point où elles ont été obligées de reconnaître que, tout autant que les hommes, elles sont désorientées. Une élite féministe s'efforcera peut-être d'enrôler de naïves recrues dans une entreprise arbitraire, les transformant en commandos d'une bataille qui risque de ne pas aboutir et ne devrait pas être engagée. S'il y a une bataille rangée, les femmes perdront, car ce n'est jamais le meilleur qui gagne. Les conséquences de l'action militante ne disparaissent pas une fois qu'elle cesse d'être nécessaire. La liberté est fragile et doit être protégée. La sacrifier, même d'une façon temporaire, c'est la trahir. Il ne s'agit pas de dire aux femmes ce qu'elles doivent faire ou vouloir. Ce livre a été écrit dans l'espoir que les femmes découvriront qu'elles ont une volonté. Après cela, elles pourront dire elles-mêmes ce qu'elles veulent et comment elles entendent le réaliser.

La liberté nous fait peur. Nous l'appelons chaos ou anarchie et ces mots ont un son menaçant. Mais nous vivons déjà dans un chaos d'autorités qui se contredisent, dans un siècle de conformisme sans communauté, de proximité sans communication. Nous n'aurions de raison de redouter le chaos que s'il s'agissait d'un mal inconnu, alors qu'il nous est familier. Il est improbable que les techniques de libération spontanément adoptées par les femmes aboutiront à des conflits aussi féroces que ceux que provoquent l'égoïsme matériel ou l'intolérance, car elles ne chercheront pas à éliminer tous les systèmes au profit du leur. Si diverses que soient leurs solutions, elles ne seront pas nécessairement inconciliables car elles ne seront pas tyranniques.

Ce livre se voudrait subversif, avec l'espoir de susciter les réactions les plus vives dans tous les milieux capables de s'exprimer. Le moraliste traditionnel protestera contre le rejet de la sacro-sainte famille, le dénigrement de la maternité et la suggestion que les femmes ne sont pas naturellement monogames. Les conservateurs devraient objecter qu'en détruisant les structures de la consommation dont les principaux agents sont les ménagères, ce livre risque de provoquer une crise économique. Ce sera reconnaître que l'oppression des femmes est nécessaire à la bonne marche de l'économie, ce qui était notre thèse. Si notre système économique actuel ne peut changer qu'au prix d'un effondrement, mieux vaut qu'il s'effondre le plus rapidement possible. Une société qui proclame que tout travail mérite salaire puis refuse toute rémunération à 19 500 000 de ses travailleurs ne peut pas durer. Les disciples de Freud diront qu'en récusant la description traditionnelle de la psyché féminine pour lui substituer une conception de la femme qui n'existe pas dans la réalité, j'ai adopté un point de vue métaphysique, alors que leur doctrine l'est tout autant. Les réformistes déploreront que j'avilisse l'image de la féminité en préconisant un comportement délictuel au risque d'écarter davantage encore les femmes de l'exercice du pouvoir. Mais au royaume des ordinateurs, les centres de pouvoir sont des lieux d'impuissance. Néanmoins, rien dans ce livre n'interdit qu'on fasse usage de la machine politique bien qu'il puisse être dangereux de fonder trop d'espoir sur elle. Les critiques les plus acerbes viendront de mes sœurs de la gauche, les maoïstes, les trotskistes, les I.S., les S.D.S., en raison de ma suggestion qu'il est peut-être possible de faire l'économie d'une révolution et de parvenir à la liberté et au communisme sans stratégie révolutionnaire ni discipline. Mais si les femmes sont le véritable prolétariat, la véritable majorité opprimée, elles ne peuvent hâter la révolution qu'en refusant de soutenir plus longtemps le système capitaliste. L'arme que je leur ai proposée est celle qui est le plus en honneur chez les ouvriers, l'interruption d'un travail. Pourtant je ne pense pas que l'usine soit le cœur de notre civilisation, ni que le retour des femmes dans l'industrie soit une condition nécessaire de leur émancipation. A moins que les concepts de travail, de jeu, de rémunération ne changent complètement, les femmes continueront à fournir une main-d'œuvre au rabais, et même gratuite vis-à-vis d'un mari détenant un contrat à vie, établi en sa faveur.

Ce livre n'est qu'une contribution parmi d'autres aux questions que la femme perplexe se pose devant le monde. Il n'y répond pas, mais les formule peut-être plus clairement qu'elles ne l'ont été jusqu'ici. S'il n'est pas tourné en dérision ou vilipendé, c'est qu'il aura manqué son but. S'il ne provoque pas les protestations indignées de celles qui ont su exploiter leur condition de parasites, c'est qu'il est anodin. La situation qu'elles acceptent est intolérable pour une femme qui a de la fierté. Les adversaires du droit de vote des femmes prétendaient que l'émancipation entraînerait la dissolution du mariage, de la moralité et de l'État. Leur réaction était plus clairvoyante que la bienveillance fumeuse des libéraux et des humanistes qui pensaient qu'on pouvait accorder à la femme certaines libertés sans provoquer de bouleversement. Lorsque nous récolterons ce que les suffragettes ont semé sans le savoir, nous nous apercevrons que les anti-féministes avaient, en fin de compte, raison.

LE CORPS

1

LE GENRE

Il est vrai que le sexe de l'individu est inscrit dans chaque cellule de son corps. Mais nous ignorons quel est l'effet de cette différenciation des cellules sur le fonctionnement des organes. Nous ne pouvons même pas en déduire l'existence d'une différenciation importante au niveau des tissus. Toute thèse d'une supériorité ou d'une infériorité des sexes formulée sur un tel fondement est loin d'être prouvée. Peut-être que lorsque nous aurons appris à interpréter correctement le rôle de l'A.D.N. nous serons en mesure de déterminer quelle est l'information commune à tous les individus du sexe féminin. Mais même dans ce cas, il sera difficile et fastidieux de passer des données biologiques à leur répercussion sur le comportement.

Un des principes fondamentaux de notre idéologie est la polarité sexuelle, conçue comme une dichotomie généralisée dans la nature. En réalité, cette conviction n'est pas fondée. Les animaux et les végétaux ne sont pas tous divisés en deux sexes, fût-ce avec accompagnement de formes aberrantes ou de types indéterminés. Il y a des espèces privilégiées dont les individus sont tour à tour mâle et femelle. Certains champignons et protozoaires ont plus de deux sexes et plus d'une façon de les accoupler. La distinction entre les sexes peut varier du détail à peine perceptible à une différenciation telle que pendant longtemps les savants ont classé dans des catégories différentes le mâle et la femelle d'une même espèce. Les anthropologistes nazis ont affirmé que les caractéristiques sexuelles secondaires sont plus développées chez les espèces supérieures, en faisant remarquer que les négroïdes et les Asiatiques ont des caractères secondaires moins définis que les aryens (1).

En réalité, beaucoup d'organismes simples sont plus différenciés, sexuellement, que les êtres humains. Pourtant, la différenciation des sexes chez les êtres humains est soulignée et exagérée. La question est de savoir pourquoi.

Nous pouvons constater la différenciation sexuelle fondamentale des êtres humains lorsque nous grossissons une cellule environ 2 000 fois, jusqu'à pouvoir examiner les chromosomes. En plus des quarante-sept chromosomes de type courant de la cellule mâle, celle-ci contient un chromosome minuscule désigné par Y. Ce n'est pas un chromosome sexuel et en raison de son isolement, il pose des problèmes particuliers.

« Les mutations dans un chromosome ne pouvant être vérifiées dans diverses combinaisons que lorsqu'elles peuvent se répartir librement par le *crossing over*, la suppression du *crossing over* empêche toute mutation de se produire dans le chromosome Y que l'on veut étudier. Le *crossing over* n'ayant pas lieu, ce chromosome ne peut pas subir de changement structural par un échange de ses éléments. Il en résulte qu'au cours de son évolution, le chromosome Y perd toute efficacité dans la détermination

---

(1) Les exemples de préjugés anthropologiques et ethnologiques sont empruntés à l'étude en trois volumes de H. H. Ploss et P. Bartels. L'édition originale allemande a été détruite par ordre de Hitler, mais le Pr Eric Dingwall en avait déjà préparé une version anglaise, *Woman* (Londres, 1935). C'est celle que nous désignons par Ploss et Bartels.

du sexe et se trouve remplacé par les autosomes réagissant avec X (1). »

Les autosomes sont les chromosomes autres que X et Y, au nombre de vingt-trois paires. Le sexe féminin est déterminé par la présence d'une paire de chromosomes d'apparence identique, désignés par XX. Au lieu d'une paire de chromosomes XX s'ajoutant aux vingt-trois paires d'autosomes, l'homme a une combinaison XY. Le chromosome Y a une fonction négative. Lorsqu'un spermatozoïde porteur d'un chromosome Y féconde un ovule, il réduit les caractéristiques qui aboutiraient à la formation d'un fœtus féminin. Le fœtus masculin hérite d'un certain nombre de faiblesses liées au sexe parce qu'elles résultent de gènes qui ne se trouvent que dans le chromosome Y. Des malformations bizarres comme l'hypertrichose, développement excessif du système pileux, surtout sur les oreilles, les callosités sur les mains et les pieds, l'ichtyosis, autre altération de la peau, les pieds palmés, moins connues que l'hémophilie, sont, commes elles, héréditaires. L'hémophilie est provoquée par l'existence d'un gène mutant dans le chromosome X que le chromosome Y n'a pas le pouvoir de neutraliser, si bien que la maladie est transmise par les femmes mais n'est active que chez l'homme. Le daltonisme obéit au même principe. Il existe une trentaine d'autres anomalies qui affectent les hommes mais rarement les femmes. On est fondé de penser que la femme a une constitution plus robuste que l'homme. Elle vit plus longtemps et, dans chaque groupe d'âge, le taux des décès est plus élevé pour les hommes que pour les femmes. Il naît plus de garçons que de filles, de 10 à 30 %, sans qu'on puisse l'expliquer car les spermatozoïdes des deux types sont en nombre égal. On est tenté de se demander

---

(1) F.A.E. Crew, *Sex Determination* (Londres, 1954), p. 54.

s'il n'y a pas là une compensation naturelle à la plus grande vulnérabilité des individus de sexe masculin (1).

Alors que la femme reste plus proche du type infantile, l'homme tend vers le type sénile. Sa tendance prononcée aux variations se traduit par un plus grand pourcentage de génie, d'insanité et d'idiotie. La femme demeure plus près de la normale.

W I. Thomas,
Sex and Society, 1907, p. 51.

Récemment, les criminologistes ont fait une autre constatation déconcertante sur le chromosome Y. Ils ont découvert qu'il y avait, parmi les hommes condamnés pour des crimes de violence, un grand nombre d'individus ayant une combinaison XYY, c'est-à-dire un chromosome Y supplémentaire, qui semble lié à des déficiences mentales (2).

Les caractéristiques sexuelles ne sont pas uniquement déterminées par les chromosomes. Ceux-ci sont le premier facteur de différenciation, mais le développement des diverses caractéristiques physiques est influencé par l'ensemble du système endocrinien et l'interaction des hormones. L'attention des femmes a été attirée sur les hormones en raison de l'utilisation d'hormones synthétiques dans les pilules contraceptives. Comme toujours, la vulgarisation a abouti à une description trop simpliste de la fonction des hormones. En fait, la totalité de leur activité est encore très mal comprise. Les

---

(1) Ashley Montagu, *The Natural Superiority of Women* (Londres, 1954) pp. 76-81.
(2) The Cropwood Conference on Criminological Implications of Chromosomal Abnormalities, université de Cambridge, été 1969, a traité longuement ce sujet. La bibliographie du syndrome XYY comporte cinq cents titres.

médecins ont été obligés d'admettre qu'en intervenant dans l'équilibre fragile et toujours changeant des hormones féminines, ils ont provoqué des modifications imprévues de fonctions non sexuelles et non reproductives. Le mécanisme relativement simple des gènes et des chromosomes est déjà difficile à comprendre. Lorsqu'on en arrive à la chimie des hormones, les processus sont beaucoup plus malaisés à analyser. L'hormone mâle, la testostérone, détermine le développement des caractéristiques sexuelles masculines, et elle est liée avec l'autre hormone mâle, l'androstérone, qui active la croissance des muscles, des os, des intestins. La sécrétion des androgènes comme des œstrogènes s'effectue sous la régulation d'une hormone de l'hypophyse. Les deux sexes produisent les deux. Nous savons seulement que lorsqu'on donne un œstrogène à l'homme, ses caractéristiques sexuelles secondaires s'atténuent, de même que lorsqu'on donne un androgène à la femme. Toutes nos sécrétions ont des actions complémentaires et catalyptiques. Les recherches révèlent sans cesse de nouvelles substances chimiques avec de nouveaux noms. Bien que l'on fasse absorber aux femmes des doses considérables d'hormones pour la contraception, les spécialistes en sont encore à les considérer avec respect et émerveillement. On continue à chercher une pilule qui n'agira que sur la fonction de reproduction et ce n'est qu'une fois qu'on l'aura trouvée que les femmes pourront se sentir rassurées.

Le sexe de l'enfant est déterminé dès sa conception car chaque spermatozoïde contient un chromosome Y et un chromosome X alors que l'ovule arrivé à maturité contient un chromosome X. C'est le chromosome spécialisé qui engendre la différence fondamentale, mais le développement des caractéristiques sexuelles dépend de substances chimiques spécialisées des chromosomes. Jusqu'à la septième semaine, le fœtus ne présente pas de signes de différenciation sexuelle. Lorsque l'évolution sexuelle commence, elle s'effectue suivant une analogie remarquable entre les deux sexes. Le clitoris et la pointe du pénis se ressemblent beaucoup à l'origine, et l'urètre apparaît comme un sillon chez les deux sexes. Chez les garçons, le renflement génital produit le scrotum, chez les filles, les lèvres. A examiner les tissus, ils sont différents. Néanmoins, certains tissus de la femme sont identiques à ceux de l'homme (1).

La nature elle-même est ambiguë. Il arrive qu'une petite fille ait un clitoris si bien développé qu'on la prend pour un garçon. De même, des enfants de sexe masculin peuvent être sous-développés, avoir des organes génitaux déformés ou cachés et être pris pour des filles. Parfois, ces individus acceptent le sexe qui leur est attribué, et en adoptent les attitudes et le comportement, en interprétant comme des symptômes d'anomalies les conflits qui en résultent. Dans d'autres cas, une sorte d'intuition génétique engendre un problème qui provoque un examen, et le sexe véritable de l'enfant est établi. Parfois des petites filles nées sans vagin sont à tort considérées comme neutres. D'autres, possédant la combinaison XXY passent pour des femmes sans ovaires. La chirurgie résout parfois ces problèmes mais trop souvent les chirurgiens interviennent pour des motifs particuliers là où l'étude de la structure des cellules ne révélerait aucune anomalie congénitale. La plupart du temps, l'homosexualité provient de l'incapacité de l'individu à s'adapter à son rôle sexuel et ne devrait pas être considérée comme étant d'origine génétique ou pathologique. La notion d' « anomalie » ne permet en aucun cas à l'homosexuel d'exprimer ce rejet ;

(1) *Anatomy* de Gray (Londres, 1958), pp. 219-220.

il ne peut donc se considérer que comme un monstre. Les rôles sexuels « normaux » qu'on nous inculque depuis l'enfance ne sont pas plus naturels que les bizarreries d'un travesti. Les deux sexes, dans leur effort pour se conformer à l'image présentée comme normale et désirable, se déforment, tout en justifiant le processus au nom de la différence génétique fondamentale des sexes. Mais sur quarante-huit chromosomes, il n'y en a qu'un seul qui diffère. C'est sur ce fondement que nous avons établi une distinction radicale entre l'homme et la femme, comme si les quarante-huit chromosomes différaient. Les Français s'exclament « vive la différence ! » car on la cultive en permanence dans tous les aspects de la vie. Examinons d'abord cette déformation délibérée de nos corps et de l'image que nous en avons, car, quoi que nous soyons ou que nous prétendions être, nous sommes, à coup sûr, nos corps.

2

LE SQUELETTE

Jusqu'à quel point un squelette est-il sexué ? Lorsque les archéologues affirment catégoriquement qu'un fragment de fémur provient du squelette d'une femme d'une vingtaine d'années, nous sommes d'autant plus impressionnés par leur assurance que leur assertion est une supposition invérifiable. Elle repose sur les préjugés sexuels des archéologues plus que sur tout autre fondement. Ils ont l'impression que l'os est typiquement féminin, donc qu'il *doit* appartenir à une femme. Il nous est impossible d'échapper au stéréotype de la féminité propre à notre société. Il en résulte, dans le passé et dans le présent, les erreurs d'attribution les plus curieuses.

Nous avons tendance à croire que le squelette est rigide. Il subsiste lorsque tout le reste a disparu, nous donnant l'impression d'une charpente immuable, alors que de multiples facteurs influent sur sa forme. Le premier est l'action des muscles. L'homme étant plus vigoureux que la femme, les gouttières musculaires sont plus marquées. Si les muscles subissent une contrainte, par bandage, dépérissement, ou par une pression externe constante, sans compensation, l'agencement des os peut en être modifié. Le corps de l'homme est affecté par la nature du travail qu'il effectue et son régime alimentaire pendant la période de croissance. Il en va de même de la femme, mais il s'y ajoute le joug de la mode et du *sex-appeal*, qui a considérablement varié au cours des âges. Tantôt les épaules devaient être fuyantes, tantôt carrées, tantôt inclinées vers l'avant, tantôt rejetées vers l'arrière. Les vêtements et le corset maintenaient ces postures artificielles et la tension des muscles compromettait l'équilibre délicat des os. La colonne vertébrale est tantôt courbée vers l'avant pour imiter l'allure des mannequins, tantôt façonnée en S comme à l'époque de l'art nouveau ou du *new look*. Les chaussures accentuent la violence faite à la nature. Les hauts talons altèrent le jeu des muscles des cuisses et du bassin en donnant à la colonne vertébrale un angle qui, dans certains milieux, passe encore pour une condition nécessaire de l'élégance. Je ne suis pas si jeune que je ne me souvienne de ma grand-mère implorant ma mère de me mettre un corset car elle jugeait que mon allure dégingandée d'adolescente manquait de séduction et elle redoutait que mon dos ne fût pas de force à supporter ma stature. Si j'avais porté un corset à l'âge de treize ans, ma cage thoracique se serait peut-être développée différemment. Et la pression de haut en bas exercée sur mon bassin l'eût élargi. Aujourd'hui, on désapprouve le corset, mais quantité de femmes n'envisageraient pas de renoncer à la gaine qui soutient et efface le ventre. Même les collants sont collants et peuvent affecter physiquement celles qui les portent. Le dos voûté des dactylos, le tassement des vendeuses agissent eux aussi sur la posture, donc sur le squelette.

On comprend en général que le développement des membres est influencé par les exercices physiques (1) de l'enfant pendant la période de croissance.

(1) Voir Joan Fraser, *Stay a Girl* (Londres, 1963), p. 3. « Une femme a besoin d'exercices physiques différents de ceux de l'homme. L'homme a besoin de mouvements qui développent sa force physique

Ma mère nous dissuadait de vouloir rivaliser avec les nageuses australiennes en critiquant la largeur de leurs épaules et l'étroitesse de leurs hanches, qu'elle attribuait à la rigueur de leur entraînement. On s'accorde à penser que les petites filles doivent recevoir une éducation physique différente de celle des garçons sans se demander jusqu'à quel point cette conviction émane d'une norme physique arbitraire. Les petites filles sont si gracieuses quand elles font de la gymnastique eurythmique et les garçons si virils à la barre fixe. C'est le même préjugé qui détermine nos suppositions sur les caractéristiques sexuelles du squelette. Une petite main, un petit pied sont considérés comme féminins alors que les disproportions existent chez les deux sexes.

Les étudiants en médecine apprennent l'anatomie sur des spécimens de sexe masculin, excepté pour les fonctions reproductives. On leur inculque qu'*en règle générale* le squelette de la femme est plus léger et plus petit, et son ossature plus infantile. Il s'agit là d'une qualité qui est fréquemment étendue à l'ensemble du corps féminin. On dit qu'il est pédomorphe alors que le corps masculin est gérontomorphe. Cela n'implique pas une déficience de l'évolution féminine, mais plus de malléabilité et d'adaptabilité. On ne peut rien en déduire concernant la force physique ou les capacités mentales de la femme (1).

Cette différence ne doit pas être exagérée. Il y a

et durcissent les muscles, mais la femme ne veut pas être musclée. Elle a besoin d'exercices qui ne sont pas fatigants, qui la délassent et la détendent. D'exercices qui, tout en tonifiant ses muscles, ses articulations, ses glandes, ses organes respiratoires et digestifs, donneront à ses mouvements quotidiens une grâce, une souplesse, une harmonie qui rehausseront sa féminité. »

(1) On a toujours souligné le pédomorphisme des femmes, par exemple, Bichat dans son *Anatomie générale* et bien sûr, Ploss et Bartels (*op. cit.*, p. 90) mais ces commentateurs n'y ont pas vu un avantage éventuel, comme W.I. Thomas dans *Sex and Society* (Londres, 1907), pp. 18, 51, et Ashley Montagu (*op. cit.*, pp. 70-71).

une large gamme de variations dont aucune ne permet de conclure à une anomalie fonctionnelle. Un tel classement ne fait que définir une tendance. Le besoin de justifier l'inégalité sociale de l'homme et de la femme nous a conduit, non seulement à surestimer les différences existantes mais à en inventer d'imaginaires, comme la côte supplémentaire que d'aucuns attribuent encore à la femme. On croit, par exemple, que le bassin de la femme, où la différence d'ossature des deux sexes apparaît le plus clairement, est radicalement différent de celui de l'homme alors qu'en réalité la structure fondamentale est la même et que la distinction est dans les proportions et l'angle d'inclinaison (1). Les femmes sédentaires, vivant dans l'abondance, ont souvent un bassin plus large que celles qui travaillent dur et sont mal nourries. On se trouve dans ce cas devant une différenciation sexuelle accentuée par des facteurs qui ne sont pas biologiques mais sociologiques (2). La croyance que des bassins étroits se prêtent mal à l'enfantement n'est pas fondée. La déformation contraire affecte tout autant le fonctionnement des organes. Mais le commun des mortels ne juge pas le sexe à la façon des archéologues. Quand les organes sexuels sont cachés, le sexe de l'individu ne se révèle que par les caractéristiques superficielles. Les appas attribués à la féminité vont à leur tour prélever leur tribu sur le squelette tyrannisé et calomnié, le soulignant ou le masquant, révélant sa dureté anguleuse ou la noyant dans des chairs tremblotantes. Ces os méritent-ils qu'on s'y arrête ?

---

(1) Voir l'*Anatomie* de Gray (*op. cit.*), pp. 402-407.
(2) On trouve des exemples de moindre différenciation pelvienne chez les femmes qui effectuent de gros travaux. Ploss et Bartels citent « Das Rassenbecken » de Henning dans *Archaelogie für Anthropologisten* (1885-1886, vol. 16, pp. 161-228).

3

LES RONDEURS

Quand le boute-en-train d'une réunion veut évoquer du geste une jolie femme, il fait onduler ses deux mains avec un clin d'œil de connivence. L'idée de rondeurs est si étroitement associée au symbolisme sexuel qu'il y a des gens qui ne peuvent retenir un rire grivois en voyant des panneaux de signalisation routière. En dépit des exigences de l'industrie vestimentaire, l'image la plus répandue de la femme demeure une créature tout en seins et en fesses, une succession hallucinante de paraboles et de renflements.

On croit volontiers que le corps féminin est enveloppé d'une couche de graisse isolante, ce qui le rend providentiellement plus agréable à caresser. Il est vrai que les femmes sont plus légèrement vêtues que les hommes, mais il est difficile de déterminer si la couche de graisse résulte d'une réaction naturelle destinée à protéger les parties exposées de leur personne ou d'une invasion assimilable au parasitisme. Il est certain que l'habitude qu'ont les hommes d'envelopper leur arrière-train dans des vêtements longs a entraîné un dépérissement des tissus que l'on peut constater aux pattes de poulets qu'ils exhibent sur les plages britanniques (1). Les hommes aussi ont de la graisse sous-cutanée mais chez les femmes elle se développe plus particulièrement en certains endroits du corps. Chez les gens obèses la graisse s'accumule surtout dans la couche sous-cutanée. Cette prétendue particularité des femmes signifie qu'elles devraient être plus grosses que les hommes. Mais en réalité nous constatons, au fil de l'Histoire, que tous les gens indolents et condamnés à l'oisiveté prennent de l'embonpoint. Les eunuques engraissent comme des bœufs. Il ne faut pas nous étonner de voir les hommes continuer à manifester une préférence pour les femmes rebondies (2).

Les plus beaux seins de la nature sont moins beaux que ce que l'imagination nous représente.

Gregory,
A Father's Legacy to his Daughters,
1809, p. 64.

Les rondeurs les plus appréciées sont celles des seins. La glande qui en constitue la base est une structure convexe s'étendant de la seconde côte à la sixième. La graisse qui s'accumule tout autour et engendre le sillon qui les sépare n'est pas une caractéristique sexuelle. Si une femme a une poitrine très développée sans avoir de graisse sur les autres parties du corps le phénomène est dû à un désordre endocrinien. L'attention qu'on accorde aux seins, la confusion à propos de ce que les fétichistes en

(1) R. Broby-Johansen, *Body and Clothes* (Londres, 1969) donne actuellement la description la plus complète de l'interaction entre le corps, l'image de soi et les vêtements, de même que du déplacement des zones érogènes et de la localisation de la graisse.
(2) Sophie Lazarsfeld, *The Rhythm of Life* (Londres, 1934), p. 158.

attendent, plongent les femmes dans une anxiété absurde. Leurs seins ne sont jamais tels qu'ils devraient être. Ils sont trop petits, trop gros, ils n'ont pas la forme requise, ou ils sont trop flasques. Il est impossible de se conformer au stéréotype car il est sans rapport avec la réalité. Il faut pourtant l'imiter d'une façon ou d'une autre alors que l'organe réel est trop exubérant ou trop décharné.

En pratique, des seins épanouis sont comparables à une meule que la femme porterait autour du cou. Ils suscitent la convoitise des hommes sans que la femme puisse s'en attribuer le mérite car cette admiration ne dure qu'aussi longtemps que rien ne rappelle leur fonction de mamelles. Une fois flétris, étirés ou desséchés, ils ne sont plus que des objets de répulsion. Ils ne font pas partie de sa personne mais ne sont qu'une parure destinée à être pétrie comme une pâte à modeler magique ou savourée comme un esquimau. La femme ne peut échapper à un tel abus qu'en refusant de porter des soutiens-gorge qui perpétuent le fantasme des nichons pneumatiques pour obliger les hommes à prendre conscience de la réalité. L'attention que l'on accorde depuis peu au mamelon, qui n'existait pas dans la pornographie courante, joue en sa faveur car il est expressif et sensible. La lente progression de l'émancipation féminine a délivré certaines poitrines de leur armature de caoutchouc mousse ou de baleines. Un pas de plus dans la même direction consisterait à rappeler aux hommes qu'eux aussi ont des mamelons sensibles.

La courbe suivante de cette femme au contour de sablier est la taille. Elle est étranglée pour accentuer la rondeur des seins et des fesses. Il serait difficile d'y voir un phénomène naturel. Chaque fois que la mode l'exigeait, les femmes ont dû porter un appareil conçu à cet effet qui, tels les cercles de cuivre finissant par allonger le cou des femmes bantous, faisait naître la taille. Les coquettes du XIXe siècle allaient jusqu'à se faire enlever les côtes inférieures pour lacer plus étroitement leurs corsets. Dans une tribu de la Nouvelle-Guinée, les hommes comme les femmes utilisent des ceintures très serrées si bien que des bourrelets de chair se forment de part et d'autre de la ligature et que les hommes sont eux aussi transformés en sabliers. Si nous nous référons aux corsets imposés à O (l'histoire d'O) nous avons lieu de supposer que la finesse de la taille donne une apparence de fragilité au corps féminin et flatte l'imagination des sadiques (1).

Le fétichisme des fesses est plutôt rare dans notre société bien que Kenneth Tynan ait publié il n'y a pas si longtemps un article de connaisseur dans un magazine (2). Dans les publications sub-pornographiques on trouve encore des réclames pour des gaines rembourrées, mais en général les croupes exubérantes et frémissantes qui fascinaient nos grands-pères sont frappées d'opprobre (3). Les

(1) Pauline Réage, *Histoire d'O*. Thorstein Veblen explique la signification sociologique des rondeurs en supposant qu'elles symbolisent le luxe et la faiblesse, dans *The Theory of the Leisure Class* (Londres, 1899), pp. 141-146.
(2) Kenneth Tynan, « The Girl who turned her Back », *May fair*, vol. 4, n° 3, mars 1969.
(3) L'éloge de la graisse de Ploss et Bartels (*op. cit.*, p. 86) montre quelle importance elle devait avoir pour nos grands-pères : « Il y a quelque chose de rébarbatif et de repoussant dans les surfaces très angulaires et plates chez les femmes, comme on le constate chez certaines races primitives, en raison de la dureté de leurs travaux et des privations qu'elles subissent, qui fait paraître les femmes vieilles à un âge où l'Européenne est encore dans tout l'éclat de la jeunesse. On peut considérer la couche de graisse comme l'un des plus importants caractères sexuels secondaires chez les femmes. Elle produit la rondeur gracieuse des membres, les courbes de la gorge, de la nuque et des épaules, le renflement des seins et des fesses. Tous les signes caractéristiques de la féminité. C'est aussi la graisse qui rembourre le genou, si différent de celui de l'homme. Et la rondeur massive, qui paraît parfois disproportionnée, de la cuisse chez les femmes, qui s'amincit pour rejoindre le genou potelé, est provoquée par cette même couche de graisse. » -

préférences vont aux fesses garçonnières moulées dans des pantalons étroits. Les femmes hésitent souvent à montrer leur arrière-train et le drapent dans des capes ou des tuniques mais c'est plutôt pour masquer un excès d'embonpoint.

Les goûts sexuels varient selon la classe sociale. Les ouvriers recherchent encore les femmes bien en chair alors que les classes moyennes qui se piquent d'élégance rendent hommage à la minceur, voire à la maigreur. Quoi qu'il en soit, la femme est toujours incitée à conformer sa silhouette au bon plaisir des hommes. Il en résulte un sentiment d'insécurité, et le souci constant de ses mensurations. La plus mince des femmes se mettra au régime par peur de grossir, à moins qu'elle ne se tourmente à l'idée de paraître trop décharnée, tandis que la femme rebondie s'efforce de maigrir. L'une et l'autre prennent à cet effet des médicaments plus ou moins dangereux pour se rapprocher d'un inaccessible idéal. Dans un cas comme dans l'autre, elles s'efforcent de satisfaire sur mesure le consommateur. Le client le plus difficile risque d'être le mari qui ne continuera à désirer son épouse et à s'exhiber avec elle qu'autant qu'elle ressemble à l'image en vogue de la féminité.

Tout corps humain a un poids optimum et une silhouette qui lui est propre, dont le critère est la santé et le dynamisme. Chaque fois que nous réduisons le corps féminin à n'être qu'un objet esthétique, sans autre fonction que de plaire, nous portons atteinte à son intégrité physique et à l'équilibre psychologique de la femme. Que les rondeurs jugées désirables soient luxuriantes ou discrètes, elles sont une violence faite à la nature individuelle et une limitation imposée à l'expression de la féminité.

LES CHEVEUX

L'écolier qui écrivit à un journal du dimanche en demandant pourquoi son directeur faisait tant d'histoires à propos de la toison qui s'allongeait dans son cou et retombait sur ses épaules était malhonnête. Lorsque les hommes de notre génération ont commencé à laisser pousser leurs cheveux, ils n'agissaient pas sans motivation, comme ils l'ont prétendu par la suite. Leur longue chevelure symbolisait le refus de la morale des bureaucrates à cheveux courts qui les avaient engendrés. Ce faisant, ils ont démystifié la signification sexuelle attachée à la chevelure. Beaucoup de jeunes gens arboraient des boucles folles et de longues mèches soyeuses avec lesquelles leurs sœurs cherchaient vainement à rivaliser. On ne renonça qu'à contrecœur à la conviction que la chevelure féminine était plus drue et poussait davantage que celle des hommes (1). On qualifia les hommes à cheveux longs de pédés

(1) La croyance que la chevelure féminine était plus drue était presque universelle. Bichat (*op. cit.*, vol. II) va jusqu'à y voir une compensation de la nature pour les déficiences que le sexe présente par ailleurs. Voir *The Works of Aristotle the Famous Philosopher* (Londres, 1779), p. 374. La calvitie passe pour une caractéristique associée au sexe. On ne peut pourtant pas affirmer que les femmes ne deviennent pas chauves. La force du préjugé sexuel fait qu'on masque la calvitie féminine qui est beaucoup plus répandue qu'on ne le pense.

et de pervers. Les femmes eurent recours aux postiches et aux perruques pour rétablir l'équilibre. Tout en se parant de faux cheveux et de faux cils, elles débarrassaient minutieusement de tout poil leurs aisselles et leurs membres. Lorsque, l'été venu, les prétendus pédérastes se prélassèrent dans les parcs en maillot de corps, on remarqua que leurs bras et leurs torses n'étaient pas velus, et leur barbe clairsemée. Au lieu d'en déduire que l'abondance des poils sur le torse n'était pas une preuve de virilité, on y vit la confirmation de leur dégénérescence. Il n'y a pas si longtemps, Edmund Wilson faisait planer le doute sur la virilité de Hemingway en suggérant qu'il usait de postiches.

En fait, certains hommes ont un système pileux développé, d'autres pas. Il en va de même des femmes. Le système pileux varie selon les races. Le Noir, cet homme viril entre tous, a très peu de poils sur le corps. Certaines Caucasiennes ont des poils noirs abondants sur les cuisses, les mollets, les bras, les joues. Leur suppression est douloureuse et prend du temps. Pourtant, plus les femmes se déshabillent, plus elles s'épilent.

La raison est d'une absurdité grossière. On croit à tort que la sexualité est une caractéristique animale, en dépit du fait que l'homme est, de tous les animaux, celui qui est le plus actif sexuellement et le seul chez lequel cette activité est indépendante de l'instinct de reproduction. L'imagination populaire, assimilant le système pileux à la fourrure, y voit un indice d'animalité et d'agressivité sexuelle. Les hommes le cultivent, de même qu'on encourage le développement de leur instinct de compétition. Les femmes le dissimulent, de même qu'elles évitent de manifester leur vigueur et leur libido. Si elles n'éprouvent pas spontanément une répulsion suffisante pour leurs poils d'autres les inciteront à s'épiler. Dans les cas extrêmes, les femmes rasent ou épilent leur pubis afin de paraître plus asexuées et infantiles. Pourtant, si Freud lui-même voyait dans les poils pubiens un écran engendré par une sorte de pudeur physiologique, on pourrait aussi interpréter sa suppression comme un geste de révolte. Les efforts de la femme pour éliminer toute odeur corporelle font partie de cette répression d'une animalité imaginaire. Aujourd'hui, il ne lui suffit plus de combattre la transpiration et la mauvaise haleine. Chaque magazine féminin la met en garde contre l'horreur de l'odeur vaginale, présentée comme répugnante à l'extrême. Les hommes qui ne souhaitent pas que leurs compagnes deviennent insipides à force d'user de déodorants et de dépilatoires sont impuissants devant le dégoût que les femmes ont de leur corps. Par ailleurs, certains hommes tirent vanité de leur propre odeur et de l'abondance de leurs poils en y voyant un refus viril de raffinements qu'ils jugent efféminés. Il y a un juste milieu entre une peau de bouc mal tannée et une poupée glabre et inodore ; le corps raisonnablement soigné est désirable, qu'il soit masculin ou féminin.

LES ORGANES SEXUELS

Les organes sexuels de la femme sont enveloppés de mystère. La plupart d'entre eux passent pour être internes et cachés. Même leurs parties externes sont peu connues. Lorsque les petites filles commencent à poser des questions, leur mère, si elles ont de la chance, leur montre des images rudimentaires de l'appareil sexuel, où les organes du plaisir tiennent beaucoup moins de place que la complexité des ovaires et des conduits. Je n'ai compris que les tissus de mon vagin étaient normaux que le jour où j'en ai vu une dissection minutieuse dans un manuel d'anatomie du XVIIIe siècle. On n'encourage pas la petite fille à explorer ses organes génitaux, ni à identifier les tissus qui les composent, ni à comprendre le mécanisme de la lubrification et de l'érection. Cette idée choque. En raison de cette étrange pudeur, s'étendant jusqu'au cabinet du médecin qui hésite à examiner la femme et à lui expliquer ce que l'examen a révélé, l'orgasme féminin est devenu de plus en plus mystérieux alors même qu'on l'exaltait comme un devoir. Sa nature fait l'objet de spéculations métaphysiques. Les idées les plus fausses circulent encore sur les femmes, bien qu'on les ait réfutées depuis longtemps. Beaucoup d'hommes refusent de renoncer à l'idée d'une éjaculation féminine qui, en dépit d'une longue et prestigieuse légende, est totalement imaginaire.

Une partie de cette pudeur à propos des organes génitaux féminins est due à de la répulsion. « Con » est un terme de mépris particulièrement injurieux. A l'inverse du pénis, le sexe de la femme doit être petit et discret. Aucune femme n'a envie d'avoir un sexe comme une « entrée de métro ». Elle s'inquiète à l'idée de paraître négligée ou de sentir mauvais et dissimule soigneusement tout indice de ses périodes menstruelles par respect pour la décence collective. Pourtant les femmes n'ont pas toujours été si réservées. Dans les anciennes ballades, les femmes vantent gaillardement leurs parties génitales, comme celle qui admoneste un tailleur timide n'osant pas mesurer sa bourse à franges avec son étalon :

> **You'l find the Purse so deep,**
> **You'l hardly come to the treasure.**

A Pleasant new Ballade Being a merry Discourse between a Country Lass and a young Taylor, c. 1670.

Une autre chante en termes galants sa « boîte à épingles ».

> **I have a gallant Pin-box,**
> **the like you ne'er did see,**
> **It is where never was the Pox**
> **Something above my knee...**
> **O'tis a gallant Pin-box**
> **You never saw the peer;**
> **Then Ile not leave my Pin-box**
> **For fitfy pound a year.**

The High-prized Pin-Box. Tune of : Let every Man with Cap in's Hand, etc. c. 1665.

Au début, la gynécologie était entièrement aux mains des hommes, dont certains, tel Samuel Collins, décrivent le vagin avec tant d'amour que toute femme, à les lire, devait se sentir considérablement réconfortée. Mais ces livres, bien entendu n'étaient pas destinés aux femmes. Samuel Collins baptise le vagin « temple de Vénus » et le *mons veneris* « coussin de Vénus », mais il renonce aux euphémismes pour décrire les merveilles de l'érection féminine.

« Les nymphes... tendues compriment le pénis, exprimant les délices du coït... La fonction des vaisseaux sanguins est de répartir la liqueur vitale dans la substance du clitoris, et celle des nerfs de l'imprégner d'une humeur précieuse chargée d'esprits animaux (pleine de particules élastiques qui la rendent vigoureuse et rigide)... Les glandes du vagin... échauffées par le coït, émettent par de multiples méats la liqueur séreuse fermentée et affinée dans la cavité du vagin dont le passage devient humide et glissant, ce qui est très agréable dans le coït... Les artères hypogastriques *s'étalent* en nombreuses *ramifications* tout autour du vagin et y font affluer le sang qui le rend chaud et turgescent (1). »

La description de Collins est active : le vagin *exprime*, *émet*, est *vigoureux* et *rigide*. Lui et ses contemporains pensaient que les jeunes femmes recherchaient les rapports sexuels avec plus d'ardeur encore que les hommes jeunes. Certains des termes utilisés pour décrire les tissus des organes génitaux féminins sont imagés et exacts, bien qu'ils ne soient

(1) Samuel Collins, *Systema Anatomicum* (Londres, 1685), p. 566, et Palfijin, *Surgical Anatomy* (Londres, 1726), planches des pp. 226-227 et aussi *Description Anatomique des Parties de la Femme* (Paris, 1708), Spigelius, *De humani corporis Fabrica* (1627), tab. XVII, lib. VIII, *Les portraits anatomiques* de Vesalius (1569) et le *Tabulae Anatomicae* d'Eustachius (1714).

pas scientifiques. Selon eux, le vagin est « tapissé de tuniques comparables aux pétales d'une rose épanouie ». « Les rides s'y succèdent », provoquant « le plaisir dans l'accouplement ». Le vagin est défini comme sensible. Les auteurs avaient également conscience du rôle particulier du clitoris dans les plaisirs et les ardeurs de l'amour.

La constitution du vagin est si souple (accueillant est le mot) qu'il peut s'adapter à n'importe quel pénis, s'étirant lorsqu'il est long, se raccourcissant lorsqu'il est court, s'élargissant s'il est gros, se rétrécissant s'il est mince. On peut donc dire que chaque homme pourrait sans inconvénient coucher avec n'importe quelle femme et chaque femme avec n'importe quel homme.

The Anatomy of Human Bodies epitomised,
1682, p. 156.

L'idée que des femmes équilibrées et en bonne santé avaient des orgasmes vaginaux était une interpolation métaphysique, dans les observations empiriques de ces pionniers. Collins considérait le clitoris comme allant de soi et faisant partie d'un organe aimé. Comme nous l'avons vu, il ne sous-estimait pas le rôle du vagin dans le plaisir. Malheureusement, nous avons accepté, avec la réhabilitation du clitoris proscrit par les disciples de Freud, l'idée de la passivité, voire de l'insensibilité du vagin. L'amour est devenu un art purement masculin dont les femmes sont juges. Nous ignorons tout des talents dont la femme de Bath usait envers ses maris et des sphincters athlétiques des Tahitiennes qui sont capables de retenir leurs hommes toute la nuit. Le langage obscène tourne autour de l'idée d'aiguillon. *Enfiler, tringler, tirer son coup, tromboner* sont des actes masculins accomplis sur une femme passive. Les termes désignant le pénis sont des noms d'outils. Les expressions inter-sexuelles sont beaucoup plus rares. Les propagandistes comme Theodore Faithfull et moi-même s'efforcent de modifier l'imagerie du vocabulaire courant. Faithfull a écrit à un homme ayant de la difficulté à parvenir à l'érection :

« Si vous renoncez à vous préoccuper de l'érection pour concentrer votre attention sur la femme et si vous ignorez le clitoris pour la caresser intérieurement avec les doigts, vous constaterez, en rapprochant étroitement vos organes sexuels, qu'elle est capable d'attirer le vôtre dans son vagin sans qu'il y ait besoin de votre part d'érection (1). »

On dirait un mensonge thérapeutique destiné à réconforter un individu inquiet. Pourtant, on a fait des efforts sérieux pour accroître la part de la femme dans l'accouplement. A.H. Kegel, en apprenant aux femmes à surmonter la faiblesse de la vessie dont elles sont fréquemment affligées, leur montra comment exercer leurs muscles puboccygiens et découvrit accidentellement que leur plaisir sexuel s'en trouvait accru (2). L'incontinence résultait de la répression d'activité qui empêchait le plaisir sexuel. Si nous développions la capacité de la femme à commander à ses muscles, il est probable que beaucoup de ses malaises pelviens disparaîtraient et que sa jouissance sexuelle augmenterait en proportion. Bien entendu, ce n'est possible qu'autant que nous savons comment ces muscles devraient fonctionner et nous ne pouvons

---

(1) Theodore Faithfull, dans *International Times*, n° 48, 17-30 janvier 1969.

(2) A. H. Kegel, « Letter to the Editor », *Journal of the American Medical Association*, vol. 153, 1953, pp. 1303-1304. Ses travaux sont commentés par Daniel G. Brown dans « Female Orgasm and Sexuel Inadequacy » dans *An Analysis of Human Sexual Response*, Ruth and Edward Brecher (Londres, 1968), pp. 163-164.

le déterminer que par l'observation. S'il était possible de susciter la bonne réaction en chaîne, les femmes constateraient éventuellement que le clitoris s'y trouve plus directement impliqué et peut être porté au maximum de l'excitation par un moyen moins systématique et condescendant qu'un massage digital. En tout cas, les femmes devront assumer une part de la responsabilité sexuelle, ce qui exige une certaine maîtrise de soi et une coopération délibérée. La bataille serait en partie gagnée si elles modifiaient leur conception des rapports sexuels en étreignant et en stimulant le pénis au lieu de le recevoir passivement. Les femmes averties vantent depuis longtemps les avantages de la position supérieure féminine car elles ne sont pas écrasées par le poids du corps plus lourd de l'homme et peuvent réagir avec plus de spontanéité. C'est après tout un problème de communication qui ne peut être résolu par un monologue avec une partenaire muette.

L'exclusion du fantasme de l'orgasme vaginal est en fin de compte un bien, mais la substitution du spasme clitoridien à une authentique satisfaction sexuelle peut aboutir au désastre. Les théories de Masters et Johnson ont produit des effets secondaires imprévus comme la clitoromanie du livre de Mette Eiljersen, *I accuse* (1) ! Tout en considérant que l'orgasme féminin résulte de la manipulation efficace du bouton qui le déclenche, elle condamne les sexologues qui recommandent la stimulation du clitoris comme un prélude aux rapports sexuels, à ce que la plupart des hommes considèrent comme l'acte proprement dit, qui est, selon elle, complètement dénué de sensation pour la femme. Elle ajoute :

« C'est là le cœur du problème, caché pendant

(1) « J'accuse » (Londres, 1969).

des siècles par des femmes humbles, timides et soumises. »

Toutes les femmes n'ont pas été humbles et soumises à ce point. Il est absurde de prétendre que la femme ne ressent rien quand l'homme introduit son pénis dans son vagin. L'orgasme est qualitativement différent lorsque le vagin peut onduler autour du pénis au lieu d'un vide. La distinction que l'on fait entre le plaisir simple et inévitable de l'homme et les réactions complexes de la femme n'est pas tout à fait fondée. Si l'éjaculation suffisait à la satisfaction masculine, étant donné la production constante de sperme et l'impulsion sexuelle qui en résulte, les hommes pourraient s'accoupler sans exaltation ni déception avec n'importe qui. Le processus décrit par les experts au cours duquel l'homme fait sagement le tour des zones érogènes en consacrant un temps égal à chaque mamelon avant de passer au clitoris (en général trop vite), puis franchit directement les stades de la stimulation digitale ou linguale pour s'introduire poliment dans le vagin, attendant éventuellement que le retrait du clitoris l'avertisse qu'il est le bienvenu, a été laborieusement et inhumainement mis en fiches par les ordinateurs. L'idée qu'il puisse y avoir un modèle statistique idéal de fornication qui aboutirait toujours à la satisfaction si l'on respecte la bonne méthode est aussi déprimante que fallacieuse. Il n'y a pas de substitut à l'excitation sexuelle. Tout le massage du monde n'entraînera pas la satisfaction qui est un phénomène psychosexuel et ne dépend pas d'un minuscule amas de nerfs mais de la participation sexuelle de la personne dans sa totalité. Le plaisir sexuel intense que les femmes continuent à éprouver après l'orgasme a été constaté par les hommes avec étonnement. Il n'est pas fondé sur le clitoris qui répond assez mal à une stimulation prolongée mais dû à une réaction sensuelle générale.

Si on localise la réaction de la femme dans le clitoris, on lui impose la même limite que celle qui a amputé la réaction sexuelle de l'homme. L'idée d'une virilité dénuée d'émotion amoureuse est désolante. Lorsqu'on exprime la satisfaction sexuelle en termes mécaniques, l'individu la cherche mécaniquement. L'acte sexuel devient une masturbation dans le vagin.

Les femmes qui ont accueilli les principes de Masters et de Johnson en s'exclamant « je l'avais bien dit ! » ou « je suis normale » seront choquées par cette critique. Elles ont découvert un plaisir sexuel dont elles avaient été privées, mais le fait qu'elles n'y soient parvenues que grâce à la stimulation du clitoris est un argument en faveur de ma thèse. C'est l'indice d'une désexualisation du corps et de la substitution de la génitalité à la sexualité. Le mariage idéal, tel qu'il est défini par les mesures de l'équipement électronique de la *Reproductive Biology Research Foundation* est une caricature, une sexualité terne pour des gens ternes. La personnalité sexuelle est fondamentalement anti-autoritaire. Si le système veut imposer une totale suggestibilité à ses sujets, il lui faudra domestiquer la sexualité. Masters et Johnson ont fourni le modèle d'une monogamie normalisée, parcimonieuse et fonctionnelle. Si les femmes veulent échapper à cette ultime mutilation de leur humanité, il faut qu'elles exigent non seulement l'orgasme, mais l'extase.

« L'organisation de la sexualité reflète les traits fondamentaux du principe du rendement et de son organisation sociale. (...) Il est particulièrement actif dans l' « unification » des divers objets des instincts particls cn un seul objet libidineux du sexe opposé et dans l'instauration de la suprématie génitale. Dans les deux cas, le processus d'unification est répressif. Autrement dit, les instincts partiels, au lieu d'évoluer librement vers un stade « supérieur » de satisfaction qui préserverait leurs objectifs sont mutilés et réduits à des fonctions subordonnées. C'est ce processus qui aboutit à la désexualisation socialement nécessaire du corps en laissant la majeure partie du reste disponible pour le travail. La réduction temporelle de la libido est complétée par sa réduction spatiale (1). »

Si le clitoris devient le seul siège du plaisir au lieu de fonctionner comme une vitesse surmultipliée dans une réaction plus générale, les femmes seront dominées par cette éthique du rendement, qui ne serait pas en elle-même une régression si elle englobait l'esprit d'entreprise et la créativité. Mais le dynamisme créateur est lié à une libido qui ne survit pas à ce processus de civilisation. Il faut que les femmes luttent pour la possibilité de solutions de rechange et pour la force qui leur permettra d'y avoir recours.

La tolérance a contribué à neutraliser l'instinct sexuel en le canalisant. Pour beaucoup, la sexualité est devenue une expérience morne, une satisfaction purement mécanique, qui ne s'accompagne plus de découverte ni de triomphe et aboutit à un isolement accru de l'être humain. Les orgies publiques que redoutaient les puritains ne se sont pas produites, bien qu'un plus grand nombre de jeunes filles accordent, sans joie, un plus grand nombre de privautés. L'homosexualité sous toutes ses formes, et tous les types de sexualité qui se développent en marge de l'ordre établi, rapports à plusieurs partenaires, crimes, viols d'enfants, sadomasochisme ont prospéré alors que la simple énergie sexuelle semble se perdre toujours davantage. Cela ne signifie pas que l'information sexuelle soit nocive, ni que la répression soit un aiguillon nécessaire à

(1) Herbert Marcuse, *Eros and Cilisation* (Londres, 1969), pp. 52-53.

l'impuissance humaine. Le problème est que l'information sexuelle s'est faite avec les subventions du gouvernement si bien qu'elle a été diffusée en mauvaise prose émaillée de jargon clinique. L'autorisation de parler librement de sexualité a débouché sur une nouvelle mystification, présentant la normalité sexuelle d'une façon aussi malhonnête que stupide. Les femmes qui envisagent leur vie sexuelle à la façon de Jackie Collins sont irrémédiablement perdues pour elles-mêmes et leurs amants :

« Il l'emmena dans la chambre à coucher et la déshabilla lentement. Il fit l'amour à la perfection. Aucune frénésie, aucune précipitation. Il caressa son corps comme s'il n'existait rien de plus important au monde. Il l'amena jusqu'au seuil de l'extase et l'en ramena, la laissant planer, sûr de chacun de ses gestes. Ses seins s'épanouissaient sous ses caresses, se gonflant, devenant toujours plus vastes, toujours plus fermes. Elle flottait dans l'espace, complètement captive de ses mains et de son corps. Il était d'une maîtrise stupéfiante, s'arrêtant juste au bon moment. Quand cela arriva, ce fut uniquement parce qu'il l'avait voulu et ils y parvinrent à l'unisson. Elle n'avait jamais éprouvé cela et elle se cramponnait à lui, balbutiant dans l'excès de son émotion combien elle l'aimait. Plus tard, couchés côte à côte, ils fumèrent tout en parlant. « Tu es merveilleuse », dit-il. « Comme tu as bien fait de m'obliger à attendre que nous soyons mariés (1). »

L'héroïne de Jackie Collins est prude, passive, calculatrice, égoïste et stupide malgré la capacité de dilatation miraculeuse de ses seins. Lorsque son mari se lasse de jouer de cet instrument sexuel, elle n'a d'autre recours que de languir sur son matelas de nuages dégonflé en se demandant pour-

---

(1) Jackie Collins, *The World is full of Married Men* (Londres, 1969), pp. 152-153.

quoi leurs relations ont mal tourné. Aucune mention des organes génitaux. Tout se passe dans une pâmoison ou une vague de sensations indifférenciées. L'homme travaille à lui procurer du plaisir aussi laborieusement qu'un eunuque dans un harem. La sexualité est mise au service de la contre-révolution.

Embraces are cominglings from the Head to the Feet.   And not a pompous High Priest entering by a Secret Place.

Blake, *Jerusalem II*, 39-40.

(Les étreintes sont une union de la tête aux pieds. Et non pas l'entrée pompeuse d'un Grand Prêtre en un lieu secret.)

La description de Jackie Collins représente l'idéal que les femmes se font le plus couramment des rapports sexuels. Elle montre à quel point nous sommes convaincus de la supériorité de l'homme. L'héroïne de Jackie Collins exploite l'instinct sexuel colonisateur de son partenaire, profitant de sa persistante importunité pour lui faire attendre son bon plaisir. A manœuvrer les impulsions violentes de l'homme, elle se donne l'illusion de la supériorité car elle est une créature tendre, sentimentale et pudique qui ne recherche pas sa propre satisfaction sexuelle mais exprime à l'homme son estime, sa confiance, son amour spirituel, jusqu'à ce qu'elle l'ait suffisamment civilisé pour lui imposer le mariage et une performance sexuelle de virtuose. Elle sous-estime la complexité psychique de l'amour de l'homme. Elle demeure solitaire, égocentrique, sans libido qui puisse alimenter son désir ou réveiller celui de son partenaire. Jackie Collins et les manuels d'éducation sexuelle montrent que nous en sommes toujours à substituer les organes aux personnes. Alors que les êtres humains ne sont jamais plus totalement eux-mêmes et présents que dans les rapports sexuels, en aucune autre circonstance l'absence de communication n'est aussi radicale, la solitude aussi profonde.

6

LA MATRICE

La sexualité ne se confond pas avec la reproduction. Le lien entre l'une et l'autre est particulièrement ténu chez les êtres humains, qui peuvent s'accoupler lorsqu'ils le désirent et non pas seulement lorsqu'ils y sont poussés par l'instinct sexuel et le cycle de reproduction. Cette différence provient probablement de ce que les êtres humains ont de la mémoire, de la volonté et une compréhension du plaisir sexuel qui les amène à le désirer pour lui-même. Pourtant, les petites filles n'apprennent l'existence du plaisir qu'à l'occasion de la découverte de leur fonction reproductive, comme une implication accidentelle. On s'attache beaucoup plus à les informer du traumatisme imminent de la menstruation et du risque d'être enceinte si elles commettent des imprudences et cèdent aux pulsions sexuelles qu'à leur apprendre à accueillir la sexualité comme un phénomène positif. Il en résulte que l'adolescente connaît mieux sa matrice que ses organes génitaux externes et ce qu'elle en sait n'est guère réconfortant (1).

(1) Parmi les livres destinés à préparer la fille à la menstruation on peut citer *Periods without Pain,* d'Erna Wright (Londres, 1966). Ses diagrammes rébarbatifs ne font pas apparaître le clitoris, qui n'est pas mentionné dans le texte.

Cette connaissance est théorique. La plupart des femmes ne prennent conscience de l'activité de leurs ovaires et de leur matrice que le jour où quelque chose se détraque, ce qui finit presque toujours par arriver. Trop de femmes meurent par suite d'une maladie d'organes qu'elles ont pratiquement ignorés de leur vivant, le col de l'utérus, la vulve, le vagin, la matrice, cela par suite du diagnostic trop tardif d'un désordre anodin à l'origine. Cela tient à un obscurantisme abusivement qualifié de « pudeur ». La matrice, depuis les temps les plus anciens, passe pour être source de difficultés et de malheur et le peu d'empressement des médecins à s'occuper des anxiétés que manifeste la femme au sujet de cet organe délicat provient en partie d'une peur atavique. La frigidité est considérée comme un phénomène courant, résultant de la malchance et de la maladresse. Par contre, l'impuissance est traitée avec la plus grande attention. La moindre lésion du pénis est examinée avec sollicitude afin d'éviter à l'homme les angoisses du complexe de castration. Mais il faut une hémorragie ou une descente d'organes pour qu'on condescende à s'occuper de la matrice. On ignore le clitoris. Une infirmière a failli couper le mien en me rasant pour une opération. Les frottis du col de l'utérus sont rarement pratiqués dans notre communauté. Je n'ai réussi à en obtenir un qu'en m'adressant à un centre spécialisé dans le traitement des maladies vénériennes, une fois que mon propre médecin eût refusé d'examiner mon vagin afin d'établir la nature d'une irritation qui se révéla conforme à mes suppositions. Au centre de traitement des maladies vénériennes, les frottis du col de l'utérus allaient de soi. Mon respectable médecin généraliste ne les pratiquait pas du tout. Le bruit fait autour des répercussions indéfinissables de la vasectomie sur la psyché masculine est l'expression d'un phallocentrisme persistant. Les inventeurs de la pilule se préoccupèrent si peu de la psyché féminine qu'il fallut plusieurs années pour qu'on s'aperçoive qu'une utilisatrice sur trois souffrait de dépression chronique. Cette sollicitude exagérée pour les organes sexuels mâles et la répugnance à s'occuper sérieusement de la matrice sont les conséquences d'une peur séculaire qu'on n'effacera pas par l'action politique ni les discours dans des réunions publiques. Il faut d'abord que les femmes commencent par connaître leur propre corps, prennent en charge la gynécologie et l'obstétrique, et surmontent leur préjugé contre les médecins de leur propre sexe.

Le dernier en date des fantasmes suscités par la matrice a été la pathologie de l'hystérie couramment répandue en Europe jusqu'au XXe siècle. Au début, on l'appelait « la mère » et on pensait que c'était la matrice qui se déplaçait, envahissait la gorge de la femme et l'étouffait.

D'innombrables personnes croient que la Mère (comme elles l'appellent) monte dans la gorge des femmes mariées et des jeunes filles. Elles croient même que le cordon de la Mère est fixé dans la gorge et que la veine de la Mère y est aussi située. Cette croyance est habilement exploitée par une certaine femme de cette ville qui dupe mainte victime naïve et s'enrichit prodigieusement.

In libellum Hippocrates de virginum morbis,
1688, p. 73.

Les anatomistes les plus sceptiques, tout en déplorant les pratiques des charlatans et des sorcières, n'en croyaient pas moins que la matrice était gorgée de sang et de semence morte qui engendraient des humeurs malignes, et proposaient une théorie tout aussi étrange de la congestion pelvienne (1). On pensait que les femmes célibataires et les veuves étaient plus exposées à l'hystérie et qu'il suffisait d'un bon mari pour les guérir. L'imaginaire chlorose, traitée tout aussi sérieusement, a la même origine (2). Sa description est minutieuse et bien qu'on y ait incorporé des symptômes dus à d'autres causes, on y relève les mêmes syndromes hypochondriaques que ceux qu'on a attribués à l'hystérie : l'épilepsie, l'asthme, l'essoufflement, le ballonnement, *sensus globi in abdomine se volventis*, la lassitude, les convulsions, les douleurs menstruelles. Certains médecins croyaient effectivement que *est femineo generi pars una uterus omnium morborum* « la matrice est mêlée à chaque maladie de la femme ». On supposait que les femmes étaient par nature esclaves d'une matrice insatiable et condamnées à souffrir de symptômes qui n'apparaissaient chez les hommes que s'ils abusaient de la masturbation (3). Bien que le mécanisme de la répression sexuelle eût été décrit à

(1) Bisshof, *Observations and Practices Relating to Women in Travel, etc.* (Londres, 1676), p. 76.

(2) La chlorose a été décrite comme un état d'anémie observé chez les jeunes femmes et les jeunes filles et imputé à des corsets trop serrés, à la constipation, à des grossesses fréquentes, à des carences d'hygiène et de diététique (*The British Medical Dictionary*, éd. Sir Arthur Salusbury McNalty (Londres, 1961). Dans l'opinion populaire, on l'attribuait souvent à la frustration du désir de la vierge de s'accoupler et d'avoir des enfants, *The Works of Aristotle in Four Parts* (Londres, 1822), pp. 21-22. Baverius, au XIVᵉ siècle, l'avait attribuée à un manque de fer, mais l'association de la maladie avec la virginité a obscurci le problème. Johan Lange a écrit un traité sur la maladie des vierges en 1554. En 1730, Hoffman embrouilla la question davantage en l'associant avec l'hystérie. Des études savantes soulignaient sa fréquence dans les pensionnats et chez les femmes qui se livraient à des activités intellectuelles en général. On l'associa même à une maladie de cœur. (Voir *An Introduction to the History of Medicine*, par Fielding H. Garrison, Philadelphie, 1939, pp. 167, 207, 271, 314, 360, 571, 647). Aujourd'hui on s'accorde à dire qu'il n'y a pas de maladie correspondante à la chlorose.

(3) La bibliographie de l'hystérie est énorme depuis le *Liber Prior*

plusieurs reprises, la réaction de la femme était considérée, et elle l'est encore, comme un argument qui justifiait sa perpétuation. Les femmes étaient des créatures trop faibles, trop irrationnelles, pour qu'on pût leur permettre de diriger elles-mêmes leur vie. L'effondrement d'une de mes étudiantes, victime de crampes et d'une crise de sanglots lors de son dernier examen, a été attribué à de l'hystérie. L'étiologie de son cas était particulièrement importante mais le terme d'hystérie semblait répondre à toutes les questions.

Bien que nous ayons cessé de croire à la chlorose depuis que les femmes constituent une partie essentielle, bien que subalterne, de la main-d'œuvre, nous croyons toujours que les vieilles filles sont prédisposées à être consumées et desséchées par la frustration. Ce n'est que récemment que les fonctions terrifiantes de la matrice ont été officiellement reconnues et acceptées. Désormais, les maris sont autorisés à participer aux mystères de l'accouchement qui n'est plus une connaissance strictement réservée aux femmes. La mère n'a plus besoin de se purifier ou de passer par l'église après l'enfantement. On s'efforce de dissiper l'idée qu'il est un châtiment infligé aux femmes, et de les rééduquer afin qu'elles participent activement à l'évolution de leur grossesse. Les plus sinistres aléas de l'accouchement, la fièvre puerpérale et l'hémorragie subite, ont été vaincus. Bien que peu d'hommes soient encore réduits à voir avec horreur leur femme mourir d'une

---

de morbis mulierum, d'Hippocrate dont Cordeus publia une version en 1583, à laquelle il faut ajouter *In Libellum Hippocrates de Virginum Morbis* de Tardeus (1648). La maladie donnait lieu à une spécialisation lucrative. Beaucoup de jeunes médecins rédigeaient à son sujet des dissertations en latin. Au British Museum, t. 559, on trouve une trentaine de publications de 1668 à 1796 qui montrent que les symptômes les plus hétérogènes étaient groupés sous le terme hystérie.

fausse couche, nous n'avons toujours pas réussi à triompher de la crainte que nous inspire la matrice. La survivance la plus répandue de cet atavisme est la réaction que provoque la menstruation.

Les musulmanes, les hindoues, les juives doivent se considérer comme impures pendant la période de menstruation et s'isoler. Au Moyen Age, l'église catholique interdisait aux femmes l'accès au lieu de culte pendant leurs règles. Bien qu'il y ait une lente évolution des esprits, nous manifestons toujours notre répugnance pour la menstruation en la tenant cachée. Le succès des tampons vient en partie de ce qu'ils sont invisibles. La puberté est plus importante que n'importe quel anniversaire mais dans les familles anglo-saxonnes on l'ignore et on la dissimule avec soin. Pendant six mois, en attendant mes premières règles, j'ai traîné dans mon cartable un sac avec des serviettes et des épingles. Les serviettes étaient faites d'un tissu rugueux et je me glissais dans la buanderie pour les laver, courbée sur un baquet d'eau sale, en espérant que mon frère ne me surprendrait pas dans cette révoltante besogne. Il n'est pas étonnant que des petites filles bien élevées et soignées aient du mal à accepter la menstruation alors que notre société se contente de l'expliquer en les abandonnant à elles-mêmes. Chez les indigènes qui vivent au bord du Pennefather, dans le Queensland, la petite fille était enterrée jusqu'à la taille dans du sable chaud pour faciliter les premières contractions, nourrie et soignée par sa mère dans un lieu sacré, et ramenée en triomphe au camp, où elle célébrait son admission parmi les filles à marier. Il est probable que, dans ces conditions, la menstruation était beaucoup moins traumatisante (1). Les femmes mettent encore

(1) Ploss et Bartels (*op. cit.*), vol. I, pp. 611-631, *The Seclusion of Girls at Menstruation*.

beaucoup de discrétion à acheter des serviettes hygiéniques et lorsqu'elles vont aux toilettes, elles prennent leur sac à main alors qu'il leur suffirait d'emporter une serviette. Elles frémissent d'horreur à l'idée d'avoir des rapports sexuels pendant la période de menstruation, et ont l'impression que le sang qu'elles perdent est d'une espèce particulière, bien qu'elle soit moins particulière qu'à l'époque où des sorcières en faisaient l'ingrédient de philtres offerts à la bénédiction du diable. Si vous vous croyez émancipée, envisagez donc l'idée de goûter votre sang menstruel. Si cela vous donne la nausée, c'est que vous avez encore un long chemin à parcourir.

On nous dit que la menstruation est un phénomène unique dans les processus de notre organisme parce qu'il y a perte de sang. Nous sommes convaincus que la nature est un miracle d'ingéniosité, qu'elle ne crée jamais rien d'inutile et qu'elle n'a pas besoin d'être corrigée, surtout lorsque les femmes sont seules à en souffrir. On en déduit qu'il est tout à fait improbable que la menstruation soit accompagnée de douleurs réelles. En pratique, aucune petite fille perdant son sang par un organe qu'elle ignorait posséder jusqu'à ce qu'il commence à l'incommoder ne pensera que la nature est un modèle d'infaillibilité et que tout ce qui existe est bon. Lorsqu'on lui révèle qu'elle est responsable de la douleur associée à cette horreur parce qu'elle n'a pas su s'adapter à son rôle de femme, elle a l'impression d'être la victime d'une mauvaise plaisanterie. La plupart des médecins admettent que les femmes sont mal à l'aise pendant la menstruation, mais leurs opinions diffèrent considérablement quant au nombre de femmes qui éprouvent des douleurs « réelles ». Il importe peu que les contractions de la matrice soient douloureuses dans le sens strict du terme ou qu'il s'agisse d'une illusion que la psychothérapie pourrait dissiper. La vérité est qu'aucune femme n'accepterait la menstruation si elle n'y était obligée. Pourquoi ne se révolterait-elle pas contre une servitude précédée, accompagnée et suivie de tension nerveuse, se traduisant par des désagréments, une mauvaise odeur, des vêtements tachés ? D'autant plus que cette servitude accapare entre 1/7 et 1/5 de sa vie d'adulte jusqu'à la ménopause, qu'elle la rend féconde treize fois par an alors que la plupart des femmes ne souhaitent pas plus de deux enfants. Et cela alors que la ménopause peut entraîner plusieurs années de troubles endocriniens et l'atrophie progressive des organes sexuels. En réalité, la nature n'est pas un miracle d'ingéniosité. Toute lutte que nous engageons contre la maladie est une interférence avec l'ordre naturel et aucune raison ne nous permet d'affirmer que la menstruation telle que nous la connaissons est nécessaire et que nous ne puissions en envisager la modification.

La contradiction qu'il y a à considérer la menstruation comme une manifestation de la divine providence et une particularité si honteuse qu'on ne saurait y faire allusion officiellement, ne fait qu'accroître la révolte de la femme et le malaise qui s'exprime dans l'imprécision et l'inexactitude, pudique ou péjorative, des termes dont on désigne le phénomène dans la langue courante. On peut envier l'artifice utilisé par la Dame aux Camélias pour signifier son état à ses admirateurs mais si cette pratique était généralisée elle risquerait de passer pour une marque de proscription, l'équivalent de la clochette des lépreux. Il y a eu quelques tentatives de réhabiliter la menstruation, tel le poème que lui a consacré Sylvia Plath (1). Si nous ne pouvons plus

(1) La poésie de Sylvia Plath est un monument élevé à la femme qui se débat contre les entraves de la phylogénétique. Son imagerie exprime les obsessions fantasmatiques d'une femme tourmentée par

célébrer officiellement la puberté, il faudrait peut-être qu'un artiste réalise un film sur la menstruation qui fasse comprendre ses implications par des moyens poétiques plus appropriés à cet effet que la sécheresse du jargon scientifique.

On a souvent pris prétexte de la menstruation pour contester la capacité des femmes à exercer certaines activités. Quand ce n'est que le confort de la femme qui est en jeu, les effets de la menstruation sont minimisés. Lorsque les privilèges de l'homme sont menacés, on les grossit. Les femmes ne sont pas plus affectées par la menstruation que les hommes par l'abus de l'alcool, l'hypertension, les ulcères, la peur de la défaillance sexuelle. Il n'est pas nécessaire de mettre les femmes périodiquement en congé. Il est possible que la criminalité féminine augmente avant et pendant la menstruation, mais il est aussi vrai que les femmes commettent beaucoup moins de crimes que les hommes. Il faut que les femmes prennent conscience de l'usage que les antiféministes font de ces arguments afin de les contrer par leur propre témoignage. La menstruation ne fait pas de nous des folles ou des infirmes. Mais nous nous en passerions volontiers.

un rêve de violation et de mort. On trouve certains de ses thèmes dominants dans un court poème, « Metaphors ».

> I am a riddle in nine syllables,
> An elephant, a ponderous house,
> A melon strolling on two tendrils,
> A red fruit, ivory, fine timbers!
> This loaf's big with its yeasty rising.
> Money's new minted in this fat purse.
> Inm a means, a stage, a cow in calf.
> I've eaten a bag of green apples,
> Boarded the train there's no getting off.
>
> The Colossus, Londres, 1960, p. 41.

L'AME

7

LE STÉRÉOTYPE

Le stéréotype de la féminité est né et réside dans cette dimension mystérieuse où le corps rencontre l'âme. Il est plus corporel que spirituel, plus spirituel qu'intellectuel. La femme a l'apanage de toute beauté, et du mot lui-même. Tout ce qui existe n'a d'autre raison d'être que d'exalter ce privilège.

L'esprit, auquel on a appris depuis l'enfance que la beauté est le sceptre de la femme, se conforme au corps et, errant dans sa cage dorée, il ne cherche plus qu'à orner sa prison.

Mary Wollstonecraft,
A Vindication of the Rights of Women,
1792, p. 90.

Le soleil ne brille que pour dorer sa peau et sa chevelure. Le vent ne souffle que pour donner de la couleur à ses joues. La mer s'efforce de la baigner. Les fleurs meurent de bon gré afin que leur essence rehausse l'éclat de sa peau. Elle est le couronnement de la création, son chef-d'œuvre. La profondeur des océans est mis au pillage afin d'en remonter les perles et le corail destinés à la parer. Les entrailles de la terre sont violées pour en extraire l'or, les saphirs, les diamants et les rubis de ses parures. Des bébés phoques sont assommés, des agneaux sont arrachés du ventre de leur mère, des millions de taupes, de rats musqués, d'écureuils, de visons, d'hermines, de renards, de castors, de chinchillas, d'ocelots, de lynx et d'autres jolies créatures meurent prématurément pour que la femme puisse se draper de leur fourrure. Les aigrettes, les autruches, les paons sont massacrés pour leur plumage. Les hommes risquent leur vie à chasser des léopards pour ses manteaux, des crocodiles pour ses sacs et ses chaussures. Des millions de vers à soie travaillent pour elle. Même les couturières font des ourlets et montent des dentelles à la main pour qu'elle soit vêtue de ce que l'argent peut acheter de plus raffiné.

Les hommes de notre civilisation ont renoncé à leurs luxueux atours afin d'être plus libres de dépouiller l'univers de ses trésors pour en couvrir leur idole. De nouvelles matières, de nouvelles machines, de nouveaux procédés sont mis à son service. C'est pourquoi la femme doit dépenser et manifester publiquement le pouvoir d'achat et la réussite sociale de l'homme qui l'entretient. Pendant qu'il travaille dans son usine, elle titube dans les rues les plus élégantes, les hôtels les plus somptueux, en arborant sa fortune sur son dos, sa gorge, ses poignets, ses doigts. Elle poursuit sa fonction de consommatrice dans l'intérieur qui est son cadre et son écrin, y jouissant de l'oisiveté capitonnée qui est essentielle au prestige de son compagnon et nécessaire à sa propre réputation sociale. Autrefois, seules les femmes de l'aristocratie pouvaient prétendre à la fonction de couronnement de la création. Elles seules avaient les mains assez blanches, les pieds assez petits, les tailles assez fines, la chevelure assez longue. Mais bientôt les épouses des riches bourgeois se mirent à les singer et à suivre la mode si bien que leur aristocratique modèle fut obligé de se transformer en déesse surchargée de pierreries de la grosseur d'œufs de pigeon. De nos jours, la reine d'Angleterre considère encore comme de son devoir royal de femme d'arborer la plus grande quantité possible de bijoux familiaux à chacune de ses apparitions publiques, bien que les monarques de sexe masculin aient échappé à ce rôle de vitrine ambulante, dévolu uniquement à leurs épouses.

La femme, devenue signe extérieur de richesse et de rang social alors que l'homme se retirait dans un relatif anonymat pour n'être jugé que sur ses actes, est aussi l'emblème principal de l'art occidental. Pour les Grecs, les corps de l'homme et de la femme avaient une beauté humaine qui n'était pas nécessairement de caractère sexuel. Les artistes ont même parfois manifesté une préférence pour le jeune homme, voyant en lui les proportions les plus parfaites et les plus dynamiques. Les Romains, de même, n'ont pas privilégié la représentation de la femme dans un art qui se voulait monumental. C'est à partir de la Renaissance que la femme l'emporte, non plus seulement dans son rôle de mère qu'illustre le thème dominant de la *madonna col bambino*, mais comme objet d'étude esthétique. Les premiers nus apparaissent dans des scènes de foule ou dans des diptyques représentant Adam et Ève. Mais progressivement, Vénus s'impose. Marie-Madeleine cesse d'être émaciée et desséchée pour devenir nubile et extatique. Puis ce sont les portraits de jeunes femmes anonymes, choisies uniquement pour leurs charmes, qu'on dévoile toujours davantage en les rebaptisant Flore ou Printemps. Les peintres se mettent à peindre leurs épouses, leurs maîtresses, celles des rois, avec une volupté charnelle, les déshabillant éventuellement, mais sans les dépouiller de leurs bijoux. Suzanne se baigne avec ses bracelets et Hélène Fourment ne lâche pas sa fourrure.

La même évolution se produit dans la poésie. La beauté féminine y est célébrée au moyen des richesses dont on l'a entourée. Ses cheveux sont de l'or filé, son front de l'ivoire, ses lèvres, des rubis, ses dents des rangées de perles, ses seins de l'albâtre veiné de lapis-lazuli, ses yeux du jais. La fragilité de sa beauté est soulignée par la comparaison avec la rose, et on l'invite à en profiter avant qu'elle ne soit fanée. Elle est destinée à la consommation. D'autres images la comparent à des cerises, de la crème, du miel, du lait, des pommes. Certains admirateurs décrivent aussi les vêtements dont elle se pare, la batiste plus transparente que la brume matinale, la dentelle fine comme des fils de la vierge, les babioles avec lesquelles elle joue, les faveurs qu'elle accorde. Aujourd'hui encore, dans le roman populaire, le héros insiste sur l'élégance de ses belles amies, des chapeaux aux chaussures, sans omettre le raffinement des accessoires. L'imagerie n'insiste plus sur les bijoux et les fleurs, mais l'importance attachée à la consommation est la même. La terne secrétaire devient le stéréotype de la féminité sitôt qu'elle met du rouge à lèvres, laisse flotter ses cheveux et enfile un vêtement froufroutant.

De nos jours, on n'attend plus des femmes, à moins qu'il ne s'agisse de Paola de Liège ou de Jackie Onassis et pour celles-là même uniquement lors de gala, qu'elles paraissent avec la rançon d'un roi déployée sur le corps. Mais on exige qu'elles aient l'allure luxueuse de femmes qui suivent la mode et fréquentent les instituts de beauté et qu'elles ne mettent pas deux fois la même robe. Si le devoir de la minorité est devenu moins onéreux, il s'est étendu au grand nombre. Le stéréotype commande désormais à une armée de servantes. Il s'est enrichi de cosmétiques, de sous-vêtements, de dessous de robe, de bas, de perruques, de postiches. L'accumulation de ces raffinements est coûteuse. La ligne, la coupe, le sur-mesure ont remplacé la somptuosité. Il faut entretenir l'esprit de rivalité entre le nombre croissant de femmes qui luttent pour arriver au sommet de l'échelle afin que l'industrie soit assurée d'un marché en expansion. Les femmes plus pauvres imitent la mode, souvent avec une saison de retard, au moyen de contrefaçons grossières, confondant la ligne, le lustre, la facture soignée des articles de luxe avec un clinquant criard. Etre belle est devenue une entreprise si complexe que seuls des spécialistes peuvent la mener à bien. Pour les défenseurs du stéréotype les femmes doivent être habillées, coiffées, maquillées par des experts, bien qu'ils encouragent parfois les maîtresses de maison en proclamant dans les magazines populaires leur attachement indéfectible à la chevelure naturelle et aux saines vertus de l'eau et du savon. Malheureusement, cette proclamation de principe a, en général, un effet décourageant sur celles qui ont la naïveté de la mettre en pratique.

Tant qu'elle est jeune et bien faite, chaque femme peut nourrir le rêve de gravir l'échelle sociale et d'éclipser l'éclat du luxe par sa beauté naturelle. On ne cesse de lui citer en exemple les rares privilégiées qui ont réussi cet exploit. Enflammées d'espoir, d'optimisme et d'ambition, les jeunes femmes étudient la dernière forme du stéréotype lancé par les magazines dans lesquels on ne voit les mannequins que parmi les réclames des résidences de luxe, des fourrures, des bijoux. Aujourd'hui, l'unité de la mode est gravement affectée par l'apparition, en Grande-Bretagne, de modélistes féminines audacieuses qui s'adressent à la femme qui travaille en lui proposant des vêtements confortables, variés, aux effets simples et frappants. Il n'y a plus un seul stéréotype féminin, mais plusieurs. Twiggy a dû avoir recours à la commercialisation et mesurer ses apparences personnelles, alors que The Shrimp travaille surtout à New York. Néanmoins, le stéréotype est encore tout-puissant. Il n'a fait que s'enrichir de variantes.

Ce stéréotype est l'Éternel féminin, l'objet sexuel recherché par tous les hommes, adoré par toutes les femmes. Il n'appartient ni à l'un ni à l'autre sexe, car il est asexué. Sa valeur réside tout entière dans le besoin qu'il engendre dans l'esprit des autres. On ne lui demande que d'exister. La femme n'a pas à faire la preuve de ses capacités intellectuelles car elle est la récompense de la réussite sociale de l'homme. Elle n'a pas à démontrer ses qualités morales car la vertu est impliquée dans sa beauté et sa passivité. Si elle est surprise en compagnie d'un autre que son propriétaire, elle ne sera pas punie, car elle est moralement neutre. C'est une pure affaire de rivalité masculine. Elle peut en toute innocence pousser les hommes à la folie et à la guerre. Plus elle provoque de désordre, plus sa cote monte car la satisfaction de la posséder est proportionnelle au désir qu'elle excite. Aucun homme ne veut d'une femme dont la beauté n'est perceptible que pour lui seul. C'est pour cela que les hommes sont favorables au stéréotype. Il oriente leur goût vers les valeurs couramment reconnues, même s'ils protestent contre ceux de ses aspects qui ne s'accordent pas avec leur fétichisme. Dans l'ensemble, le stéréotype satisfait la plupart des exigences.

Le mythe de la femme noire, forte et puissante, est le revers du mythe de la belle blonde idiote. L'homme blanc a transformé la femme blanche en un monstre fragile, faible d'esprit, faible de corps, un vase à

foutre, et il l'a placée sur un piédestal ; il a transformé la femme noire en une Amazone, forte et autoritaire, qu'il a placée dans la cuisine... L'homme blanc a fait de lui-même l'administrateur et s'est établi dans le grand bureau.

Eldridge Cleaver (The Allegory of the Black Eunuchs) (« Soul on Ice »), *Un Noir à l'ombre*, trad. Jean Michel Jasienko (Éd. du Seuil, 1969).

L'homme qui tient aux belles jambes suivra les minijupes, celui qui attache plus d'importance aux seins applaudira aux blouses transparentes et aux décolletés plongeants. Il n'y a que celui qui aime les femmes grasses qui se sentira peut-être obligé de satisfaire ce goût en secret. Les variantes du stéréotype ont des limites rigoureuses car rien ne doit interférer avec sa fonction d'objet sexuel. La femme peut porter du cuir à condition qu'elle ne sache pas conduire une motocyclette. Elle peut porter du caoutchouc à condition qu'elle ne soit pas une championne de la plongée ou du ski nautique. Si elle porte des vêtements d'athlète, ce ne peut être que pour souligner son manque d'athlétisme. Il lui est permis de monter à califourchon en ayant l'apparence gracieuse et potelée, mais elle ne doit en aucun cas se pencher sur l'encolure du cheval, le derrière en l'air.

Elle a été créée pour être le jouet de l'homme, son hochet, qui doit tintinnabuler dans ses oreilles chaque fois que, chassant la raison, il choisit de se divertir.

Mary Wollstonecraft,
A Vindication of the Rights of Women,
1792, p. 66.

Parce qu'elle est l'emblème du pouvoir d'achat et celle qui dépense le plus, elle est aussi la meilleure incitation à acheter. Toutes les enquêtes qui ont été effectuées révèlent que l'image d'une femme séduisante est la plus efficace des publicités. Tantôt elle est perchée sur le garde-boue d'une nouvelle voiture à moins qu'elle y monte, étincelante de bijoux. Tantôt elle est allongée aux pieds d'un homme et caresse ses nouvelles chaussettes. Elle pose avec une mine aguichante à côté de la pompe à essence ou danse à travers une clairière au ralenti pour exprimer la volupté purifiante d'un shampoing. En quelque situation qu'on la représente, elle fait vendre. Cette idolâtrie de notre civilisation s'étale partout, sur les panneaux d'affichage, les écrans de cinéma et de télévision, les journaux, les magazines, les boîtes de conserve, les cartons, les bouteilles. Tout est consacré à la divinité régnante, la femme-fétiche. Cela n'implique pas que les femmes, elles, règnent, car le stéréotype n'est pas une femme. Ses lèvres brillantes, sa peau mate, ses yeux fixés sur l'infini, ses mains irréprochables, son extraordinaire chevelure flottante et lumineuse ou bouclée et scintillante sont le triomphe inhumain des cosmétiques, de l'éclairage, du cadrage, des retouches, de la composition et de la reproduction. Le stéréotype dort sans que rien n'altère la perfection de sa beauté, lèvres fraîchement peintes et appétissantes à souhait, sourcils bien tracés, faux cils artistiquement recourbés. Même lorsque cette créature idéale se lave le visage avec un nouveau savon de toilette particulièrement crémeux, il reste serein et vide d'expression et son maquillage plus raffiné que jamais. Si on montre une femme décoiffée et contrariée, ses traits retrouvent miraculeusement leur harmonie grâce à une nouvelle lessive ou à un bouillon en cube. Elle est une poupée qui pleure, qui fait la moue, qui sourit, qui court, qui se couche avec une provocante langueur. Elle est une idole dont les lignes et les volumes symbolisent les chaînes de l'impuissance satisfaite.

Sa qualité essentielle est la castration. Il faut qu'elle soit jeune, que son corps soit dépourvu de poils, ses chairs fermes, et *il ne faut surtout pas qu'elle ait d'organe sexuel*. Aucun muscle ne doit déparer ses membres délicats, qu'elle soit mince jusqu'à la maigreur, ou agréablement rebondie. L'expression de son visage ne doit trahir ni humour, ni curiosité, ni intelligence, bien qu'il puisse être hautain jusqu'à l'absurdité, ou suggérer une secrète concupiscence, discrètement indiquée par des paupières baissées et une bouche maussade (le désir du stéréotype se traduit par une soumission irrationnelle). Ou encore, plus communément, sa physionomie exprimera l'enjouement d'une béatitude idiote. Le monde se dépouillant au profit de cette créature, elle se doit d'être heureuse. Tout l'édifice se mettrait à branler si elle ne l'était pas. C'est pourquoi l'image de la femme est collée sur chaque surface disponible, avec un sourire permanent. Une tarte aux pommes provoque un regard de tendre allégresse, une machine à laver suscite l'hilarité, une boîte de chocolats engendre une joyeuse gratitude, un coca-cola sera accueilli par le scintillement d'une dentition éblouissante et même un bandage adhésif fera naître un retroussement mutin des lèvres. Toute femme qui se respecte humecte ses lèvres et montre ses dents sitôt qu'un photographe est en vue. Il faut qu'elle arrive à la première du film de son mari en manifestant un paroxysme de félicité, sinon on pourrait douter de son succès. La maladie professionnelle des « bunnies » ou « petits lapins » est la crampe des muscles faciaux.

Au nom de quoi critiquer un tel système? Peut-être n'étais-je pas à la hauteur de ses exigences. Peut-être n'ai-je pas un sourire séduisant, de belles dents, des seins bien proportionnés, des jambes

---

Discretion is the better part of Valerie
though all of her is nice
lips as warm as strawberries
eyes as cold as ice
the very best of everything
only will suffice
not for her potatoes
and puddings made of rice

Roger McGough, *Discretion.*

(L'auteur décrit une coquette à l'esprit calcula-teur dont les lèvres ont la chaleur des fraises et les yeux le froid de la glace.)

---

longues, des fesses aguichantes, une voix sensuelle. Peut-être n'ai-je pas l'art de manœuvrer les hommes et d'augmenter ma valeur marchande pour obtenir la rémunération que je mérite. Peut-être en ai-je assez de jouer la comédie, de feindre l'éternelle jeunesse, de dissimuler mon intelligence, ma volonté, ma sexualité. Je n'en peux plus de regarder le monde entre de faux cils qui masquent tout ce que je vois de leur ombre artificielle. Je n'en peux plus de charger ma tête d'un faux chignon, de ne pas pouvoir la bouger librement, de craindre la pluie, le vent, de ne pas oser danser avec élan par peur de transpirer et d'abîmer mes boucles laquées. Je n'en peux plus de devoir constamment me repoudrer. Je n'en peux plus de feindre que les déclarations prétentieuses d'un mâle imbu de lui-même sont l'unique objet de mon attention. Je n'en peux plus d'aller voir les films et les pièces que, lui, a envie de voir. Je n'en peux plus de n'avoir pas droit à une opinion personnelle. Je n'en peux plus d'être réduite au rôle de travesti incarnant un personnage féminin. Je suis une femme, pas un castrat.

To what end is the laying out of the embroidered Hair, embared Breasts; vermilion Cheeks, alluring looks, Fashion gates, and artfull Countenances, effeminate intangling and insnaring Gestures, their Curls and Purls of proclaiming Petulancies, boulstered and laid out with such example and authority in these our days, as with Allowance and beseeming Conveniency.

Doth the world wax barren through decrease of Generation and become, like the Earth, less fruitfull heretofore? Doth the Blood lose his Heat or do the Sunbeams become waterish and less fervent, than formerly they have been. That men should be thus inflamed and persuaded on to lust?

Alex Niccholes,
A Discourse of Marriage and Wiving,
1615, pp. 143-52.

(L'auteur proteste contre les artifices dont les femmes usent pour séduire les hommes, en demandant si l'humanité est menacée d'extinction par un affaiblissement de l'instinct ou une diminution de fécondité de la nature.)

April Ashley, par naissance, était de sexe masculin. Toutes les informations fournies par les gènes, les chromosomes, les organes sexuels internes et externes ne laissaient aucun doute à ce sujet. April était un homme. Mais il avait envie d'être une femme. Il était obsédé par le stéréotype, non pas par désir de l'étreindre mais de s'identifier à lui.

April désirait se parer de tissus délicats, de bijoux, de fourrures, de maquillage. Il désirait l'amour et la protection des hommes. Donc, il était impuissant. Les femmes ne l'intéressaient pas, et il ne trouvait pas non plus de satisfaction dans les avances homosexuelles. Il ne se considérait pas comme un homme pervers, ni même comme un travesti, mais comme une femme à laquelle la nature aurait cruellement donné l'apparence d'un homme. Il tenta de se tuer, se mit à jouer un personnage de femme sur scène, et finit par trouver à Casablanca un médecin qui lui proposa une solution à première vue plus efficace. Il devait être castré et son pénis être utilisé comme membrane intérieure d'une fente artificiellement pratiquée par le chirurgien, fente qui ferait fonction de vagin. Il serait stérile, mais cela n'a jamais affecté la féminité. April revint en Angleterre rayonnant. Une absorption massive d'hormones avait supprimé sa barbe et fait apparaître des embryons de seins. Il avait laissé pousser ses cheveux et acheté des vêtements féminins du temps où il jouait les femmes. Il devint modèle, illustrant à la perfection le stéréotype de l'Éternel féminin, car il était élégant, voluptueux, soigné, épris de sa propre image. Mais un jour funeste, il épousa l'héritier d'une pairie, l'honorable Arthur Corbett, réalisant ainsi le rêve le plus exalté des femmes, et s'en alla vivre avec lui dans une villa de Marbella. Le mariage ne fut jamais consommé. L'incompétence d'April en tant que femme était celle qu'on pouvait attendre d'un castrat, mais elle n'était pas si différente de la frigidité de femmes qui se soumettent aux rapports sexuels sans désir, en n'en retirant que le plaisir infantile des caresses et de l'affection, leur récompense favorite. Tant que le stéréotype restera la définition de la féminité, April Ashley est une femme, en dépit du jugement de divorce. C'est une victime parmi d'autres de la polarisation des sexes. Déshonorée, asexuée, April Ashley est notre sœur et notre symbole.

8

L'ÉNERGIE

L'énergie est l'élément moteur de tout être humain. Les efforts que nous accomplissons ne la dissipent pas mais l'entretiennent car elle a sa source dans la psyché. Elle est pervertie par les entraves et les répressions. Comme l'énergie qui fait rouler la voiture sur la route, elle devient une force de destruction lorsqu'elle rencontre un obstacle. Les esprits observateurs admettront volontiers que l'énergie de la femme est souvent destructrice mais peu comprennent que cette destructivité n'est que de la créativité retournée contre elle-même par suite d'une frustration constante. Les troubles nerveux, les douleurs menstruelles, les grossesses refusées ou subies à contrecœur, les accidents de toutes sortes montrent que l'énergie des femmes les détruit. Au-delà du sujet, elle s'étend à l'entourage et y opère des ravages, s'attaquant, en particulier, au mari, aux enfants et à leurs entreprises. Ce n'est pas que les femmes, par nature, détestent les membres de leur famille. Mais si on leur présente la procréation comme un devoir et le mariage comme une servitude inévitable il est normal que, plus elles ont d'énergie, plus elles se rongent, à leur détriment et à celui de leurs proches.

Quand on affirme à la femme qu'avoir des enfants est sa seule contribution sociale d'importance, l'expression appropriée de son dynamisme créateur et l'œuvre de sa vie, les enfants et leur mère en souffrent.

Les esprits animaux qui, à l'état pur, provoquent l'épanouissement du corps et de l'esprit, faisant fleurir les tendres bourgeons de l'espoir, sont aigris et s'extériorisent en vains désirs ou en humeur querelleuse qui atrophient les facultés et gâtent le caractère. Ou encore, ils envahissent le cerveau, aiguisant la compréhension avant qu'il n'ait acquis une vigueur proportionnelle et engendrent cette ruse lamentable qui caractérise l'esprit de la femme et continuera, j'en ai peur, à le faire, tant qu'elle restera une esclave.

Mary Wollstonecraft,
A Vindication of the Rights of Women,
1792, p. 378.

Bien que beaucoup reconnaissent le bien-fondé de cette analyse de la perversion de l'énergie féminine, ils sont moins disposés à comprendre que le remède n'est pas d'offrir aux femmes adultes des activités autres que celles de maîtresse de maison et d'éducatrice. Chez la femme adulte, l'expression des désirs et des motivations est déjà pervertie par l'image déformée qu'on lui a inculquée de la maternité. Cette perversion ne disparaîtra pas si on lui offre tardivement d'autres possibilités d'épanouissement. La probabilité est qu'elle poursuivra tout autre objectif d'une façon « féminine » c'est-à-dire servile, malhonnête, inefficace, incohérente. Il faut ajouter que dans la plupart des cas les occupations proposées aux femmes ne leur permettent pas vraiment d'échapper à la contrainte de devoirs et de responsabilités de caractère répressif. La plupart d'entre elles renonceraient volontiers à leur emploi de manœuvre ou à l'ennui du travail de bureau, car leur énergie est si contrariée dans les activités habituellement assignées aux femmes qu'elles trouvent préférable la monotonie plus « naturelle » des tâches domestiques dans un intérieur moderne. Les femmes qui font des études supérieures peuvent effectivement choisir une carrière, dans la mesure où l'enseignement qu'on leur a donné était efficace, ce qu'il est rarement aujourd'hui. Pourtant, lorsqu'on leur a ouvert l'accès des universités, il n'en est pas résulté une génération de surfemmes. Les professeurs actuels reconnaîtront un phénomène familier dans la description du comportement des premières étudiantes :

« Pendant les cours, elles sont des modèles d'attention et de zèle. Il est possible qu'elles s'appliquent trop à noter noir sur blanc tout ce qu'elles entendent. En général, elles occupent les premiers rangs parce qu'elles s'inscrivent très tôt et arrivent bien avant le début du cours. Mais très souvent, elles ne jettent qu'un coup d'œil superficiel au plan que le professeur fait circuler et parfois même, elles le passent à leurs voisins sans même le regarder. Si elles s'y attardaient, elles ne pourraient pas prendre de notes (1). »

Ces observations dénuées de bienveillance étaient fondées. Les jeunes filles étaient diligentes, parfois à l'excès, mais s'évertuaient à atteindre des buts

(1) Carl Vogt, la question de la femme, *Revue d'Anthropologie* 1888, t. III, fasc. IV, pp. 510-512 cité par Ploss et Bartels (*op. cit.*), vol. I, p. 126.

aberrants. Elles voulaient plaire, retenir tout ce qu'on leur disait, mais le plan qui exposait la substance du cours ne les intéressait pas. Elles consacraient toute leur énergie à se conformer aux règlements et à d'autres exigences et non pas à satisfaire leur curiosité intellectuelle. C'est pourquoi cette énergie dégénérait en une assiduité dénuée de sens. Le phénomène est encore répandu chez les étudiantes d'aujourd'hui, qui constituent la majorité des effectifs des facultés de lettres puis de l'enseignement par voie de conséquence. Il en résulte un rendement qui va diminuant. La femme servile incite à la servilité des élèves qui y sont prédisposées alors que toutes leurs facultés devraient être tournées vers l'exploration active de l'inconnu. L'enseignement ne peut pas être fondé sur la docilité. Il n'est pas étonnant que ce soit rarement les femmes qui fassent les découvertes scientifiques et qu'elles soient plutôt les assistantes de l'homme dans les laboratoires où elles travaillent sous sa direction. C'est la prolongation de leur comportement d'étudiantes. Lorsqu'elles s'inscrivent dans les universités, leur énergie est déjà irrémédiablement détournée de sa voie normale par l'éducation. Dans la majorité des cas, elles n'ont plus suffisamment de dynamisme pour avoir de l'ambition intellectuelle. Les rares femmes qui vont à l'université le font poussées par leurs professeurs, sans but précis, sans penser à développer leurs capacités, en espérant au mieux décrocher un diplôme avec mention et rejoindre les Cendrillon de l'enseignement. Elles y trouvent très peu de satisfaction. Il n'est pas étonnant, dans ces conditions, qu'elles envisagent l'activité professionnelle comme un pis-aller ou une qualification indirecte pour le mariage.

Tous les prétextes évoqués pour s'opposer à l'accession des femmes aux professions libérales émanent de cette réalité fondamentale. On les qualifie de préjugés et, dans la mesure où la cause invoquée est le sexe, c'est exact. Mais si les féministes n'admettent pas que les critiques formulées contre la compétence des femmes dans l'industrie, la gestion, l'enseignement, les syndicats, les professions juridiques et les sciences sont fondées, elles ne prendront pas conscience de la nature du problème et ne parviendront pas à le résoudre. Il est vrai que des possibilités professionnelles ont été offertes aux femmes bien au-delà de leur désir d'en profiter. Lorsqu'elles le font, c'est trop souvent d'une façon féminine, filiale, servile. Il ne suffit pas d'encourager les femmes à faire preuve d'un esprit d'initiative qu'elles ne possèdent pas et de leur reprocher d'en manquer. Il faut comprendre pourquoi et comment le développement de l'énergie féminine est systématiquement entravé de la naissance à la puberté, si bien que lorsqu'elles parviennent à la maturité elles n'ont plus que des élans intermittents de dynamisme et de créativité.

Même les féministes supposent souvent à tort que la sexualité est l'ennemie de la femme qui aspire à développer ses facultés intellectuelles et son esprit d'entreprise. C'est la plus grave erreur de mouvements tels que la *National Organization of Women*. Ce n'est pas l'importance attachée à la sexualité qui enlevait à l'étudiante américaine le désir de tirer parti des connaissances acquises, mais une conception purement passive du rôle sexuel féminin. En fait, le principal facteur de détournement et de perversion de l'énergie féminine est la substitution, à la sexualité féminine, du concept de féminité ou d'absence de sexe. Quelle que soit la théorie que l'on adopte, l'énergie de la personnalité est inséparable de la sexualité. McDougall l'appelle élan vital, Jung et Reich, libido, Janet, tension, Head, vigilance, Flügel, énergie orectique. Il s'agit de la même chose. Une des erreurs de la théorie classique est de présupposer une sorte de système capitaliste de l'énergie considérée comme une substance qu'il faut investir sagement et ménager (1). En fait, la physique aurait dû nous apprendre que l'énergie ne se perd pas, qu'elle ne peut être que convertie ou détournée. Freud avait compris que la répression consomme une énergie qui aurait pu s'exprimer d'une façon créatrice. L'énergie de la femme est détournée par une répression constante et finalement irréversible. Les étudiantes dépensent autant d'énergie à prendre des notes, à être attentives, à arriver à l'heure, que les étudiants à comprendre le sujet du cours. Dans les laboratoires, elles la dissipent en agitation inefficace, laissant tomber des instruments et posant des questions absurdes. L'énergie des hommes est également

---

Energy is the only life and is from the body... Energy is eternal Delight.

William Blake.

(L'énergie est la seule vie et a sa source dans le corps... L'énergie est allégresse éternelle.)

---

canalisée et déformée, mais d'une façon différente. Elle est convertie en agressivité et esprit de compétition. Le sort de la femme est d'être affaiblie et mutilée par l'action destructrice d'une énergie tournée contre elle-même parce qu'elle n'a pas la possibilité de la déployer et de l'exercer sur la réalité extérieure.

(1) Le point de vue traditionnel est exposé par McCary dans *The Psychology of Personality* (Londres, 1959), pp. 7-9.

Le comportement sexuel est lui-même une forme d'investigation comme le montre l'expression « connaître charnellement ». Et c'est cet aspect de quête de connaissance de la sexualité que l'on réprime chez la femme. On lui apprend à le refouler non seulement au cours des rapports sexuels mais aussi (car la relation est confusément comprise) dans tous ses autres contacts avec le monde depuis la toute petite enfance. Si bien que lorsqu'elle prend conscience de sa sexualité, les habitudes acquises ont une force d'inertie suffisante pour étouffer le désir et la curiosité. C'est cela qui est impliqué dans l'expression : la femme-eunuque. Dans la psychologie classique, qui n'est après tout qu'une description rationnelle de la réalité contemporaine, la désexualisation de la femme est illustrée par la théorie freudienne selon laquelle la femme n'aurait pas d'organe sexuel. Il se peut que Freud n'ait pas vu dans sa formule l'affirmation d'une loi naturelle mais simplement l'expression cohérente de faits contingents au moyen d'une terminologie nouvelle et révélatrice. Il n'en a pas moins écrit :

« Si nous étions capables de définir plus clairement la distinction du masculin et du féminin, il serait également possible d'affirmer que la libido est invariablement et nécessairement masculine de nature, qu'elle se manifeste dans l'homme ou dans la femme, que son objet soit un homme ou une femme (1). »

Si nous considérons les caractéristiques féminines comme le produit de l'influence sociale, nous admettrons que cette polarisation du masculin et du féminin est hélas ! exacte, mais qu'elle n'est pas nécessaire. C'est pourquoi nous devons refuser la conception d'une féminité dénuée de libido, donc

(1) Sigmund Freud, *Trois essais sur la théorie de la sexualité*, traduction B. Reverchon-Jouve.

incomplète, subhumaine, résultant d'une mutilation culturelle des possibilités de l'individu. Pour comprendre comment la femelle humaine est castrée et devient féminine, il nous faut passer en revue les contraintes qu'elle subit depuis le berceau.

9

LE BÉBÉ

Au moment de sa naissance, l'enfant a des capacités remarquables. Il peut se tenir debout, bouger la tête. Ses doigts de pied sont préhensiles et ses mains peuvent serrer un objet avec une force étonnante. Au bout de quelques heures, ces aptitudes disparaissent et l'enfant devra les réapprendre laborieusement. Aujourd'hui, nous ne langeons plus les bébés jusqu'à les transformer en paquets rigides dont la mère peut faire ce que bon lui semble. Néanmoins, nous les traitons encore comme des créatures intermédiaires entre la poupée et l'infirme. Leurs premiers efforts pour se mouvoir sont maîtrisés par l'infirmière dont la poigne de fer se referme sur leur nuque et leurs fesses, immobilisant l'enfant. On ne l'enveloppe plus de langes, mais

---

Dans tout le royaume animal, chaque jeune créature a un besoin presque permanent d'exercice. Il en résulte que les jeunes enfants devraient passer leur temps en gambades inoffensives qui exercent les pieds et les mains sans exiger de réflexion soutenue ni de surveillance constante... L'enfant n'est jamais livré à lui-même, particulièrement

s'il s'agit d'une fille et c'est ainsi qu'on le rend dépendant. Cette dépendance est qualifiée de naturelle.

Mary Wollstonecraft,
A Vindication of the Rights of Women,
1792, pp. 83-84.

---

on le cloue dans son berceau en bordant la couverture. Il semble qu'on ait vaguement conscience que cette façon de procéder n'est pas très saine car les enfants prématurés ou déficients n'y sont pas soumis. En réalité, border l'enfant dans son berceau est le moyen le plus simple et le moins onéreux d'éviter toute déperdition de chaleur. Nous pouvons nous demander ce qui résulte psychologiquement d'un séjour en couveuse auquel succède l'immobilisation habituelle dans le berceau.

My mother groaned, my father wept ;
Into the dangerous world I leapt,
Helpless, naked, piping loud,
Like a fiend hid in a cloud.

Struggling in my father's hands
Striving against my swaddling bands
Bound and weary I thought best
To sulk upon my mother's brest.

William Blake « Infant Sorrow » *Songs of Experience* (Poetry and Prose of William Blake, éd. Geoffrey Keynes, Londres, 1967, Nonesuch, p. 76).

(Enfanté dans la douleur et les larmes, le nouveau-né bondit dans le monde avec la turbulence d'un lutin. Mais il est aussitot chargé de liens et n'a d'autre recours que de bouder sur le sein de sa mère.)

L'énergie nous paraît diabolique parce que toute notre culture s'acharne à la domestiquer en vue de fins étrangères à la nature. L'enfant doit être civilisé, ce qui signifie en réalité qu'il doit être conditionné. On s'efforce de l'empêcher de crier et d'exercer ses poumons chaque fois que ses cris gênent les rapports des adultes. Le nouveau-né a une curiosité très développée et une faculté proportionnelle d'assimiler l'information, mais il l'exerce dans un environnement artificiel de sons assourdis, de couleurs fades, dominé par la silhouette massive de la mère. Cette relation exclusive de l'enfant avec une seule personne qui lui devient bientôt indispensable est un facteur nécessaire à la formation de la personnalité telle qu'elle est conçue dans notre société. La substitution d'une autre personne, ou de plusieurs personnes, à la mère toute-puissante, se heurte à un préjugé profondément enraciné. Le Dr Jaroslav Koch, à Prague, a réuni des bébés dans un environnement où ils avaient toute liberté d'agir, avec pour résultat qu'ils étaient capables de grimper à une échelle à huit mois. Même si ses recherches prouvaient d'une façon incontestable que le développement des facultés de l'enfant est considérablement retardé par le rôle que lui inflige une mère qui voit en lui alternativement son joujou et son œuvre, on n'en tiendrait aucun compte dans une culture qui considère la domination maternelle comme nécessaire à la formation de la personnalité. L'attention de l'enfant doit être détournée de la réalité extérieure et concentrée sur l'introversion résultant d'une relation d'exploitation réciproque, qui servira de modèle à ses futures compulsions.

Les bébés ne se dirigeaient pas vers les objets censés leur plaire, par exemple, les jouets. Ils ne s'intéressaient pas davantage

aux contes de fées. Avant tout, ils cherchaient à se rendre indépendants des adultes dans toutes les actions qu'ils pouvaient accomplir par eux-mêmes, en manifestant clairement le désir de ne pas être aidés, excepté dans des cas d'absolue nécessité. Ils se tenaient tranquilles, totalement absorbés par leur travail et acquéraient un calme et une sincérité surprenante.

> Maria Montessori,
> *Il Bambino in Famiglia,*
> 1956, p. 36.

Chaque mariage recrée la situation œdipienne. Il se peut que les enfants qui n'ont pas eu l'expérience de cette relation exclusive avec la mère soient portés à la promiscuité. Mais ils n'auront pas de comportement obsessionnel dans les relations associées dans leur esprit à la sécurité et à la permanence.

> I have no name:
> I am but two days old.
> What shall I call thee?
> I happy am,
> Joy is my name.

William Blake, « Infant Joy » *Songs of Innocence* (Nonesuch, p. 62).

(On demande au nouveau-né comment il faut l'appeler. Il répond : Je suis heureux, Joie est mon nom.)

Le nouveau-né ne fait pas de distinction entre lui-même et ce qu'il voit. La conscience du moi naît lorsqu'un de ses désirs n'est pas satisfait. C'est dans la confusion et la frustration qu'il découvre la différence qu'il y a entre lui et sa mère. Il en résulte que le premier acte du moi est de rejeter la réalité en adoptant à son égard une attitude hostile ou angoissée. Ce sentiment de séparation et de limitation du moi est constamment nourri par notre culture en vue d'en faire le fondement d'une morale égocentrique, qui ne découle pas de la compréhension des répercussions de nos actes sur une collectivité qui est le prolongement du moi, mais de lois et de restrictions que l'individu s'impose d'une façon narcissique. Le mentor intérieur de l'enfant, sa conscience morale, est fait pour l'essentiel d'angoisse et de culpabilité. Ce processus peut échouer ou avoir des effets nocifs graves très tôt. L'autisme, et d'autres formes de troubles mentaux affectent l'enfant dès son plus jeune âge et entraîneront son exclusion du troupeau de ceux qui sont dociles, et la ségrégation. La fréquence de tels accidents chez les enfants particulièrement doués semble indiquer qu'il y a une corrélation entre l'intensité de l'énergie individuelle et les conséquences de la contrainte exercée sur elle. Que de tels enfants puissent encore manifester de l'intelligence est en soi remarquable. Autrefois, les enfants perturbés étaient soumis à une discipline sévère pour tenter de les amener à la soumission, ou enfermés dans des institutions où l'on considérait leur inadaptation comme résultant d'un état pathologique congénital. Il fallut qu'une femme intuitive et courageuse pénètre dans ces asiles pour qu'on entreprenne d'inverser ce conditionnement afin que les enfants puissent recommencer à se développer en suivant une voie moins désastreuse.

Le succès des méthodes de Maria Montessori était si évident qu'elles sont devenues le fondement des écoles maternelles d'Angleterre et d'Europe.

Mais on n'a pas compris que ses intuitions mettaient en question l'éducation que les enfants reçoivent en dehors de l'école pendant les années cruciales de leur formation. L'école maternelle est tellement en avance sur les autres formes de pédagogie que l'enfant est exposé à une succession de crises psychologiques, en raison de la contradiction entre la maternelle, le milieu familial et les cycles ultérieurs de l'enseignement. Maria Montessori, en adoptant le principe de la libre initiative pour permettre à ses enfants retardés de s'épanouir, a créé une situation sans précédent. Il y a en Angleterre des maîtresses d'école intrépides qui renoncent à toute discipline, écoutant les enfants lorsqu'ils se lèvent pour communiquer au groupe le résultat de leurs investigations. Mais la plupart sont trop timorées pour encourager un désordre fécond, quand ce ne sont pas les effectifs trop nombreux qui interdisent l'utilisation de telles méthodes. La plupart des écoles n'ont pas suffisamment d'argent pour acquérir des livres de pédagogie et les autres éléments nécessaires à de telles expériences. Même au niveau universitaire il ne m'a pas été possible, jusqu'à présent, de créer un laboratoire de recherches fondé sur la coopération spontanée. Maria Montessori a raconté des histoires émouvantes, décrivant, par exemple, comment les enfants ont exprimé leur respect collectif au personnage royal qui leur rendait visite. Un enfant, auquel on avait parlé d'un tremblement de terre dans le Sud de l'Italie, a écrit sur un tableau noir : « Je regrette d'être si petit. » Maria Montessori supposa d'abord qu'il n'avait pas réussi à accepter ce qu'on lui avait dit, jusqu'à ce qu'il ajoute qu'il regrettait de ne pas pouvoir aider les victimes, construisant ainsi sa première phrase composée. Les progrès de ces enfants dépassaient ceux qui étaient habituellement réalisés à cet âge mais je crains que si l'on avait fait une enquête sur le problème de leur adaptation ultérieure à une société qui n'a que faire de la spontanéité et de la coopération, le résultat eût été plus déprimant. La thèse fondamentale de Maria Montessori est simple mais radicale :

« On trouve un même facteur à l'origine de toutes les déviances, à savoir que l'enfant n'a pas eu la possibilité, à l'âge de la formation, de se développer selon le processus qui lui est naturel, alors que son énergie potentielle devrait évoluer en s'incarnant... unifiant par là la personnalité qui agit. Si cette unification n'est pas réalisée, que ce soit du fait de la substitution de l'adulte à l'enfant ou par manque de motifs d'activité dans le milieu ambiant, il en résulte deux phénomènes : l'énergie psychique et la motilité se développent séparément, produisant un être humain divisé. Dans la nature, rien ne se crée ni ne se détruit de lui-même et c'est particulièrement vrai dans le cas de l'énergie. C'est pourquoi, lorsqu'il lui faut s'exercer dans un cadre différent de celui qu'avait prévu la nature, elle est déformée... Cette déformation provient surtout de ce que l'objet de son effort se perd dans le vide, le vague, le chaos. L'esprit qui aurait dû se construire grâce à l'expérience du mouvement se réfugie dans l'imagination et le fantasmatique (1). »

Cette fuite dans l'imaginaire est approuvée par notre culture car elle est inhérente à la limitation du développement individuel que nous baptisons « civilisation ». Bien que certains de ses aspects, le fétichisme, la masturbation soient déplorés, dans son ensemble on la considère comme un accompagnement nécessaire et même agréable de la répression. Beaucoup de thèses sur l'art reposent

(1) Maria Montessori, *The Secret o f Childhood* (Londres, 1936), p. 191.

sur la supposition que sa fonction est de donner une représentation imaginaire inoffensive de tendances qui, traduites en actes, seraient destructrices ou antisociales.

La répression de l'énergie psychique, telle que nous l'avons évoquée, affecte également les garçons et les filles. Jusqu'à un certain âge, ils sont traités de la même façon. Mais la discrimination commence très tôt, malgré le refus des éducateurs britanniques de faire une distinction entre les garçons et les filles au cours de leurs premières années d'école. Certaines petites filles sont encore habillées de rose plutôt que de bleu, avec des robes froufroutantes et fragiles, et sont punies si elles les déchirent ou les salissent. On leur boucle les cheveux en y mettant des rubans, on leur dit qu'elles sont jolies, et le chouchou de leur papa. Même si elles échappent à cette contrainte, le système des approbations et des récompenses fera son œuvre. Personne n'a envie d'élever un enfant qui ne saurait pas à quel sexe il appartient et, à défaut d'une notion précise de la sexualité féminine, on inculque à l'enfant les qualités du stéréotype. La petite fille découvre très vite l'avantage d'user de faiblesse et de séduction et que, par ce moyen, elle parvient à mener son père par le bout du nez (1). Les petits garçons qui ont recours aux mêmes ruses en sont brutalement dissuadés le jour où on coupe leurs boucles de bébés. Mais la petite fille est encouragée à se montrer coquette. Ce n'est pas qu'on lui enseigne l'art de séduire. Elle l'apprend par expérience. Il est curieux de constater qu'on proteste contre la projection de films sur la sexualité dans les écoles du premier cycle sous prétexte qu'ils

(1) Freud, *New Introductory Lectures in Psychoanalysis* (Complete Works, vol. XXII, p. 117) ou *Nouvelles conférences sur la psychanalyse*, Gallimard, 1936. Voir également M. Esther Harding, *The Way of all Women* (Londres, 1932), p. 7 et Mary Hyde, *How to Manage Men* (Londres, 1955), p. 6.

détruisent l'innocence alors que personne ne s'indigne de l'aptitude au flirt de petites filles de trois ans.

Pour le petit garçon, il arrive un moment, tôt ou tard, où le cordon ombilical est rompu et où il prend de la distance vis-à-vis de la mère. Lorsque cette émancipation n'a pas lieu, par exemple dans la famille matriarcale juive, le résultat est celui que décrit Philip Roth dans *Portnoy et son complexe*. « Mm'an, mm'an, mais en quoi donc voulais-tu me transformer, en zombie ambulant comme Ronald Nimkin ? Où as-tu pris que le mieux dans la vie c'était d'être *obéissant ?* De devenir un petit *gentleman ?* Vous parlez d'une aspiration pour un individu dévoré de désirs et de convoitises ! (...)

— « Alex », me dis-tu à moi qui suis sur mon trente et un avec ma cravate toute faite et mon blazer deux tons, cette façon de couper sa viande ! Ta façon de manger ta pomme de terre au four sans en laisser une miette ! Je t'embrasserais, tiens, jamais je n'ai vu un gentil petit monsieur avec sa petite serviette sur les genoux comme ça ! Une tapette, maman. Une petite tapette. C'est ça que tu as vu et très exactement ce que le programme d'éducation était destiné à engendrer (1). »

Ce qui arrive au garçon juif qui ne réussit pas à échapper à la tyrannie de sa mère est exactement ce qui arrive à toute fille dont l'éducation est « normale ». Elle est un pédéraste féminin qui passe sa vie à s'énerver à propos de listes d'invités et de menus, excepté quand elle exerce à son tour, en vertu du droit divin de la mère, la tyrannie qui a détruit ses appétits et ses désirs sur ses propres enfants.

(1) Philip Roth, *Portnoy et son complexe*, traduction Henri Robillot, Gallimard.

Les petits garçons peuvent échapper à leur mère, finissent par le désirer et y sont encouragés. Pas les petites filles. On s'accorde à penser qu'elles ont besoin de plus de sollicitude que les garçons. Cela signifie en réalité qu'elles doivent être plus implacablement surveillées et disciplinées si l'on veut atteindre le résultat souhaité (1). Une petite fille est préparée à tenir un rôle subalterne sitôt que sa mère lui enseigne les arts ménagers *(mirabile dictu!)*. On l'encourage à redouter le monde extérieur en la punissant chaque fois qu'elle sort seule sans autorisation. Alors que les garçons forment des bandes qui explorent et terrorisent le quartier, elle reste chez elle à l'écart, écoutant des histoires de croquemitaine. Ce confinement est justifié par la nécessité de la protéger alors que son foyer est pour elle le plus dangereux des séjours. On lui apprend à craindre le monde et à s'en méfier pour des raisons qui ne sont jamais clairement définies. Cette mise en garde est une prévention tout à fait inefficace. Les déviants sexuels sont parfaitement capables d'attaquer les petites filles lorsqu'elles font des courses ou tout autre déplacement autorisé par la mère. Un soir, une petite fille qui avait manqué l'autobus a téléphoné à sa mère en utilisant l'argent qui lui aurait permis de prendre l'autobus suivant. La mère lui répondit de rentrer à pied car elle n'avait pas la voiture. La petite fille se mit en route, pleurant de terreur. Elle fut accostée par un étranger souriant qui l'enleva, la viola et l'étrangla. Le résultat le plus courant des mises en garde obscures est que la petite fille lorsque, par accident, elle rencontre un exhibitionniste ou un étranger au comportement bizarre, est trop effrayée

_____

(1) J. Dudley Chapman, *The Feminine Mind and Body* (New York, 1967) cite Oscar Hammerstein II « Avec un fils vous pouvez vous amuser, mais avec une fille il faut agir en père » (*Carousel*), p. 19.

et se sent trop coupable pour en parler à des parents dont elle redoute la réaction. Inciter les petites filles à se considérer comme des victimes favorise le viol, car elles n'ont plus l'énergie nécessaire pour crier ou se sauver. Ne comprenant pas la nature du danger, elles ne peuvent pas se défendre. L'ironie est que ceux qui violent les enfants sont eux-mêmes des produits de ce conditionnement aberrant.

Tandis que les garçons acquièrent l'expérience des groupes, de l'organisation et du monde extérieur, les petites filles restent chez elles, à ne pas faire de bruit, en jouant avec leurs poupées, en rêvassant, en aidant maman. A l'école, elles utilisent leur énergie à se dominer, à être sages, à ne pas bavarder, à se souvenir de ce qu'on leur apprend. Chez elles, elles se livrent à des activités physiques dénuées de sens, sans accompagnement d'activité mentale. La dichotomie entre la sensualité et l'intelligence est encore plus prononcée chez elles que chez leurs frères. Si la sensualité l'emporte elles préféreront travailler de leurs mains, à faire la cuisine, à coudre, à tricoter, selon des recettes et des modèles conçus par d'autres. Les modélistes, les chefs cuisiniers, les tailleurs sont des hommes. Lorsque les femmes deviennent des intellectuelles, c'est au détriment de l'épanouissement de leur corps. Elles sont des refoulées, passionnées, inefficaces, plus serviles que jamais. Certaines femmes de génie ont réussi à triompher de cette réaction en chaîne en reconnaissant son déterminisme. Mais les femmes les plus créatrices restent marquées par la futilité et la confusion jusque dans leurs œuvres les plus réussies. Virginia Woolf prit partiellement conscience de la voie qui menait à la libération mais il lui en coûta trop. George Eliot est l'une des rares qui réussit à faire éclater la camisole de force. Peut-être avait-elle plus d'énergie ou plus d'intelligence. Peut-être la différence de leurs destins tenait-elle à ce que

George Eliot était dénuée de beauté alors que Virginia Woolf était séduisante. Quoi qu'il en soit, les premières causes du conflit remontent à leur petite enfance.

10

LA PETITE FILLE

Il serait injuste de laisser supposer que les petites filles se soumettent à cette acculturation sans lui opposer de résistance. Elles réagissent souvent à l'insistance de leur mère sur les bonnes manières, la coquetterie vestimentaire, l'ordre, par une mauvaise volonté tenace. La fillette qui grandit refusera de ranger sa chambre, s'obstinera à arborer des tenues garçonnières et se joindra éventuellement à une bande de garçons en se battant pour y garder sa place et en se montrant plus turbulente que ses compagnons. Elle perdra ses mouchoirs et ses rubans, déchirera ses culottes en grimpant aux arbres et rivalisera avec les rodomontades et les jurons des mâles en herbe.

Une fille dont l'énergie n'a pas été étouffée par l'inactivité ni l'innocence entachée de fausse honte, sera toujours turbulente...

Mary Wollstonecraft,
A Vindication of the Rights of Women,
1792, p. 87.

On appelle cela avec indulgence l'âge ingrat, mais cette résistance peut durer pendant des années, jusqu'à ce que la puberté lui porte le coup de grâce. Le garçon manqué, comme on appelle péjorativement cette rebelle pleine d'énergie, peut avoir de cinq à quinze ans. La révolte n'est pas nécessairement constante, soit parce que la petite fille aime être cajolée comme le sont les petites filles modèles, soit parce qu'elle se rend compte des avantages qu'elle tire du conformisme, soit parce qu'elle n'a pas l'occasion de découvrir sa vigueur physique et que rien ne l'y encourage. Ce sont en général les enfants auxquelles on donne de jolies choses, qu'on gâte, qu'on flatte, qui capitulent le plus vite devant les fabricants de poupées. Elles sont soudoyées d'une façon systématique : au début on leur offre des sucreries, des habits pour leurs poupées, puis des robes et des chaussures pour elles-mêmes, éventuellement une permanente et des produits de maquillage, et finalement, la possibilité de jouer les élégantes pendant les week-ends, les sorties, les séances de cinéma.

Néanmoins, même la petite fille qui cède aux pressions de sa mère et de ceux qui s'attachent à la féminiser subit des influences contradictoires. En classe, les bijoux et le maquillage sont sévèrement proscrits. On exigera d'elle qu'elle fasse de la culture physique régulièrement chaque semaine malgré les lettres de la mère invoquant sa mauvaise santé. On lui assignera des responsabilités, des activités d'équipe qui, si le processus de féminisation est rapide, lui paraîtront rébarbatives. Elle préférerait potiner et rire sous cape avec ses confidentes dans un coin de la cour plutôt que de jouer à la balle au mur, même si c'est une forme féminine de sport masculin. Elle n'aime pas se salir et transpirer. Ses professeurs, tout en approuvant ses bonnes manières, déplorent sa médiocrité intellectuelle, qui va croissant. Les filles plus « masculines » c'est-à-dire plus actives, lui manifesteront éventuellement du mépris, la traitant de poule mouillée, de mijaurée, de chouchou à sa mémère.

Si la petite fille modèle a des ennuis à l'école, les autres ont des ennuis à la maison. En dehors de l'école, elles n'ont aucune occasion d'exercer des activités d'équipe ni de satisfaire leur besoin d'aventure. Les travaux domestiques leur paraissent insupportables et les conflits qui en résultent peuvent devenir une source d'anxiété grave. Maint professeur a constaté qu'une bonne élève revenait des vacances d'été méconnaissable, par suite de l'effet d'usure qu'avait eu l'éducation familiale. Plus la fillette grandit, plus les limites qu'on lui impose se font rigoureuses. Ses élans les plus innocents sont réprimés parce que « ce n'est plus de son âge ». Parfois elle a l'impression d'être catapultée dans une condition féminine honteuse, contre laquelle elle se défend avec désespoir au point de revenir à des comportements infantiles et destructeurs. Elle devient maussade et gauche bien avant que la puberté n'explique de tels changements. Beaucoup des phénomènes que l'on attribue à la puberté ne sont en réalité que les derniers efforts de la petite fille pour préserver son énergie. L'école élémentaire en avait fait une personne, sans établir de distinction entre elle et le garçon. Il est prévisible que le conflit éclatera lorsque, dans le cycle suivant, pour satisfaire les objections maternelles contre une éducation jugée trop masculine, la fille sera initiée à choisir entre la coupe ou les arts ménagers. Il y a une amère ironie pour l'enfant à avoir eu la même formation que les garçons pour se voir rejeter dans un univers féminin. Lorsqu'elle pétrit des biscuits à la cuiller avec des doigts tachés d'encre elle doit effectivement avoir l'impression de n'être qu'une balle que les gens se renvoient.

Les filles ont quelquefois envie d'être des garçons. Le résultat de l'activité masculine se voit. L'homme réalise des exploits merveilleux. Qu'est-ce qui est plus grand que l'œuvre de l'homme? Son auteur. Qui a fait l'homme? L'éducation que sa mère lui a donnée. La mère d'Abraham Lincoln. La responsabilité d'élever un futur président des Etats-Unis. On ne sait jamais à quel avenir un enfant est promis. Rien de plus noble que l'éducation d'un enfant. L'épouse peut penser que le travail de son mari est plus intéressant que le sien. Son travail est monotone et fatigant. Les affaires le sont aussi. Ce que Ruskin a dit de l'épouse. La carrière d'un homme dépend de sa femme. Sa santé dépend de ses talents de cuisinière. Le sort d'une nation peut dépendre d'un bon repas. La femme est l'âme des relations sociales. Le ressort de la vie morale. Elle oblige l'homme à penser. La valeur de l'éducation familiale. La façon dont Daniel Webster se tenait à table. La femme orne la vie de l'homme. Orner, c'est embellir. Le plus bel ornement est la propreté. La magie du sourire. Des bonnes paroles.

Résumé sténographique de *What a Young Girl Ought to Know* de Mary Wood-Allen, 1928.

Avant la puberté, la fillette, si paresseuse et incohérente qu'elle puisse paraître à l'observateur déçu, est une créature passionnée. Les conflits qu'il lui faut subir tout au long de la journée absorbent une grande part de son énergie, mais il lui en reste suffisamment pour vibrer aux récits d'aventures et d'exploits et pour s'identifier à leurs héros, masculins ou féminins. Sa sexualité est un facteur aussi fondamental dans ses réactions que dans ses pratiques génitales. A l'école primaire cet intérêt se manifeste de façon innocente et ouverte tout en étant souvent très sensuel. Je me souviens d'avoir été chaleureusement embrassée, lors de la visite d'une école de Manchester, par une horde de fillettes et de garçons qui mettaient leurs bras autour de mon cou et se frottaient contre la fourrure de mon manteau ou en m'accablant de questions et de cadeaux. Les élèves de onze et douze ans que j'ai eues en Australie étaient capables d'une extraordinaire intensité d'émotion qui s'exprimait de multiples façons, quelquefois par des engouements et des accès d'idéalisme, quelquefois par des expériences bizarres dans le cadre de la cour de récréation. Parfois cela se traduisait par une coopération parfaitement orchestrée dans la réalisation de leurs projets, que ce fût la représentation d'une pièce de théâtre, la célébration d'un anniversaire, ou un complot contre la direction de l'école. Plus souvent, les enfants se décourageaient ou se querellaient. La plupart du temps, les adultes intervenaient pour rétablir la discipline parce que les élèves devenaient trop bruyantes ou que la routine scolaire menaçait d'être désorganisée. Les occasions de faire preuve d'esprit d'initiative, d'acquérir de l'expérience, de s'exprimer, étaient sacrifiées au profit de la soumission et de la menace d'exclusion, considérées comme des conditions nécessaires à l'adaptation de la fillette à la société.

Il est remarquable que, soumises à une acculturation aussi implacable, ces élèves eussent réussi à conserver une si grande part de leur énergie d'enfant et de leur capacité à aimer. Cet amour s'exprimait souvent d'une façon spécifiquement sexuelle. Les psychologues l'admettent, tout en affirmant que la sexualité de la fillette, précédant l'adolescence, est masculine, clitoridienne, etc. (1). C'est pourquoi ils commettent l'erreur grossière d'interpréter la passion des adolescentes pour les chevaux comme l'expression symbolique de leur désir d'avoir un pénis. Le cheval, entre leurs jambes, est censé être un gigantesque organe masculin. Quelle stupidité ! La jeune cavalière ne voit pas dans le cheval une projection de son moi physique, mais un autre qui réagit à sa volonté. Elle ressent un amour dynamique qui suscite une réponse. La maîtrise qu'exige l'équitation ne permet guère que la tension nerveuse se dilue dans l'érotisme diffus que nous décrivent des théoriciens tels que le Pr Pearson. Pour les filles qui commencent à comprendre la nature du rôle féminin qu'on leur impose, l'équitation est la seule possibilité qui leur sera jamais donnée d'utiliser la vigueur de leurs cuisses pour étreindre, exciter, maîtriser. George Eliot savait à quoi s'en tenir lorsqu'elle décrivait la passion avec laquelle Dorothea Brooke galopait sur la lande dans *Middlemarch*. Cela fait partie de son désir d'héroïsme, de liberté, de noblesse.

Les petites filles qui écrivaient des lettres d'amour passionnées à leurs camarades et à moi-même dans les écoles où j'ai enseigné ne comprenaient pas la nature de sentiments aussi intenses que confus. En raison des tabous qui leur interdisaient de les exprimer, elles devenaient malheureuses, agitées, parfois hystériques, parfois ridicules de désespoir impuissant. Le sentiment s'extériorisait d'une façon caricaturale, si bien qu'il était facile de le traiter avec dédain et de le tourner en dérision. La réaction de la plupart des professeurs à « ce

(1) Voir Karen Horney, *Feminine Psychology* (Londres, 1967), pp. 40-42 et chapitre II « The Flight from Womanhood ». Voir également Margaret Mead *Male and Female* (Londres, 1949), p. 144.

genre d'incident » est terriblement destructrice. J'ai vu lire en public, en guise de punition, le poème d'amour d'une fillette, avec accompagnement de commentaires sarcastiques, tandis que l'auteur, impassible, crucifiée, attendait le moment où elle pourrait se réfugier dans les toilettes pour y pleurer tout son soûl. Quel que soit le libéralisme du professeur, il se rendra compte très vite qu'il lui faut respecter l'interdit de tout contact physique avec ses élèves, car la dernière flamme d'énergie sexuelle n'est plus que dévastatrice et condamnée à être corrompue dans le cadre d'un système scolaire dont la fonction est la socialisation. C'est une plaie douloureuse de l'enseignement et il ne pourra pas en être autrement tant que l'orientation sexuelle ne sera pas radicalement modifiée. S'attaquer à un détail isolé ne peut qu'aggraver la situation.

La fillette dont la passion se porte vers ses amies est en moins mauvaise posture que celle qui aime son professeur. On explique habituellement ces attachements profonds et durables par la séduction qu'exercent sur les autres les filles particulièrement agressives et sexuellement mûres, ou par la nostalgie de l'amour maternel, devenu plus distant en raison de l'apparition de la rivalité œdipienne. Ou encore, on invoque le désir de partager avec une confidente la curiosité sexuelle et les informations clandestines (1). Il est dangereux d'admettre que des filles inséparables sont souvent fascinées l'une par l'autre, animées par l'altruisme, la coopération et souvent même par une spiritualité authentique, tout en ayant un comportement sexuel même s'il n'est pas

_____

(1) Hélène Deutsch, *The Psychology of Women* (Londres, 1946-1947), vol. I, pp. 7, 22. L'auteur va jusqu'à dire que le plus grand danger auquel étaient exposées ses clientes était de provoquer inconsciemment le désir des hommes car elles étaient dépourvues d'instinct sexuel, ne désiraient aucune satisfaction sexuelle et se sentaient donc en sécurité (p. 42).

génital. Si nous accordions à ces relations la dignité de l'amour, sans restriction condescendante, cela impliquerait des corollaires antisociaux inadmissibles. Quoi qu'il lui en coûte, la fillette est obligée d'apprendre à dissimuler ses sentiments, qui sont parmi les plus forts et les plus exaltants qu'il lui sera donné d'éprouver. Si innocemment qu'elle caresse le corps de son amie, elle comprend d'instinct, dès la naissance de son amour, qu'elle ne peut le faire qu'en cachette. Progressivement, elle s'habitue à considérer ses sentiments avec les yeux des autres, à les tourner en ridicule et à les désavouer. C'est une perte énorme pour son affectivité qui lui fait faire un pas de plus sur la voie d'une passivité féminine caractérisée par des réactions superficielles accompagnées d'une profonde réserve. D'une participation sans détour à la vie de l'autre, elle passe aux agaceries et aux mignardises de ses premiers rendez-vous avec les garçons, qui ont l'approbation de l'opinion. Je me souviens de la scène que m'a faite ma mère en découvrant une lettre qui m'avait été adressée par la camarade d'école qui m'aimait. Cette fille m'avait fait connaître Beethoven en me jouant ses sonates dans une annexe sordide où nous nous retirions à chaque moment de liberté, elle me tenait la main tandis que nous chantions de la musique de Palestrina ou de Pachelbel mêlées au chœur minable de l'école. Je feignais d'être George Sand et elle Chopin ou vice versa. Cette fille a été si démolie par la puberté qu'elle a fini choriste de music-hall. Ma mère criait que c'était contre nature. Pour mettre un terme à son délire, j'ai déclaré que j'avais lu dans le journal que c'était une phase d'homosexualité adolescente, et que j'en étais sortie de toute façon. J'ai expié cette trahison pusillanime pendant des semaines. Après une telle expérience, comment pardonner ?

11

LA PUBERTÉ

La puberté est le moment où la femme-enfant qui lutte encore pour s'affirmer reçoit le coup de grâce. Il est difficile de définir la puberté. Une bonne part des conflits qui l'accompagnent sont abusivement imputés à des causes physiologiques. Une fois de plus, la physiologie sert d'alibi, et le contingent est décrit comme inévitable. Si l'on a étudié le phénomène de la puberté chez les Trobriandais ou d'autres populations ne souffrant pas des névroses qui affectent notre société et la plupart de celles que nous connaissons, ces études ne sont connues que des spécialistes. A nos yeux la puberté est l'enfer, pour les garçons comme pour les filles. Mais pour les garçons, il ne s'agit que de s'adapter aux phénomènes physiologiques de la sexualité génitale, à la frustration de leurs pulsions sexuelles et au sentiment de culpabilité et d'angoisse provoqué par les pollutions nocturnes et les fantasmes. La fille, elle, doit parvenir à adopter une attitude féminine de passivité asexuée. Sitôt qu'apparaissent les poils pubiens, elle doit apprendre à dissimuler tout ce qui touche à son sexe. Il lui faut supporter la menstruation en feignant qu'elle n'existe pas. Comme on s'est attaché à l'empêcher de découvrir sa sexualité, elle vit la menstruation comme une violation intolérable de son intégrité physique, même si elle y a été préparée. C'est le moment où elle récolte la tempête que d'autres ont semée. Tous les conflits qui couvaient éclatent en même temps. Si elle ne parvient pas à concilier ses désirs et son conditionnement, ses nerfs craquent, elle fait des fugues, tourne mal, ne travaille plus en classe, adopte des comportements à la fois anti-sociaux et autodestructeurs.

Tous ceux qui ont étudié la psychologie féminine, de Freud à Hélène Deutsch, Karen Horney, Terman, s'accordent à reconnaître que les facultés intellectuelles et les autres capacités de l'adolescente diminuent d'une façon sensible pendant et après la puberté (1). Elle perd le léger avantage scolaire qu'elle avait sur les garçons. Le Pr Chapman pense qu'il faut féliciter les femmes d'être capables de conserver un semblant d'équilibre affectif pendant cette phase de leur vie, mais dans son esprit, c'est encore une fois une discrimination (2). Les hommes associent tout naturellement la menstruation à la privation du pénis, c'est-à-dire à une plaie san-glante et trouveraient logique que la femme en devienne folle. Pourtant, si nous écoutons les confidences d'adolescentes, nous y découvrons des conflits d'une tout autre origine.

« Je suis tourmentée par un problème trop gênant pour demander conseil à ma mère. Par moments, je me sens terriblement seule et j'ai envie d'avoir des relations avec un garçon. Je désire désespéré-ment vivre une aventure dont je n'ai aucune expé-rience. Je sais que je suis très jeune pour parler de ce genre de choses puisque je n'ai que treize ans, mais je ne peux pas m'en empêcher et je suis cons-

---

(1) Deutsch (*op. cit.*), pp. 136-137 et Horney (*op. cit.*), pp. 100-101 et Lewis M. Terman, *Genetic Studies of Genius* (Londres, 1936), vol. III, pp. 93-94.
(2) J. Dudley Chapman (*op. cit.*), p. 69.

ternée à l'idée de devoir attendre pendant des années. Je vous supplie de ne pas me répondre qu'il ne faut plus que je pense à ce désir. Cela m'est impossible. Il m'obsède. Je vous en prie, aidez-moi (1). »

Que peut-on répondre ? Il faut convaincre l'auteur de ce plaidoyer qu'elle se trompe sur la nature de son désir. Elle n'est déjà que trop consciente qu'elle est censée ne pas l'éprouver. A quinze ans, elle sera convaincue qu'il n'a jamais existé. Par ailleurs, d'autres problèmes ont été suscités artificiellement en vue de recevoir une solution. « Je suis le laideron de la famille et je voudrais être belle. Quand je vais au cinéma, la beauté des actrices me donne envie de pleurer à la pensée que moi je ne suis pas séduisante. Pouvez-vous me donner quelques conseils de beauté (2)? »

Le malaise de cette jeune fille et la honte qu'elle éprouve sont le résultat de l'érosion continuelle de sa personnalité. Elle est au seuil d'une vie qui se passera en camouflages et en rites imbéciles, avec le pressentiment de son échec. Son anxiété s'apaisera momentanément, tant qu'elle sera jeune et courtisée, mais reviendra plus virulente encore après ce bref répit. Pendant la puberté les symptômes du conflit qui existe depuis la petite enfance deviennent plus évidents. L'adolescente souffre d'irritabilité, de cauchemars, d'incontinence. Elle a des accès de rire nerveux, de timidité, des crises de larmes, elle ment, se ronge les ongles, est victime de manies, pique des fards. Elle est gauche, renfermée, et rumine.

Il n'y a pas, dans les groupes de jeunes filles, qui

(1) James Hemming, *Problems of Adolescent Girls* (Londres, 1950), pp. 93-94.
(2) *Ibid.*, p. 130.

n'existent habituellement que dans le cadre scolaire, l'équivalent des activités génitales intenses et polymorphes qui accompagnent la puberté masculine. On encourage l'adolescente à développer son charme féminin, à se montrer à la fois réservée et coquette, tout en lui cachant la nature du rôle qu'elle est appelée à jouer. Ses désirs se dissipent en fantasmes passifs qui lui masquent leur origine sexuelle. Les statistiques de Kinsey selon lesquelles 90 % des hommes se sont livrés à la masturbation et 62 % des femmes l'ont fait au moins une fois, donnent une idée très inexacte de l'activité auto-érotique des garçons et des filles (1). C'est la période critique durant laquelle on s'attend que l'adolescente commence à avoir des relations avec les hommes, relations fondées sur sa séduction en tant qu'objet sexuel que toute pulsion sexuelle personnelle ne pourrait que compromettre. En ces jours fastes de la société permissive, il en est résulté des perversions extrêmement déprimantes. Il n'est pas rare qu'une fille qui cherche à se rendre populaire parmi les garçons et quémande leur approbation leur permette toutes les privautés, sans y être poussée par aucun désir sexuel et sans en tirer aucune satisfaction. Les filles qui acceptent de masser les garçons jusqu'à l'orgasme, ou consentent à des rapports sexuels à la sauvette, dans un cadre sordide, voire public, sont un produit inattendu mais fréquent de l'inertie à laquelle les a condamnées une société par ailleurs tolérante. Chaque samedi, dans les villes de province anglaises, on peut voir des groupes de filles, affublées de la défroque conventionnelle du stéréotype, traîner dans les rues en feignant d'ignorer les groupes de garçons qui leur témoignent un mépris manifeste. Leur susceptibilité, aggravée

(1) A. C. Kinsey, W. B. Pomeroy, C. E. Martin et P. H. Gebhard, *Sexual Behaviour in the Human Female* (Philadelphie, 1953, p. 173).

de fadeur et de malhonnêteté, ne laisse subsister aucun terrain de rencontre éventuel avec les garçons de leur âge. Paradoxalement, leur conditionnement féminin, qui devait accroître leur valeur marchande, peut devenir un facteur de dévaluation radicale et le devient souvent.

Quand une fille ne réussit pas à résoudre le problème de sa situation sexuelle, ce qui est fréquent, elle demande à autrui la solution qu'elle est incapable de concevoir. James Hemming, après avoir étudié la correspondance reçue par un hebdomadaire, constate qu'il y a deux fois plus de lettres de filles que de garçons et la plupart d'entre elles posent des problèmes d'adaptation personnelle, contrairement aux garçons. Il en donne diverses raisons.

« L'origine de cette différence de réaction des sexes n'est pas claire. Il se peut qu'il soit plus facile à des garçons de s'intégrer à une société qui, malgré l'émancipation progressive des femmes, demeure encore dominée par les hommes. Il se peut que la fille ait des problèmes auxquels le garçon échappe parce que les parents sont plus anxieux à propos des adolescentes que des adolescents. Il se peut que la fille soit plus perturbée par la confusion actuelle des valeurs que le garçon. Il se peut que la fille, ayant plus de facilité à s'exprimer verbalement, soit plus portée à exposer ses problèmes personnels. Ou encore il se peut que « notre tabou de la tendresse », selon les termes du Pr James Suttie, interdise aux garçons de confier à autrui leurs problèmes par crainte de paraître efféminés. Quelle qu'en soit la raison, toutes les enquêtes qu'on a faites sur l'adolescence montrent que les filles ont plus de problèmes d'adaptation que les garçons (1). »

(1) Hemming (*op. cit.*), p. 15.

Toutes les causes que Hemming évoque ont un même fondement : la nécessité pour l'adolescente de jouer le rôle de l'eunuque. Qu'elle demande conseil est signe qu'elle a renoncé à l'autonomie. Elle a toujours été l'objet d'une surveillance plus sévère que son frère. Subitement, on lui demande de se conformer à la passivité féminine en assurant elle-même la répression de ses pulsions. C'est une opération difficile et, à considérer les tensions que la fille subit depuis l'enfance, il n'est pas étonnant que la puberté en soit le point critique.

« L'analyse de femmes souffrant de troubles névrotiques ou d'altération de la personnalité aboutit fréquemment à deux constatations. La première est que, si les racines du conflit plongent dans la petite enfance, les premières modifications de la personnalité sont apparues dans l'adolescence... La seconde est que la première manifestation de ces modifications coïncide avec la menstruation (1). »

Karen Horney poursuit en dressant une liste des principales formes de désintégration que l'on trouve chez ces personnalités névrotiques, la culpabilité et l'anxiété sexuelle, la peur de ne pas être conforme à l'idéal féminin, la défensive, la méfiance, l'hostilité. En méditant sur ses observations, Karen Horney se sent obligée de remettre en question une partie de ses convictions freudiennes, au risque d'être hérétique. Selon la tradition, la puberté ne faisait qu'aggraver l'incapacité du sujet d'accepter son rôle sexuel naturel, c'est-à-dire une féminité conventionnelle abusivement confondue avec la maturité féminine. Karen Horney avait constaté que c'était la féminité elle-même qui engendrait les aberrations en cause, sans oser le dire expressément. Elle conclut son exposé en déclarant qu'il vaut mieux « apprendre aux enfants le courage

(1) Horney (*op. cit.*), p. 234.

et l'endurance au lieu de les remplir de craintes (1). »
Cette conclusion, si timide qu'elle soit, a du moins
le mérite de délivrer les victimes de la responsabilité
de n'avoir pas su s'adapter à leur rôle féminin.

Mais à quoi bon le courage et l'endurance si
l'existence féminine consiste à être exploitée par
l'homme ? Lorsqu'une adolescente découvre que
le garçon qui lui fait la cour n'apprécie en elle que
les qualités qu'on lui a appris à mépriser en classe,
elle se trouve dans l'obligation de faire un choix
qui sera mutilant quoi qu'elle décide. Même si elle
accepte le rôle d'appât sexuel elle en souffrira.
Lorsqu'elle attend la sonnerie du téléphone en
apprenant à dissimuler l'importance qu'elle y
attache la jeune fille s'impose une autodiscipline
qui risque de devenir radicale. Il est très rare qu'elle
se trouve dans une situation où le refoulement
n'est pas une nécessité absolue. Les théoriciens
qui nient l'existence d'une sexualité féminine
auraient dû assister aux multiples concerts de
musique pop dont j'ai été témoin, où des milliers
d'adolescentes ayant entre douze et seize ans réagis-
saient frénétiquement aux stimuli de la musique et de
l'exhibitionisme masculin. Il est de notoriété publique
dans l'industrie musicale que les idoles rembourrent
leur sexe et que les filles mouillent le tissu des sièges.
Leur violence et leur hystérie sont en relation directe
avec la rareté du phénomène. Elles sont victimes
de la même distorsion que les Bacchantes qui
déchiquetèrent Penthée.

There's a little girl called Laetitia
and she writes the most amazing letters
to the cardboard cutout heroes
of pubescent fantasy

(1) Horney (*op. cit.*), p. 244.

> inviting rape by proxy
> a carnal correspondent
> she's the undisputed teenage queen
> of pop pornography

> Roger McGough, *S.W.A.L.K.*
> (*L'auteur décrit la provocation érotique chez l'adolescente.*)

L'intensité du désir et de l'énergie sexuelle chez la jeune fille n'a pas toujours été niée avec autant d'assurance que par les freudiens. Il suffit de citer en exemple la satisfaction fantasmatique à laquelle elles avaient recours au XVIIe siècle.

« Les jeunes filles ont un divertissement licencieux qu'elles appellent pétrir leurs miches. Elles se couchent sur une table, remontent leurs genoux et leur jupe de leurs mains aussi haut qu'elles le peuvent et se balancent d'avant en arrière sur les fesses, comme si elles pétrissaient du pain avec leur derrière, en chantant :

> My dame is sick and gone to bed,
> And I'll go mould my cockle bread
> Up with my heels and down with my head,
> And this is the way to mould cockle bread.

Je pense qu'il faut n'y voir que la lascivité naturelle de la jeunesse — *rigidas prurigine vulvae* —. Juven. Sat. 6 (129) (1). »

Nous ne croyons plus au désir exacerbé de la vierge nubile, si ce n'est sous la forme étiolée du syndrome de Lolita. Nous ne croyons plus à la

---

(1) John Aubrey, *Remaines of Gentilisme and Judaisme* (1686-1687) édité et annoté par James Britten (Londres, 1881), p. 153.

chlorose. Mais nous acceptons l'idée que la puberté
est une maladie naturelle, d'origine inorganique,
ce qui est aussi déraisonnable. Les tourments de la
puberté sont le résultat d'un conditionnement qui
mutile la personnalité de la femme afin de la rendre
« féminine ».

**Pour se convaincre qu'il est un homme,
l'homme a besoin que la femme soit avec
évidence une femme, son contraire. Autrement dit, la femme doit se comporter en
pédéraste.**

Valérie Solanas, *Scum Manifesto*, p. 50.

12

LA DUPERIE DE LA PSYCHOLOGIE

Les femmes sont incitées par leur conditionnement à renoncer à l'autonomie et à solliciter les directives d'autrui. La fréquence avec laquelle on éprouve le besoin de l'exposer devrait mettre en évidence le caractère artificiel de notre concept de la féminité. Le nombre des femmes qui ont recours aux conseils paternels du psychanalyste en est également l'indice. On ne peut nier la tension permanente engendrée par la condition féminine, donc il faut l'expliquer. En l'expliquant, la psychologie traditionnelle, comme le capitaine de la pièce de Strindberg (1), *le Père*, part de l'idée arbitraire que les femmes ont subi un conditionnement qui est contraire à leur fonction biologique, élever leurs enfants et s'occuper de leur intérieur. La femme qui fait appel aux théories du psychologue y trouvera peut-être un certain soulagement à ses conflits les plus aigus, mais c'est un résultat dont la signification est ambiguë. Elle se rend compte que les contraintes contre lesquelles elle se révolte reposent sur un appareil massif de faits et de théories auquel il lui faut s'adapter car

---

(1) Strindberg, *Le Père*, acte II, sc. VII. Bien qu'il soit très mal servi par les superstitions de sa femme qui ne comprend pas son travail, le capitaine persiste à croire en un bon vieux temps où l'on épousait une femme pour jouir d'amour charnel, et non pas d'une association d'intérêts.

elle n'a aucun espoir de le modifier. Il faudrait un autre psychiatre pour lui expliquer que les préjugés faussent l'observation et que la psychologie est conservatrice par essence. Dans le cas de la femme, la psychiatrie est une extraordinaire mystification. La naïve créature demande de l'aide parce qu'elle se sent malheureuse, angoissée, désorientée. Et on la convainc que la cause réside en elle-même. Il est plus facile de modifier l'individu que le *statu quo* qui, dans la philosophie optimiste du psychologue, a une valeur supérieure. Si les autres moyens échouent, l'électrochoc, l'hypnose et d'autres thérapeutiques amèneront le sujet à se conformer aux exigences de la société. Les psychologues ne peuvent pas changer le monde, donc ils changent la femme. En réalité, ils n'y parviennent pas. Selon une enquête d'Eysenck, en 1952, 44 % des sujets qui avaient subi une cure psychanalytique avaient vu leur état s'améliorer. Pour les autres thérapeutiques, médicaments, électrochocs, etc., la proportion était de 64 %. Et pour les sujets qui n'avaient suivi aucun traitement, elle était de 72 %. Les rapports ultérieurs de Barron et Leary, de Bergin, de Cartwright, de Vogel et Truax confirment ces résultats négatifs.

Voilà qui éclaire la valeur de la psychanalyse et de la théorie de la personnalité. La femme qui accepte la version qu'on lui fournit de ses problèmes court beaucoup plus de périls que l'homme du fait des préjugés la concernant.

Freud est le père de la psychanalyse. Elle n'a pas eu de mère. Il n'en est pas le seul auteur, mais les thèses ultérieures, même quand elles contestaient ses théories, ont renforcé le système. Il faudrait probablement y voir une métaphysique, mais d'ordinaire on le respecte comme une science. Freud, lui-même, déplorait son incapacité à comprendre les femmes et, au fil des années, il devint plus prudent dans ses affirmations. La meilleure façon d'aborder les théories de Freud sur les femmes est probablement celle du Pr Ian Suttie, c'est-à-dire de psychanalyser Freud lui-même (1). La clef de voûte de sa pensée est la conviction masculine que la femme est un homme châtré. On suppose qu'elle souffre de la privation de pénis et que beaucoup de ses motivations proviennent de la tentative de nier cette situation, caractéristique de l'immaturité des femmes qui s'adonnent à la sexualité clitoridienne, ou cherchent à compenser ce manque en ayant des enfants. C'est une tautologie refermée sur elle-même, qu'on ne peut ni prouver ni réfuter. Ernest Jones, malgré son admiration pour Freud, se mit à douter du bien-fondé de cette hypothèse après avoir observé la sexualité des petites filles.

« On est pris de l'idée inquiétante que les hommes qui pratiquent la psychanalyse ont adopté un point de vue trop phallocentrique qui les a amenés à sous-estimer l'importance des organes féminins (2). »

Il faut croire que l'idée est restée inquiétante car elle n'a jamais donné naissance à une nouvelle thèse. Les psychanalystes ont continué à croire au traumatisme génital en dépit de l'évidence du contraire. La foi n'a pas besoin de preuves. Selon Freud, l'évolution des filles est analogue à celle des garçons, avec la complication supplémentaire que la fille découvre qu'elle a perdu son pénis. Sa sexualité infantile est essentiellement masculine, avec d'importantes restrictions.

« On sait que c'est seulement à la période de la puberté que l'on voit apparaître une distinction nette entre le caractère masculin et le caractère féminin. (...) Il est vrai que les dispositions mâle

(1) Ian Suttie, *The Origins of Love and Hate* (Londres, 1935), p. 221.
(2) Ernest Jones, « The Early Development of Female Sexuality », dans *Papers on Psychoanalysis* (Londres, 1948), p. 438.

et femelle se manifestent déjà durant l'âge infantile. Le développement des inhibitions sexuelles s'accomplit de bonne heure chez les petites filles (...) et, lorsque les pulsions sexuelles partielles se manifestent, elles prennent de préférence la forme passive. Toutefois, l'activité auto-érotique des zones érogènes est la même pour les deux sexes et ceci empêche que, dans l'âge infantile, la différence sexuelle soit aussi manifeste qu'elle le sera après la puberté. Si on prend en considération les manifestations auto-érotiques et masturbatoires, on peut émettre la thèse que la sexualité des petites filles a un caractère foncièrement mâle (1). »

C'est une absurdité. Les concepts de similitude et de différence sont dénués de sens. La régulation mystérieuse de la personnalité par une répression spontanée n'a aucune valeur explicative. Ce qui ressort clairement de ces affirmations c'est que Freud était convaincu que toute libido était masculine. Nous découvrons son idéologie, mais nous n'apprenons rien sur la réalité à laquelle il se réfère.

« Le dualisme du masculin et du féminin n'est que la transposition en termes génitaux du dualisme de l'activité et de la passivité. L'activité et la passivité représentent la fusion instable d'Eros et de la Mort luttant l'un contre l'autre. Freud identifie la masculinité avec l'agressivité et la féminité avec le masochisme. »

Si nous voulons établir une relation stable entre les forces de création et de destruction, il nous faudra renoncer à la polarité. Nous ne pouvons pas survivre dans un milieu de sadisme masculin et de masochisme féminin, un univers d'agresseurs et de victimes. Freud l'admettait, mais sans en tirer la conséquence pour sa thèse sur le caractère fondamental des femmes.

(1) Sigmund Freud, *Trois essais sur la théorie de la sexualité.*

« Les hommes ont maîtrisé les forces de la nature à un tel point qu'avec leur aide il leur serait facile de s'exterminer mutuellement. Ils le savent et c'est l'origine d'une grande partie de l'inquiétude de nos contemporains, de leur insatisfaction et de leur angoisse. Il faut s'attendre que l'autre des deux « pouvoirs célestes », l'éternel Eros, s'efforcera de s'affirmer contre son immortel adversaire (1). »

Freud a écrit cela bien avant Hiroshima et l'apparition des armes nucléaires contemporaines. Et il n'a pas suggéré que les forces d'Eros pourraient être considérablement accrues, si l'on rendait aux femmes leur sexualité et la possibilité de le servir. Au contraire, lui et ses disciples ont présenté leur concept du masochisme féminin comme divinement déterminé par la biologie.

Selon eux, la femme qui refuse son rôle sexuel en ignorant le message de ses pertes menstruelles : qu'elle doit avoir des enfants, souffre d'une fixation infantile et agressive qui ne lui permet pas de surmonter le regret de n'avoir pas de pénis. Même si elle est sexuellement active, sa réaction est masculine, liée au clitoris et non pas à l'orifice réceptif, le vagin. Le masochisme de la femme parvenue à la maturité proviendrait de son désir de se soumettre à l'agression de l'homme qui la convoite et n'est limité que par le narcissisme qui l'incite à se protéger en imposant des conditions morales, formelles et physiques. Pendant l'intervalle qui sépare la maturité de l'accouplement, elle exprime sa sexualité au moyen des fantasmes passifs. Ce n'est que fécondée qu'elle parvient à se compléter, car l'enfant représente l'organe perdu, il est son œuvre. Les fantasmes disparaissent, le narcissisme masochiste est remplacé par une énergie consacrée à la protection et à la socialisation de l'enfant. C'est une bonne description

(1) Sigmund Freud, *Das Unbehagen in der Kultur*.

de l'état de choses actuel et elle a séduit même des femmes psychologues qui n'ont pas osé contester, au nom de l'expérience subjective, des faits qui semblaient objectifs. Par ailleurs, la théorie exerçait une pression morale. La femme qui savait que ses orgasmes avaient leur origine dans le clitoris avait honte d'être taxée d'immaturité et de nostalgie du pénis. La femme poursuivant des buts actifs était par définition mal adaptée à son rôle social, et probablement infantile.

« Les activités fondamentalement saines et l'énergie sociale et intellectuelle déployée par la jeune fille qui renonce à ses fantasmes s'accompagnent souvent d'un dépérissement de sa vie affective qui l'empêche de parvenir à la plénitude de la féminité et plus tard, à la maternité. Il est intéressant de constater que des femmes dont les facultés intellectuelles sont brillantes demeurent prisonnières de formes infantiles d'affectivité. Il reste à l'expliquer. Il semble que le passage de la fantasmagorie à la plénitude de la féminité est un processus psychologique qui risque d'être perturbé par l'intellectualisation (1). »

L'ordre des priorités selon Hélène Deutsch est évident. Si l'intellectualité empêche la féminisation, il faut sacrifier l'intellectualité. Ses thèses psychanalytiques ne lui ont pas fourni la solution de cet intéressant problème théorique qui est dans la nature du milieu social où se déploient l'activité et l'intelligence féminines. Suggérer que ni la future épouse ni l'enseignante célibataire ne devraient rechercher d'autres activités que la maternité reviendrait à découvrir le pot aux roses. Les deux exemples évoqués, le féminin et le pseudo-masculin, représentent des castrations. Même Hélène Deutsch en vint à reconsidérer sa théorie fondamentale du masochisme féminin. Elle fait remarquer timidement

(1) Deutsch (*op. cit.*), vol. I, p. 101.

124

qu'il ne peut pas s'expliquer uniquement par des facteurs inhérents aux caractéristiques anatomiques et physiologiques de la femme mais doit être interprété à la lumière de la culture et de l'organisation sociale qui a servi de cadre à l'évolution du sujet. Néanmoins, elle n'a pas poussé cette réflexion assez loin pour se rendre compte qu'en tant que femme elle était un produit du même conditionnement et qu'elle contribuait à sa perpétuation au détriment de ses sœurs.

Malgré ses prétentions à l'intellectualisme, Hélène Deutsch était profondément attachée au stéréotype de l'Éternel féminin. Le portrait qu'elle trace de la compagne idéale est extraordinaire.

« ... si elle possède à un degré suffisant le don féminin de l'intuition, elle est une collaboratrice idéale qui inspire souvent son compagnon et n'est jamais aussi heureuse que dans ce rôle. (...) Elle est la plus séduisante et la moins agressive des collaboratrices. (...) Sexuellement, elle est facilement émue et rarement frigide. Mais c'est précisément dans le domaine sexuel qu'elle impose des conditions narcissiques qui doivent être respectées absolument. Elle exige de l'amour et la possibilité de renoncer avec ferveur à ses propres tendances actives.

« Si elle a des dons, elle conserve une faculté créatrice personnelle, mais sans entrer en rivalité avec l'homme. Elle est toujours prête à renoncer à briller sans avoir le sentiment d'accomplir un sacrifice. Elle a un extraordinaire besoin de soutien quand elle s'engage dans *une activité dirigée vers l'extérieur* mais est complètement indépendante pour tout ce qui concerne sa vie intérieure, c'est-à-dire *l'activité tournée vers l'intérieur*. Sa capacité d'identification n'est pas une expression de pauvreté intérieure mais de richesse (1). »

(1) Deutsch (*op. cit.*), p. 151.

Il s'agit ni plus ni moins de la femme idéale telle que la conçoit notre société et en tant que tel, le modèle est irréalisable. Une telle femme ne peut pas être une personne, car elle n'a pas d'existence propre. Elle n'a d'importance qu'en fonction de son compagnon, dont elle dépend absolument. En échange de ses renoncements, de sa collaboration, de son adaptation, de son identification, elle est caressée, désirée, manœuvrée, influencée et à l'occasion, convoitée en vain. C'est une mauvaise affaire pour l'homme car elle ne fait aucun effort pour exciter son intérêt, donc il ne peut s'attendre qu'elle le manœuvre ou l'influence. Il suffit d'une verrue sur le nez pour que tout l'édifice s'effondre car Hélène Deutsch n'a pu s'abstenir de préciser que la femme idéale doit être séduisante. De quel droit cette créature exige-t-elle un amour ardent alors qu'elle est incapable de l'offrir ? Elle est vaine, importune, servile et ennuyeuse. Rien n'est plus réfrigérant que le spectacle de son abnégation implacable. C'est le genre de femme qui est abandonnée par un mari ingrat au moment même où il parvient au sommet de la carrière qu'elle l'a aidé à accomplir pour une impudente péronnelle de dix-neuf ans. Voilà la norme posée par la « science » psychanalytique : un amalgame de moralisme et de préjugés dépourvu de tout bon sens. Pourtant, cette aberration n'a pas été remise en cause par la nouvelle génération de psychanalystes. Bruno Bettelheim affirme qu'il faut commencer par prendre conscience que, même si les femmes désirent être de bons scientifiques et de bons ingénieurs, elles veulent avant tout être des compagnes féminines pour l'homme et des mères (1).

Erik Erikson a inventé le concept insensé de

(1) Bruno Bettelheim, « Women and the Scientif Professions », *M.I.T. Symposium on American Women in Science and Engineering*, 1965.

l'*espace intérieur* dans la *structure somatique* de la femme, c'est-à-dire, un vide dans la tête, où naîtrait le besoin impératif d'élever des enfants (1). Joseph Rheingold a réaffirmé en 1964 le point de vue du capitaine fou de la pièce de Strindberg.

« Lorsque les femmes auront grandi sans craindre leur fonction biologique et sans avoir l'esprit perverti par des théories féministes, elles arborderont la maternité avec un sentiment de plénitude et d'altruisme. C'est alors que nous aurons réalisé notre idéal de vie heureuse et de sécurité (2). »

Ce sont les femmes qui se sont engagées dans le mariage et la maternité avec optimisme et romantisme qui expriment leur déception avec le plus de véhémence et se montrent le plus tyranniques avec leurs enfants. Il n'était pas inscrit dans le déterminisme biologique que la maternité était une compensation à l'abandon de toutes les autres formes d'épanouissement et d'affirmation de soi. Il n'a jamais été prévu par la nature qu'elle absorbe autant de temps et d'attention. La tyrannie maternelle est l'un des plus grands maux de notre société. Les féministes se bercent de l'illusion que Masters et Johnson, en affirmant que tous les orgasmes féminins sont d'origine clitoridienne, ont définitivement anéanti le fantasme freudien. Mais les freudiens peuvent fort bien soutenir que toutes les femmes auxquelles Masters et Johnson ont eu affaire étaient infantiles par suite d'un mauvais conditionnement, et que l'orgasme vaginal existe ou devrait exister. Fondamentalement, les freudiens expriment les *desiderata* de la moyenne bourgeoisie du XIXe siècle. Les faits n'ont guère d'influence sur ce qui est essentiellement un système de valeurs.

(1) E. Erikson, Inner and Outer Space : Reflections on Womanhood, *Daedalus*, 1964, n° 93, pp. 582-606.
(2) Joseph Rheingold, *The Fear of Being a Woman* (New York, 1964).

A nous fonder sur la réalité objective, nous pouvons rejeter les axiomes de la psychanalyse freudienne comme une pression supplémentaire ajoutée au processus d'autorépression pour nous en remettre à nos propres observations et à l'expérience que nous procure notre interaction avec notre milieu. Non seulement la théorie freudienne est un édifice arbitraire mais elle n'est pas praticable. Même si nous le voulions, nous serions incapables d'avoir le nombre d'enfants qu'exigerait notre santé mentale telle que Freud la conçoit. Si, comme l'a suggéré Mark Twain, les femmes devaient marcher pieds nus et être enceintes en permanence, il faudrait les décimer.

D'autres pères de la psychologie se sont prononcés sur le rôle de la femme, du fatras de Jung au concept de normalité humaine déduit de l'observation du comportement des singes dans la jungle. Une anthropologiste comme Margaret Mead cherche la confirmation de ses théories sur la sexualité dans l'observation de communautés primitives, ce qui l'amène, en dépit de son apparent radicalisme, à défendre le concept de la passivité féminine. Sa position est la même que celle de Krafft-Ebing qui croit que la femme, lorsqu'elle a eu un développement mental normal et une bonne éducation, n'éprouve que peu de désirs sexuels.

« S'il n'en était pas ainsi, le monde deviendrait un bordel et le mariage et la famille n'y survivraient pas. Il est certain que l'homme qui évite les femmes et les femmes qui recherchent les hommes sont anormaux... néanmoins la sexualité tient une place plus importante dans la conscience de la femme que dans celle de l'homme et est permanente plutôt qu'intermittente (1). »

(1) J. Krafft-Ebing, *Psychopathia Sexualis* (Londres, 1893), p. 13, et Margaret Mead (*op. cit.*), pp. 209-210.
La réceptivité de la femme n'exigeant d'elle que la détente et

Freud lui aurait appris comment interpréter la seconde observation en fonction de la première. Les femmes ont des désirs sexuels et si la fonction d'un développement mental normal et d'une bonne éducation est de les détruire, essayons donc l'anormalité et renonçons à la bonne éducation. Si le mariage et la famille ne subsistent que grâce à la castration de la femme, qu'ils changent ou qu'ils disparaissent. Le résultat ne sera pas un bordel, car les bordels existent en fonction du mariage et de la famille. Si nous voulons échapper à l'engrenage des fantasmes sexuels, du besoin insatiable d'amour et de l'obsession sous toutes ses formes il nous faut rendre à notre libido sa véritable fonction. C'est alors seulement que les femmes seront capables d'aimer. Pour le moment, l'éternel Eros est prisonnier des liens de la symbiose sadomasochiste et si nous voulons le libérer et sauver le monde, il nous faut briser ses chaînes. La rhétorique passionnée d'Hélène Deutsch ne décrivait pas autre chose que ce qui est défini en des termes tout différents par Eric Fromm :

« La forme passive de l'union symbiotique est celle de la soumission ou... du masochisme. L'individu masochiste échappe à un sentiment d'isolement intolérable et de séparation en devenant partie intégrante d'une autre personne qui le dirige et le protège, qui est en quelque sorte sa vie et son

l'abandon de son corps et non pas le dynamisme et le désir soutenu nécessaires à l'homme, elle apprend à associer un simple acquiescement avec mille autres considérations que lui inspirent le désir de séduire un homme ou de conserver un mari, en l'incitant à équilibrer son humeur du moment par la pensée de celle du lendemain. Sa réceptivité s'intègre à l'ensemble des relations qu'elle entretient avec l'autre. Il ne fait pas de doute que l'homme qui a appris divers moyens mécaniques de stimuler son énergie sexuelle pour s'accoupler avec une femme qu'il ne désire pas à cet instant précis fait une violence beaucoup plus grande à sa nature que la femme qui n'a qu'à recevoir l'homme auquel elle est attachée par de multiples assentiments, même si elle n'éprouve pas de désir actif.

oxygène. Le pouvoir de celui auquel on se soumet est grossi. Qu'il soit un être humain ou un dieu, il est tout, je ne suis rien, si ce n'est dans la mesure où je fais partie de lui. En tant que partie, je participe à sa grandeur, à son pouvoir, à sa certitude. L'individu masochiste n'a pas à prendre de décisions, de risques. Il n'est jamais seul, mais il n'est pas indépendant. Il manque d'être, il n'est pas encore tout à fait né. La personne qui renonce à parvenir à l'intégralité de son être devient l'instrument de quelqu'un ou de quelque chose qui lui est extérieur. Elle n'a pas besoin de résoudre le problème de vivre d'une activité productive (1). »

En préconisant le masochisme comme le rôle normal de la femme, la psychologie renforce le processus d'infantilisation dont elle est victime depuis sa naissance. Les tourments de la femme ne viennent pas de son échec à réaliser l'image qu'on lui propose de sa maturité mais de ses révoltes contre ce qui l'empêche d'utiliser ses propres facultés pour vivre et pour travailler. Du moment de sa naissance où on la cloue dans son berceau jusqu'à la dernière camisole de force, les pressions qu'elle subit tendent à la ramener à l'état de fœtus. Il n'y a qu'un moyen de retourner dans la matrice, c'est la mort. Les pressions qui étouffent dans les ronces les joies et les désirs de la femme sont celles qui détruiront le monde. Si la moitié des êtres humains doivent demeurer les otages de la mort, Eros perdra sa bataille contre les armes de destruction massive. Que sont la course aux armements et la guerre froide sinon la poursuite de la rivalité et de l'agressivité masculine dans le domaine inhumain d'institutions dirigées par des ordinateurs ? Si les femmes ne veulent plus engendrer de la chair à canon, il faut qu'elles sauvent les hommes

(1) Erich Fromm, *The Art of Loving* (Londres, 1969), p. 20.

des perversions résultant de leur propre polarisation. La lutte sera peut-être longue et plus pénible que ne l'est la capitulation. Elle se déroulera dans les ténèbres car aucune des connaissances dont nous nous enorgueillissons, scientifiques ou autres, ne nous fournit à l'avance sa solution. En vaut-elle la peine ?

13

LA MATIÈRE PREMIÈRE

Malgré tout ce que nous venons de dire des effets du conditionnement social sur le développement de la femme, certains persisteront peut-être à croire qu'elle est affectée d'une déficience mentale congénitale en raison de son sexe. Étant donné les préjugés des observateurs qui ont effectué les recherches destinées à mettre en évidence cette déficience mentale, il n'eût pas été surprenant qu'on réussisse à la « prouver ». Ce qui est remarquable c'est qu'on n'y est jamais parvenu. Depuis plus de cinquante ans on s'est attaché méthodiquement à étudier le sexe de l'esprit. On sait que les hormones sexuelles

---

Thus women's secrets I've surveyed
And let them see how curiously they're made,
And that, tho' they of different sexes be,
Yet in the whole they are the same as we.
For those that have the strictest searchers been,
Find women are but men turned outside in;
And men, il they but cast their eyes about,
May find they're women with their inside out.

The Works of Aristotle in Four Parts,
1882, p. 16.

(L'auteur, après avoir cherché en quoi consistait le caractère particulier des femmes, constate qu'elles sont semblables aux hommes. Une femme est un

homme dont l'organe externe est tourné vers l'inté-
rieur, l'homme une femme dont l'organe interne est
tourné vers l'extérieur.)

---

pénètrent dans le cerveau mais on n'a jamais établi de corrélation entre ce fait physiologique et les capacités mentales ou le comportement. On pensait que le poids inférieur du cerveau de la femme était un argument permettant de conclure à une intelligence inférieure mais, proportionnellement au poids total du corps, il est plus lourd que celui de l'homme. On s'empressa d'admettre que le poids du cerveau n'avait aucune importance sitôt qu'on s'aperçut que l'argument risquait de tourner au désavantage de l'homme. Si les lobes frontaux sont le siège de l'intelligence, ils sont plus développés chez la femme. Donc, nous pouvons également écarter cette objection. En réalité la physiologie et le fonctionnement du cerveau sont encore si mal compris que nous ne pouvons rien en déduire concernant les aptitudes de l'individu.

Plutôt que de déduire le comportement de la physiologie, il a semblé plus logique de définir les modes de comportement sur le fondement de l'observation. Cela pose également des problèmes. Il est impossible de réaliser des expériences rigoureuses avec des sujets soumis en permanence au conditionnement chaotique de la vie normale. Il n'existe pas de sujets qui ne soient pas conditionnés, et ceux qui le sont ne le sont pas uniformément. Si des tests de ce genre révélaient une infériorité intellectuelle chez la femme, nous pourrions la contester à juste titre. Mais ce n'est même pas le cas.

En 1966, Eleanor Maccoby a rassemblé le résultat de cinquante ans de tests dans son ouvrage *The Development of Sex Differences* en les classant dans des subdivisions qui couvraient les domaines les plus divers. Ceux qui avaient trait aux facultés cognitives étaient particulièrement remarquables. Selon Gesell et d'autres (1940) et Terman (1925) les filles parlent plus tôt que les garçons. Toutes les autres études sur l'acquisition du langage montrent que les filles progressent plus vite que les garçons bien que les garçons soient plus brillants dans des situations exigeant de l'initiative et de l'assurance, comme par exemple prendre la parole en classe. La différence est particulièrement prononcée chez les enfants plus âgés. Les filles semblent avoir un vocabulaire plus riche, mais les différences ne sont pas considérables. Elles sont meilleures en grammaire et en orthographe, bien que les tests portant sur les capacités de raisonnement aient produit des effets divers. Les tests de lecture donnent les mêmes résultats. Les facultés cognitives non verbales, le calcul, le raisonnement mathématique ou abstrait, la perception de l'espace, la structuration, la vitesse de perception, les capacités manuelles, mécaniques ou scientifiques ont toutes fait l'objet de tests sans qu'apparaisse aucune différence marquée, sinon une légère prééminence des filles, qui la doivent peut-être à leur acculturation, au temps qu'elles passent avec les adultes, à des habitudes plus sédentaires, une plus grande obéissance et plus de crédulité. Les tests portant sur le quotient intellectuel global ne révèlent aucune différence entre les sexes dans onze cas. Trois d'entre eux sont en faveur des femmes et trois en faveur des hommes. Étant donné la nature amorphe des facultés en cause et la situation artificielle créée par le test proprement dit, on ne peut rien en déduire concernant la psyché féminine, si ce n'est que le sexe de l'esprit reste à démontrer (1).

(1) Eleanor Maccoby, *The Development of Sex Differences* (Londres, 1967), particulièrement, « The Classified Summary of Research in Sex Differences » (pp. 323-351).

Lors des tests, il y a une confusion fondamentale entre la créativité et les bonnes notes obtenues en classe. Dans l'étude que Lewis Terman a effectuée sur le génie, en suivant la carrière d'un groupe d'enfants particulièrement doués, ses constatations sont déformées par une conception extrêmement bornée du talent. Il cite élogieusement le poème d'une fille appelée Sarah qui n'est qu'un pastiche d'une tradition tuée par le ridicule un siècle plus tôt et ne démontre que la facilité d'assimilation de la jeune Sarah. Néanmoins, ces travaux mettent en évidence des tendances qui nous permettront peut-être de comprendre pourquoi les filles sont progressivement distancées par les garçons et quittent l'école en ayant un niveau culturel très bas et aucune qualification professionnelle. Même

---

De même qu'il n'a pas le droit de se vanter de son courage lorsqu'il bat un homme dont les mains sont liées, l'homme n'a pas lieu de s'enorgueillir d'être plus sage qu'une femme lorsqu'il doit cet avantage à plus de culture.

Mary Astell,
An Essay in Defence of the Female Sex,
1721, p. 18.

---

si les enquêteurs confondaient induction et éducation ils ont pu faire un certain nombre d'observations qui expliquent dans une grande mesure ce qui entrave l'épanouissement intellectuel des filles.

« Chez les deux sexes les enfants passifs et dépendants ont tendance à réagir médiocrement devant des tâches intellectuelles où les enfants indépendants excellent... »

Les enfants qui refusent de s'incliner devant l'autorité réussissent à remplir quantité de tâches, de même que ceux qui résistent aux pressions conformistes.

« Les filles qui ont été moins couvées par leur mère pendant la période préscolaire sont les élèves les plus brillantes... Pour les filles, contrairement aux garçons, le facteur crucial de l'évolution du quotient intellectuel semble être une absence relative de restrictions maternelles, la liberté d'aller et de venir à leur guise en explorant leur milieu (1). »

Cette constatation peut expliquer pourquoi les femmes ne produisent pas d'œuvres d'art de génie de même que leur apparente infériorité dans d'autres domaines. Dans la mesure où elle échappe au conditionnement ou le rejette, la petite fille excelle éventuellement dans des activités intellectuelles dites créatives mais elle finit par capituler devant la pression de la société, à moins que le conflit ne devienne si aigu que son efficacité en soit diminuée. Eleanor Maccoby ne comprend pas pourquoi le développement de la sexualité a un effet aussi nocif sur les capacités intellectuelles des filles. Pourtant, elle cite l'opinion de McKinnon sur la relation entre la répression et les capacités mentales.

« Selon McKinnon, la répression a un impact généralisé sur les processus intellectuels, car elle empêche l'individu d'accéder librement à l'expérience acquise. Un individu qui utilise la répression

---

Il ressort de tout ce qui a été dit qu'apparemment on ne peut pas parler d'infériorité et de supériorité, mais uniquement de différences d'aptitudes et de personnalité individuelles. Ces différences sont dues en grande part à la culture et à l'expérience existentielle... le chevauchement de toutes les

---

(1) Lewis M. Terman, *Genetic Studies of Genius* (*op. cit.*), p. 294.

caractéristiques psychologiques est tel qu'il nous faut considérer les hommes et les femmes comme des individus plutôt que comme des stéréotypes de groupes.

Anna Anastasi,
Differential Psychology,
1958, pp. 497-498.

---

comme mécanisme de défense ne peut pas, selon les termes de McKinnon, évaluer rapidement des idées. McKinnon a établi que la créativité est liée à l'absence de répression (par le résultat de tests de personnalité) et Barron déclare que l'originalité est associée à la capacité de réagir avec spontanéité à l'impulsion et l'émotion (1). »

Il est certain que le point de vue de McKinnon explique que les qualités intellectuelles de la jeune fille disparaissent au fur et à mesure qu'elle reprend à son compte le processus de répression que lui ont inculqué ses parents et ses supérieurs. Il est impossible d'affirmer qu'à l'origine les capacités mentales de la femme sont moindres que celles qui produisent le génie de l'homme, mais il semble qu'elle ne puisse le prouver que par la rébellion ouverte.

(1) Maccoby (*op. cit.*), p. 35.

14

LE POUVOIR DE LA FEMME

L'échec des tests que l'on a effectués pour déterminer l'existence d'une différence de capacités intellectuelles des sexes n'a en rien modifié l'opinion de ceux qui contestent l'aptitude de la femme à exercer certaines responsabilités ou activités. Ils pensent qu'il faut blâmer les enquêteurs et leurs méthodes. Le Pr Leavis était convaincu de pouvoir identifier le sexe d'un écrivain par son style, même si tout ce que la femme écrit est nécessairement condamné à être la parodie de quelque œuvre supérieure de l'homme. Après tout, il n'y a pas grand-chose à reprocher à Virginia Woolf sinon qu'elle était une femme. On peut objecter que les tests étaient spécialement conçus pour tenter de compenser les effets du conditionnement sexuel alors que les femmes réelles, dans le monde réel, subissent ce conditionnement en permanence. Aucune modification de notre opinion théorique sur leurs capacités originelles ne changera la réalité de fait de leur comportement ultérieur. Les hommes se plaignent que les femmes sont invivables, qu'il est impossible de discuter avec elles parce qu'elles finissent toujours par avoir le dernier mot, la plupart du temps par des moyens malhonnêtes. C'est bien d'une femme, soupirent-ils d'un commun accord. La détection du sexe de l'esprit n'est pas seulement le privilège des plus éminents littérateurs, du Pr Leavis à Norman Mailer (1), elle s'étend jusqu'aux illettrés du sexe, les écoliers qui maudissent les filles. C'est parce que l'on est profondément convaincu de la différence des sexes qu'elle devient une réalité. La conviction détermine le comportement, devenant une cause permanente du phéno-

---

Les femmes ont tendance à faire remplir à leurs émotions les fonctions auxquelles elles sont destinées, c'est pourquoi leur santé mentale est meilleure que celle des hommes.

Ashley Montagu,
The Natural Superiority of Women,
1954, p. 54.

---

mène. On ne peut pas l'éliminer par des moyens rationnels. Il n'y a pas de raison que les femmes s'enferment dans la logique. Nous pourrions, par exemple, décider impudemment d'exploiter la théorie ovarienne de l'esprit (2).

On trouve l'une des théories les plus complètes sur l'âme féminine dans *Sex and Character*, un ouvrage remarquable dont l'auteur était un jeune homme, Otto Weininger, qui se tua quelques années après sa publication. Sa vie brillante, névrotique, est une illustration des effets ultimes du

(1) Voir Mary Ellman, *Thinking About Women* (Londres, 1969) et Norman Mailer dans *Cannibals and Christians* (Londres, 1969), p. 132.
(2) Le terme est de Cynthia Ozick, « The Demise of the Dancing Dog » *Motive*, mars-avril 1969.

dimorphisme. En désintégrant la nature humaine et en dressant des frontières entre des sexes en guerre, Weininger s'est condamné à la perversion, à la culpabilité et à une mort prématurée. Il commença par réduire les femmes à leur corps, leur imputant une sexualité inconsciente et par la suite, un animalisme passif. En tant qu'homme doué de raison, il condamnait cet élément bestial : « Aucun homme qui réfléchit sérieusement sur les femmes n'a d'estime pour elles. Ou il les méprise, ou il n'y a jamais pensé sérieusement (1). »

Comme Freud, avec lequel il avait beaucoup de points communs, il était convaincu que les femmes étaient par nature châtrées. En raison de la haute opinion qu'il avait du pénis, il supposait que les femmes la partageaient.

« Dans la réalité, un corps de femme totalement nu donne l'impression de quelque chose d'inachevé, d'une incomplétude incompatible avec la beauté (2)... Les qualités qui séduisent les femmes, ce sont les signes d'une sexualité développée. Les qualités de l'esprit supérieur leur répugnent. La femme a essentiellement le culte du phallus (3). »

Weininger, allant jusqu'au bout du dimorphisme sexuel, constatait qu'étant donné une telle polarité, un homme ne pouvait pas communier vraiment avec une femme et que leurs relations étaient condamnées à reposer sur les compromissions et l'hypocrisie mutuelle. Valérie Solanas s'est livrée à l'opération inverse au profit de la femme, démontrant que les hommes les envient et désirent être dégradés et efféminés par elles (4). Elle se venge en tirant

---

(1) Otto Weininger, *Sex and Character* (London, 1906), p. 236.
(2) *Ibid.*, p. 241.
(3) *Ibid.*, p. 250.
(4) Valérie Solanas, *the S.C.U.M. Manifesto* (New York, 1968), p. 73.

sur Andy Warhol. Weininger, plus honnêtement, a préféré se tuer lui-même. De même que Valérie Solanas méprise les hommes pour leurs prétentions et leur incapacité à réaliser leur stéréotype, Weininger méprise les femmes à la fois parce que l'image qu'il s'en fait est passive et animale et parce qu'elles ne sont pas vraiment ainsi. Elles jouent la comédie par nécessité d'exploiter la situation sexuelle qui leur est imposée. D'où le mélange de duplicité et de mensonge qui caractérise leurs actes. La femme vivant par procuration, elle n'a pas de responsabilité et n'ayant pas de responsabilité, elle n'a pas de sens moral, pas de personnalité propre. Cette absence de personnalité et la variété des rôles qu'elle est amenée à jouer font qu'elle n'a pas d'identité, comme le manifeste la facilité avec laquelle elle renonce à son nom. La femme n'est authentiquement elle-même à aucun moment de sa vie (1).

Weininger se contentait de décrire le comportement féminin tel qu'il pouvait l'observer dans son entourage. Il ne pouvait pas se rendre compte qu'il s'agissait de distorsions dont les femmes exigeraient un jour d'être libérées. Il pensait qu'elles étaient ainsi par nature sans savoir ce qu'il fallait d'abord faire entrer en ligne de compte, leur condition sociale ou leurs caractéristiques psychologiques. Il supposait que ce devait être les secondes car il ne voyait pas d'autre explication à leur condition sociale.

---

(1) Weininger (*op. cit.*), p. 274. Beaucoup d'observateurs ont affirmé que le mensonge était une caractéristique sexuelle secondaire de l'esprit féminin, même des féministes telles que Mary Wollstonecraft qui y voyait une des principales conséquences de la dégradation de la femme et B. L. Hutchins, *Conflicting Ideals : Two Sides of the Woman Question* (Londres, 1913), « Les filles ont été formées par des idéaux extrêmement hypocrites », p. 30.

L'égalité politique et civique des sexes implique l'égalité morale des sexes. Elle implique cette conséquence logique consternante que la moralité des femmes, à l'avenir, sera au mieux la même que celle du respectable chrétien de l'époque victorienne. Ce qui signifie, bien entendu, l'effondrement total de la morale chrétienne.

Robert Briffault,
Sin and Sex, 1931, p. 132.

Toutes les déficiences morales dénoncées par Weininger passaient dans la société victorienne pour des vertus. Il faut rendre cette justice à Weininger qu'il les a décrites avec exactitude. Néanmoins, sa conception du moi, de l'identité, de la logique et de la morale était déduite de l'observation de ce *statu quo* indésirable, et la femme d'aujourd'hui pourrait considérer que les traits que Weininger qualifie de défauts sont en réalité des libertés qu'elle ferait bien de défendre. Par exemple :

« Pour la femme, penser ou sentir est une même chose, alors que pour l'homme ce sont des phénomènes opposés. La plus grande partie de la vie mentale de la femme consiste en perceptions indifférenciées alors que chez l'homme elles passent par un processus de clarification (1). »

(1) Weininger (*op. cit*), p. 100. La supposition que la perception des femmes diffère de celle des hommes, qu'elles sont plus subjectives que les hommes, etc., bien que les tests ne l'aient jamais confirmé, est acceptée comme allant de soi par les psychologues qui traitent de la féminité. Deutsch aime particulièrement faire l'éloge de la perception intuitive, subjective de la femme en y voyant le complément indispensable de l'objectivité et de l'agressivité masculines.

Definitio est negatio. On pourrait objecter que la clarification équivaut à une falsification. Si vous voulez savoir exactement ce qui s'est passé dans un cas particulier, mieux vaut le demander à quelqu'un qui a perçu la totalité de la situation et s'en souvient, plutôt que de vous contenter d'extrapolations clarifiantes. Comme il est triste que chez l'homme la sensation et la pensée soient opposées ! T.S. Eliot affirmait qu'au cours du XVIIe siècle il s'est produit une dissociation de la sensibilité et que l'intelligence n'est plus l'indice immédiat de l'intensité de la sensation, qu'elle l'étouffe plutôt (1). Se pourrait-il que les femmes aient échappé au processus qui a débilité la culture occidentale masculine ? La possibilité est séduisante, mais avant de songer à en tirer parti il nous faut tenir compte que les femmes cultivées ont simplement été admises dans des académies masculines et qu'elles ont perdu la faculté d'avoir des perceptions indifférenciées. Selon Antonin Artaud, Anaïs Nin a peut-être résisté à cette mutilation.

« J'ai amené beaucoup de gens, hommes et femmes devant la merveilleuse toile *(Les filles de Loth)* mais c'est la première fois que j'ai vu une émotion artistique toucher un être et le faire palpiter comme l'amour. Vos sens ont tremblé, et je me suis rendu compte qu'en vous le corps et l'esprit étaient formidablement liés, puisqu'une pure impression spirituelle pouvait déchaîner dans votre organisme un orage aussi puissant. Mais dans ce mariage insolite c'est l'esprit qui a le pas sur le corps et le domine, et il doit finir par le dominer en tout. Je sens en vous un monde de choses qui ne

---

(1) T. S. Eliot, « The Metaphysical Poets », *Selected Essays* (Londres, 1958), pp. 287-288.

demandent qu'à naître si elles trouvent leur exorciste (1). »

Dans l'ensemble, c'est absurde. Il fallait s'attendre que l'inventeur du théâtre de la cruauté réagisse de cette façon devant le phénomène d'une sensibilité unifiée et consacre un paragraphe à démontrer la domination de l'esprit en allant jusqu'à impliquer que son interlocutrice avait besoin d'un exorciste. Le manichéisme d'Artaud l'a empêché de comprendre que le stimulus du tableau était d'ordre sensuel. Anaïs Nin a simplement réagi à la fois avec l'esprit et le corps à un stimulus à la fois sensible et intelligible. Le tableau était un tout et sa réaction à elle était tout aussi intégrée.

Si les femmes parviennent à conserver à leurs expériences leur caractère originel, non classifié, elles échapperont peut-être aux limitations de la pensée scientifique, dénoncées par A.N. Whitehead dans *Adventure of Ideas :*

« Lorsqu'on étudie des idées, il faut se souvenir que l'insistance sur une clarté rigoureuse prend sa source dans la sensibilité qui nous voile la complexité des faits comme un brouillard. Cette exigence de la clarté à tout prix est fondée sur une totale ignorance quant à la façon dont fonctionne l'intelligence humaine. Nos prémisses sont des brins de paille auxquels nous nous raccrochons, et nos déductions ont la fragilité de fils de la vierge (2). »

(1) Antonin Artaud, cité dans le *Journal d'Anaïs Nin,* traduction M. C. Van der Esit.
(2) Citation empruntée au livre de Marshall McLuhan, *The Medium is the Massage* (Londres) et attribuée à A.N. Whitehead, dans un livre intitulé *Adventures in Ideas.* Je n'ai pas retrouvé la citation dans l'original mais elle est conforme à son esprit. Voir « The Anatomy of Some Scientific Ideas » in *the Organisation of Thought* (Londres, 1917), pp. 134, 190 et *Science and the Modern World* (Cambridge, 1927), ou *Adventures in Ideas* (Cambridge 1933), pp. 150-151, 173.

Au niveau du quotidien, il est facile de démontrer cette différence de fonctionnement de l'esprit de l'homme et de la femme. Il suffit de penser à papa se moquant de maman parce qu'elle garde le sel dans une boîte marquée sagou ou à la célèbre intuition féminine, qui consiste simplement à observer des détails apparemment insignifiants du comportement et à en déduire une conclusion empirique qui n'est pas démontrable par un syllogisme. Aujourd'hui où l'information n'est plus diffusée uniquement sous forme d'exposé logique imprimé, mais aussi par des moyens audio-visuels, la clarification et la controverse deviennent de plus en plus un mode de la connaissance parmi d'autres et pas nécessairement le plus important. L'utilisation des ordinateurs déplace l'accent sur les facultés créatrices de la pensée humaine. Le soudain accroissement de la passion politique dans les derniers dix ans, particulièrement chez la génération qui a absorbé une bonne partie de ses connaissances sous cette forme indifférenciée, montre qu'il y a une réintégration de la pensée et de la sensibilité à une vaste échelle. Dans ces conditions, cette particularité de l'esprit féminin pourrait devenir une force.

Malheureusement, mes propres arguments ont le défaut de ne pas manifester suffisamment de respect pour la logique tout en ayant perdu la force originelle de l'esprit féminin par suite d'une formation cartésienne. Voilà le privilège qu'on récolte à faire des études. Je suis un Noir qui ne sait plus chanter des *Blues*. Aujourd'hui, l'enseignement lui-même change, de sorte que la créativité de la pensée ne diminue plus avec l'apprentissage de la discipline mentale considérée non plus comme une fin mais comme un moyen. Malheureusement, momentanément le résultat le plus clair de ce changement semble être la répugnance des enfants à étudier les sciences. Mais il y aura probablement un jour un enseignement purement scientifique.

Weininger, toutefois, porte des accusations plus sérieuses :

« La femme ne comprend pas que l'action doit obéir à des principes. Ignorant toute continuité, elle n'éprouve pas le besoin d'un support logique des opérations mentales... On peut la considérer comme atteinte de démence au plan de la logique (1). »

Il est vrai que la femme refuse souvent de discuter logiquement. Dans la plupart des cas, elle n'est pas rompue à la controverse et les hommes la désarçonnent avec quelques sophismes pompeux. Dans d'autres, elle est intimidée et troublée avant même qu'on en vienne à l'argumentation. Mais il est vrai aussi que dans la plupart des situations la logique se réduit à masquer d'une apparence rationnelle un but qui ne l'est pas. Les femmes le savent. Même les plus cultivées d'entre elles se rendent compte que toute discussion avec un homme n'est que de la *Real-politik*. Ce n'est pas un assaut d'agilité mentale où la raison triomphera avec le vainqueur, mais un choc de volontés contraires. Les règles du discours logique n'y seraient d'aucune utilité. L'obstination féminine conteste la notion erronée que l'être humain est un animal logique. La logique masculine ne vient à bout que de problèmes simples. La femme, parce qu'elle est passive et réduite à observer, à réagir plutôt qu'à prendre l'initiative, est plus sensible à la complexité. Les hommes ont été obligés de réduire leur réceptivité au profit de la domination. L'un des avantages éventuels de l'infantilisation des femmes est qu'elles pourraient devenir, selon

(1) Weininger (*op. cit.*), p. 146.

les termes de Lao-Tseu, un regard aspirant tout l'univers si bien qu'elles ne seraient plus séparées de l'éternelle vertu et pourraient retourner à l'état d'enfance. Si seulement l'état des femmes était l'enfance véritable et non pas ce à quoi nous l'avons réduite, de nouvelles possibilités pourraient se réaliser plus vite que nous ne le pensons. Lorsque Schopenhauer accusait les femmes d'infantilisme moral il exprimait non seulement ses préjugés à leur égard mais aussi à l'égard des enfants. Le manque de respect des femmes pour la logique a des conséquences graves sur leur moralité. Freud enchérit sur Weininger : « Je ne peux pas m'empêcher de penser, bien que j'hésite à l'exprimer, que pour les femmes le niveau de la normalité éthique n'est pas le même que chez l'homme. Leur surmoi n'est jamais aussi inexorable, aussi impersonnel, aussi indépendant de ses origines émotives que nous exigeons qu'il le soit chez les hommes. Les traits de caractère que les critiques de toutes les époques ont reprochés aux femmes, par exemple, qu'elles ont un sens moins développé de la justice que les hommes, qu'elles sont moins disposées à se soumettre aux grandes exigences de la vie, que leurs jugements sont plus fréquemment influencés par leurs sentiments d'affection ou d'hostilité, seraient amplement expliqués par une modification de la formation de leur surmoi... Nous ne devons pas nous laisser détourner de telles conclusions par la protestation des féministes qui voudraient que nous considérions les deux sexes comme absolument égaux en position et en valeur (1). »

Il s'agit d'un cercle vicieux redoutable. Les sexes sont-ils égaux en position et en valeur ou non ?

(1) Sigmund Freud, *Some Psychic Consequences of the Anatomical Distinction between the Sexes,* Complete Works, vol. XIX, pp. 257-258.

Que faut-il entendre par position et valeur? Freud promet de démontrer des déficiences non démontrées de la personnalité féminine par une modification non démontrée d'une entité, le surmoi, dont l'existence n'est pas davantage démontrée. Si la physiologie détermine le destin, Freud tente d'inventer une physiologie de l'esprit. Si le jugement et la sensibilité n'avaient pas été aussi anormalement dissociés dans l'esprit des officiers nazis, ils n'auraient probablement pas exécuté avec autant de zèle les ordres qu'ils recevaient. Affirmer que les femmes sont moins stoïques que les hommes est une critique d'une valeur douteuse. Après deux guerres mondiales, il n'est plus certain que le stoïcisme soit une qualité. Si la justice masculine a refusé aux femmes toute responsabilité morale, les présentant comme des anges tout en les méprisant dans la pratique, il n'est que normal qu'elles soient arrivées à la conclusion que la morale des hommes est illusoire et leur surmoi, une monstrueuse imposture. L'Europe protestante, faisant fi de la miséricorde divine, s'est imposée un idéal d'intégrité morale irréalisable. La conscience, privée de recours, a été accablée par le poids illimité des responsabilités qu'il lui fallait assumer en dépit des préjugés et du manque de volonté qui caractérisent les actions humaines. Freud en a constaté les résultats dans son propre milieu sans être capable de proposer une solution permettant d'éviter le complexe de culpabilité et la névrose. Une telle croyance repose tout entière sur la capacité du moi à réprimer sans relâche ce qui est contraire à l'ordre établi. Si les femmes sont moins aptes à pratiquer ce système d'autopunition, il se peut que ce soit un avantage et qu'il y ait moins de duperie dans leurs réactions que dans l'attitude opposée.

« La véritable femme est totalement dépourvue du sens de l'identité car sa mémoire, même lorsqu'elle est exceptionnellement bonne, n'a pas de continuité... Les femmes, lorsqu'elles pensent à leur passé, ne se comprennent jamais elles-mêmes (1). »

Mon collègue Nathan Leites, Ph. D., après avoir passé en revue tout ce qui a été dit à son propos, est arrivé à la conclusion que le mot « identité » n'est qu'un masque séduisant recouvrant le vague, l'ambigu, les tautologies, l'absence d'informations cliniques des explications.

Robert Stoller,
Sex and Gender, 1968, p. x.

A s'en tenir aux observations de Weininger, le moi de la psychanalyse est un produit synthétique, fabriqué avec les souvenirs successifs du soi. Il remarque avec horreur que si l'on interroge une femme sur elle-même, elle croit qu'on lui parle de son corps. Elle ne cherche pas à se définir en imposant l'image qu'elle se fait de son mérite et de son comportement. La notion d'identité de l'homme est temporelle et en tant que telle, elle peut être falsifiée. Celle de la femme est spatiale. Yoko Ono a fait une exposition au cours de laquelle elle offrait à tous les visiteurs des insignes de plastique blanc qui portaient les mots « te voilà ». Le moi spatial a été injustement négligé. Il semble important. Il se pourrait que la femme, comme l'enfant, ait conservé la capacité d'établir des rapports libres et spontanés avec la réalité exté-

(1) Weininger (*op. cit.*), p. 146.

rieure. C'était apparemment la conviction de Weininger. « La femme totalement féminine n'a pas de moi (1). »

« L'acte fondamental du moi humain est négatif. Il consiste à refuser la réalité et en particulier la séparation du corps de l'enfant de celui de la mère... cette attitude négative engendre une négation du soi (répression) et la négation de l'environnement (agression) (2). »

Quelle belle progéniture ! Si les femmes n'avaient pas de moi, si elles n'avaient pas l'impression d'être séparées du reste du monde, si elles ignoraient la répression et la régression, ce serait les plus enviables des créatures. Quel besoin aurait-on d'un appareil judiciaire si chacun, au lieu de pulsions agressives, éprouvait une infinie compassion ! Bien entendu, ces citations isolées empruntées aux œuvres des maîtres de la psychologie sont tendancieuses, mais il est dans la nature des mots de l'être. Nous ne pouvons pas permettre qu'ils définissent ce qui doit être, car dans ce cas, toute évolution est impossible. Withehead et Needham souhaitaient l'avènement d'un nouveau mode de connaissance qui corrigerait la déraison de la pure intelligence « une science fondée sur une intuition érotique de la réalité plutôt que sur une attitude de domination agressive (3) ». Si la sagesse n'est pas incompatible avec une conscience peu développée du moi, la charité, dans son sens mystique, semble dépendre de la corrosion de la séparation. Le plus grand des mythes du christianisme est celui du corps mystique.

« Guérir, c'est rétablir l'harmonie de l'organisme, lui rendre son unité, unifier ou réunifier. C'est

(1) Weininger (*op. cit.*), p. 186.
(2) Norman O. Brown, *Life against Death*, p. 145.
(3) *Ibid.*, p. 276.

Eros en action. Eros est la pulsion à l'union, à l'unification, et Thanatos, l'instinct de mort qui provoque la séparation ou division (1). »

Le dégoût de Weininger pour Eros et son culte de Thanatos l'amènent à décrire avec plus de précision encore l'expansivité féminine. À l'en croire, notre salut serait déjà assuré :

« Ce sentiment de continuité de son être avec le reste de l'humanité est une caractéristique sexuelle de la femme et se manifeste dans le désir de toucher, d'être en contact avec l'objet de sa pitié. Cette tendresse s'exprime par un besoin animal de contact. Il manifeste l'absence de la ligne de démarcation qui sépare strictement chaque personne constituée des autres (2). »

Le malheureux Weininger a fini par se couper radicalement de ses semblables par un acte d'allégeance absolue à la mort. L'immoralité de l'individualisme est évidente à une époque où la solitude est le plus grand fléau de nos métropoles surpeuplées. La répartition des familles dans des logements indépendants a défiguré nos villes et créé d'innombrables problèmes de circulation et de cohabitation. On cherche vainement à contrebalancer les effets de ce cloisonnement par l'incitation au conformisme, qui ne repose sur aucune communauté. Dans la plupart des grandes villes du monde, les rues sont dangereuses. La femme n'a guère d'occasion de manifester le sentiment de continuité que lui attribue Weininger. Il n'en reste que la transposition grotesque que sont les activités philanthropiques, où son génie pour les contacts apaisants est réduit à des attitudes symboliques. La répugnance de

(1) Norman O. Brown, *Love's Body* (New York, 1966), p. 80.
(2) Weininger (*op. cit.*), p. 198.

Weininger pour les contacts animaux est encore générale chez les peuples du Nord. Même lorsqu'il se trouve pressé comme une sardine contre ses congénères dans le métro, l'Anglais moyen continue désespérément à feindre qu'il est tout seul. La psychanalyse, la plus obscènement intime de tous les contacts, n'est sanctifiée par aucun contact physique. Ces dernières années, des classes spéciales se sont constituées dans les paroisses d'avant-garde où les participants retrouvent le sentiment de l'assurance par le toucher. Trop tard pour Weininger.

Le clivage du subjectif et de l'objectif aurait-il été mal fait, l'opposition d'un univers de la conscience, défini par la présence totale de soi à soi, serait-elle insoutenable? Et si l'analyse réelle échoue, la biologie trouvera-t-elle sa méthode dans une analyse idéale du type physico-mathématique, dans l'intellection spinoziste? Ou bien valeur et signification ne seraient-elles pas des déterminations intrinsèques de l'organisme, qui ne serait qu'à un nouveau mode de « compréhension ».

Maurice Merleau-Ponty,
La structure du comportement.

L'incitation intellectuelle de rendre au monde la santé par l'unité est venue de mystiques tels que Lao-Tseu, de savants tels que Whitehead, Needham et Merleau-Ponty, et sous formes de brillantes spéculations d'hommes tels que Norman O. Brown, Herbert Marcuse, Borges. Ils ne s'adressaient pas particulièrement aux femmes car tous étaient convaincus que la polarisation des sexes était la cause fondamentale de l'aliénation mais aucun d'entre eux ne rejetterait l'idée que leurs thèses encouragent tout particulièrement les femmes à entreprendre la tâche de sauver l'humanité. Peut-être ai-je exposé grossièrement leur savante argumentation, mais le respect de la supériorité intellectuelle n'est pas un stimulant efficace de l'action. Lorsqu'on invente une nouvelle mythologie, il faut puiser à toutes les sources en faisant de la situation elle-même le creuset des idées qu'on y jette. La plupart des défauts féminins dénoncés par les critiques proviennent de ce qu'elles ont été tenues à l'écart des modes d'acculturation plus subtils et plus efficaces que la société prodigue aux hommes qui doivent la diriger. Leur force a sa source dans l'ignorance.

« Il n'est pas toujours nécessaire que des idées dominantes soient évidentes pour exercer une puissante influence sur l'organisation mentale de l'individu et la façon dont il aborde les problèmes. Les idées vieilles et efficaces, comme les vieilles villes, finissent par tout polariser autour d'elles. Toute organisation est fondée sur elles, elles servent de centre de référence. On peut opérer des modifications mineures sur leur pourtour mais il est impossible de changer radicalement la structure d'ensemble et très difficile de déplacer le centre d'organisation vers un autre lieu (1). »

Devant ce problème, Edward de Bono a conçu une série d'exercices destinés à développer une faculté qu'il a qualifiée de pensée latérale. Elle

---

(1) Edward de Bono, *The Use of Lateral Thinking* (Londres, 1967), p. 31. A. N. Whitehead, *An introduction to Mathematics* (Londres, 1911), p. 138 et William James, *Some Problems in Philosophy*, chapitre X.

consiste à produire des idées et des inventions plutôt qu'à donner une solution démontrable à des problèmes particuliers. C'est un procédé qui vaudrait de mauvaises notes, pour défaut de méthode, au candidat qui l'utiliserait au cours d'un examen. Il est néanmoins fécond. Il ne peut être imité par un ordinateur qui ne peut qu'assimiler un programme et une méthode d'utilisation. En fait, la pensée latérale est une analogie unidimensionnelle de la pensée enfantine. La femme a conservé quelques-unes des facultés de l'enfant, bien que réduites et diffuses, parce qu'on ne l'a pas poussée à apprendre à raisonner avec méthode et à discipliner son esprit. Tant que l'enseignement fonctionnera sur le mode de l'induction, l'ignorance aura cet avantage sur le savoir. Il serait temps que les femmes aient l'impudence d'en tirer parti.

La meilleure explication du dénigrement systématique de l'âme féminine est que l'homme lutte pour réprimer certaines facultés dans le fonctionnement de son propre esprit. Les femmes, au même titre que les enfants et les sauvages, possèdent abondamment les qualités que les hommes civilisés se sont efforcés de détruire en eux-mêmes. L'intérêt de ces critiques est qu'elles mettent en évidence la rigueur avec laquelle on a profilé la personnalité idéale. Autrement dit, la critique que l'homme fait de l'âme féminine le révèle lui-même. Les hommes de notre culture se sont mutilés en s'imposant une conception irréalisable de l'intégrité. Les femmes n'ont jamais eu la possibilité de se duper à ce point. Accusées depuis l'aube de la civilisation de duplicité et d'intrigue elles n'ont jamais pu prétendre que leurs masques fussent autre chose que des masques. L'argument n'est pas décisif, mais on pourrait en déduire que les femmes ont toujours eu des contacts plus étroits avec la réalité que l'homme. Ce serait une juste compensation à la privation d'idéalisme.

For a Tear is an Intellectual thing,
And a Sigh is the Sword of an Angel King,
And the bitter groan of a Martyr's woe
Is an Arrow from the Almightie's Bow.

Blake, *Jerusalem,* pl. 52.

Une larme est d'essence intellectuelle, un soupir est l'épée d'un ange-roi et le gémissement du martyr une flèche décochée par l'arc du Tout-Puissant.

Si les femmes conçoivent leur émancipation comme l'adoption du rôle masculin, nous sommes condamnés à disparaître. Si les femmes ne font pas contrepoids à la force aveugle qui anime l'homme, la société agressive poursuivra sa course vers la folie furieuse à une vitesse croissante. Qui sauvera ces facultés dédaignées de l'animal, la compassion, l'empathie, l'innocence, la sensualité ? Qu'est-ce qui nous empêchera d'avoir le sort de Weininger ? La plupart des femmes qui ont réussi à parvenir à des positions leur conférant un pouvoir dans un monde d'hommes l'ont fait en utilisant des méthodes masculines qui ne sont pas incompatibles avec la comédie de la féminité. Elles continuent à exploiter l'engrenage sadomasochiste dans lequel sont pris les deux sexes en n'ayant le choix qu'entre être le marteau ou l'enclume (1). Wanda portait des vêtements féminins pour dramatiser les tortures qu'elle inflige à Gregor comme Mrs Castle a soin de se rendre physiquement séduisante lorsqu'elle va admonester les travailleurs en les accusant d'être l'élément criminel et irresponsable de la société. C'est aux femmes de créer une forme de

(1) Leopold von Sacher-Masoch, *Vénus en fourrure.*

pouvoir féminin auquel l'Administrateur ne peut s'opposer.

Tout donne à penser que lorsque les êtres humains ont acquis la faculté d'attention consciente et de réflexion rationnelle, ils ont été si fascinés par ces nouveaux outils qu'ils ont oublié tout le reste... Nous avons identifié notre sensibilité totale avec ces fonctions partielles si bien que nous avons perdu la faculté de comprendre la nature de l'intérieur et, chose plus grave, de sentir l'unité sans solution de continuité entre nous-mêmes et le monde. Notre philosophie de l'action oscille entre le volontarisme et le déterminisme parce que nous ne nous rendons pas compte de l'indissolubilité de ce nœud et de l'identité de ses actions et des nôtres.

A. E. Watts,
Nature, Man and Woman, 1958, p. 12.

Le pouvoir des femmes signifie leur autodétermination. En d'autres termes il faudra jeter pardessus bord l'attirail de la société paternaliste. Les femmes doivent avoir la possibilité de concevoir une morale qui ne leur interdise pas de faire la preuve de leurs qualités et une psychologie qui ne les condamne pas à un statut d'infirmité spirituelle. Il se peut que cette rébellion leur coûte cher, car il leur faudra s'aventurer sans guide dans les ténèbres de l'inconnu. Tout d'abord, la femme aura peut-être l'impression de n'avoir fait que changer de souffrance et de névrose. Mais du moins elle aura fait un choix délibéré, ce qui est le préalable de tout acte moral. Peut-être ne verra-t-elle pas elle-même la terre promise car il ne suffit pas d'une vie pour modifier la trame d'une société. Mais du moins peut-elle affirmer qu'elle y croit et y trouver un motif d'espérer.

« La renaissance de la société viendra peut-être de ce que, libérés de toute aversion et de toute mythologie, l'homme et la jeune fille se rechercheront non pas comme des créatures opposées par le sexe, mais comme un frère et une sœur, des voisins, et se rencontreront en tant qu'êtres humains (1). »

(1) Rainer Maria Rilke, *Lettres à un jeune poète.*

15

LE TRAVAIL
EST UNE ACTIVITÉ NATURELLE
ET NÉCESSAIRE

Si les êtres humains étaient des machines, toutes leurs activités seraient qualifiées de travail. Comme on ne les considère pas comme tels, leur activité fait l'objet d'une classification rigoureuse, en fonction de normes morales souvent arbitraires. La distinction la plus trompeuse est celle qui oppose le travail et le jeu. Un passe-temps, quels que soient l'énergie qu'il absorbe et le produit qui en résulte, est un jeu car il n'enrichit personne et ne peut pas être intégré au cycle des affaires. Les jeux d'enfants, même éducatifs et fatigants, ne sont pas reconnus comme un travail. La fable de la cigale et de la fourmi distingue nettement l'activité « utile » de celle qui ne l'est pas. La cigale ayant dansé et chanté tout l'été a sacrifié le profit au plaisir. La fourmi a travaillé et trimé, faisant sa pelote dans l'immédiat et en prévision de l'avenir. L'idée que le travail est nécessairement déplaisant et entrepris uniquement en vue d'un but qui lui est extérieur est essentielle à la compréhension de notre rôle dans la société industrielle. La valeur morale de cette conviction est si bien établie qu'on pourrait s'attendre que les travailleurs refusent une réduction de la journée de travail et l'automation, même sans réduction de salaire.

La fourmi a gâché son été en raison de la nécessité

d'amasser des provisions en vue de l'hiver, mais l'éthique du travail dépasse cette nécessité élémentaire. Lorsque la subsistance est assurée, le niveau de vie prend sa place. Alors que dans les pays sous-développés les heures diurnes ne suffisent souvent pas à « gagner de quoi vivre », dans les pays industrialisés, la semaine de travail est prolongée sans nécessité et le travailleur encouragé à consommer les produits sur lesquels l'économie repose. Le niveau de la consommation, la notion de minimum vital ne cessent d'augmenter, mais à quelque stade d'évolution économique que se trouve un pays, la participation féminine présente les mêmes caractéristiques. Quoi que les femmes entreprennent, qu'elles construisent des maisons, cultivent la terre, leur travail sera toujours considéré comme féminin et en tant que tel, déprécié.

Quand on s'aperçoit que dans les États africains les femmes sont plus nombreuses dans l'agriculture que les hommes alors que les hommes sont plus nombreux dans les services publics, on ne peut pas supposer que cette société est matriarcale. Il est probable que la femme qui est sa propre employée en agriculture ne jouit pas du prestige attaché à la propriété terrienne dans les pays occidentaux. De même, dans un pays comme la Bolivie où la main-d'œuvre féminine est plus nombreuse que la main-d'œuvre masculine, le phénomène est plus révélateur encore de la valeur attachée au travail que de la dignité de la femme (1).

(1) Les statistiques de ce chapitre sont empruntées à diverses sources, les anglaises surtout à l'*Annual Abstract of Statistics*, n° 105, 1968, les américaines au *Statistical abstract of the United States*, 1969, Washington DC, 1969, les statistiques européennes à celles de l'O.I.T., *Yearbook of Labour Statistics*, 1969 et *Employment of Women*. J'ai utilisé également le rapport publié par l'O.C.D.E. sur le séminaire des syndicats régionaux, qui s'est tenu à Paris du 26 au 29 novembre 1969.

Dans des économies agraires pauvres et primitives, la majorité des femmes travaille parce que c'est nécessaire à la survie du groupe familial. Dans ces conditions, la femme travaille même lorsqu'elle est enceinte, et plus tard, en portant son bébé attaché à son dos s'il n'y a personne pour le surveiller. Tout en travaillant aux côtés de l'homme, elle conserve la charge des enfants et des tâches domestiques. Même si son travail est dur et sa participation indispensable, son mari et les autorités ne songent pas plus à l'inclure dans la main-d'œuvre que si elle était une bête de somme. Les hommes s'occupent des troupeaux et de la culture : c'est du travail ; ramasser du fourrage et du bois ne sera pas qualifié de travail parce que ce sont les femmes qui le font. Lorsque, dans un pays comme le Yémen du Sud, le recensement évalue la participation féminine à la main-d'œuvre à moins de 1,5 %, il ne rend pas compte de l'activité des femmes mais des préjugés masculins. Le *purdah* ne protège pas les femmes contre les gros travaux. Il perpétue leur servitude. Même voilée et couverte de bijoux, la femme musulmane va chercher à des kilomètres de son domicile l'énorme paquet d'épines qui nourrira la chèvre et le porte sur sa tête tout en ramenant le voile sur son visage. Il ne faut pas s'étonner que le travail des femmes soit méprisé dans les pays musulmans, mais il est plus déprimant de constater que dans des pays révolutionnaires comme Cuba les femmes ne constituent officiellement qu'un huitième de la population productive.

Au fur et à mesure que l'agriculture se rationalise et que la prospérité croît, la participation des femmes diminue. Le nombre des travailleurs familiaux masculins décroît en premier puis celui des femmes. En France 750 000 femmes environ travaillent sans salaire sur les exploitations familiales, contre

200 000 hommes. 1 250 000 hommes sont chefs d'exploitation familiale contre sept fois moins de femmes. Il est plus facile pour les femmes d'être propriétaires ou travailleuses familiales que d'être salariées dans l'agriculture. Il y a huit ouvriers agricoles pour une femme. Dans un pays agricole peu mécanisé comme la Grèce, 57 % des femmes qui travaillent sont des travailleuses familiales contre 1 % en Angleterre. En Turquie, 90 % de la main-d'œuvre féminine travaille sans salaire dans des exploitations familiales. En France, une femme sur cinq est une travailleuse familiale alors qu'en Autriche et en Finlande la proportion est de une sur quatre. En Italie et en Allemagne occidentale, elles sont plus nombreuses qu'en France.

La majorité de la population mondiale vit dans des communautés agricoles. Néanmoins, il est probable qu'à l'avenir le travail féminin évoluera dans le sens exigé par l'évolution de la société industrialisée occidentale. Dans ces pays la proportion des emplois occcupés par des femmes varie de 22 % dans les Pays-Bas à 40 % en Autriche. Si nous considérons les activités autres que l'agriculture, c'est la Finlande qui emploie le plus de femmes avec 42 %, alors que les Pays-Bas ont, avec la Grèce, le pourcentage le plus bas, 24 %. Malgré cette similitude apparente de chiffres, la situation est très différente dans les deux pays. Le chiffre total en Grèce est beaucoup plus élevé en raison de l'indispensable participation de la femme aux activités agricoles. On peut se demander pourquoi il n'y a que 16 % de femmes dans l'industrie aux Pays-Bas alors que le chiffre est deux fois plus élevé en Grèce. Étant donné les critères de ceux qui ont effectué les recensements et les distorsions qui se produisent quand on compare des statistiques différentes, il vaut mieux étudier l'emploi des femmes dans un pays en particulier et je me propose d'exposer la situation qui existe en Grande-Bretagne. Comme elle est celle d'un pays industriel relativement avancé et prospère, elle représente une indication pour les pays en voie d'industrialisation, et une mise en garde pour des pays plus riches, tels que les États-Unis, en cas de récession. Il faut observer, toutefois, que l'industrialisation moderne exige moins de main-d'œuvre que ne l'avait fait la révolution industrielle en Grande-Bretagne et que les femmes sont les premières à se trouver en chômage. En Italie, le taux d'emploi des femmes a fortement baissé parce que les industries textiles et vestimentaires sont en crise bien que l'industrialisation de l'Italie dans son ensemble ait progressé rapidement et qu'elle rivalise victorieusement avec des pays plus anciennement industrialisés. La technologie moderne tend à une réduction du niveau de l'emploi. Les femmes seront les premières à en souffrir même si elles sont moins payées que les hommes.

On peut considérer le travail familial dans une économie agricole comme un esclavage puisque le travailleur n'a pas de mobilité, aucune possibilité de débattre les conditions de travail et de rémunération. Mais on peut aussi considérer qu'il bénéficie d'une relative sécurité et que le produit de son travail se répercutera sur le niveau de vie de sa famille au lieu d'être converti en profit par l'employeur. La situation du chômeur dans une économie qui n'offre d'indépendance qu'à ceux qui gagnent leur vie risque d'être pire si l'éthique du travail n'est pas radicalement modifiée dans un proche avenir. Les femmes doivent se préoccuper de cette situation, non seulement dans leur intérêt immédiat mais en vue de l'avenir de leurs filles.

Les femmes constituent 38 % de la main-d'œuvre industrielle en Angleterre. La moitié des femmes de seize à soixante-quatre ans travaillent hors de leur domicile. Une salariée sur cinq en Angleterre est une femme mariée, de même qu'aux États-Unis et en Allemagne. Le pourcentage est plus élevé au Danemark, en Suède et au Japon, plus bas au Canada et en Italie. Le salaire moyen d'une femme anglaise employée dans l'administration, les services techniques ou les bureaux est de moins de 12 livres par semaine. Les hommes, dans les mêmes activités, gagnent en moyenne 28 livres par semaine. Les travailleurs manuels masculins ont un salaire moyen de 20 livres par semaine, les femmes, de 10 livres. Aux États-Unis les hommes dans les emplois civils gagnent en moyenne 6 610 dollars par an (en 1967), les femmes 3 157 dollars. C'est pourquoi 31,3 % des foyers dont le chef de famille est une femme y vivent en dessous du niveau de pauvreté. En France 20,9 % de femmes gagnent moins de 600 F par mois. Dans tous les secteurs, les hommes gagnent 23 % de plus que les femmes et dans certains secteurs 35 %, pour le même travail.

Le principe : à travail égal, salaire égal, ne modifie pas ces chiffres. En Italie, en Allemagne, au Luxembourg, aux Pays-Bas, où ce principe est inscrit dans la loi, les dernières enquêtes du B.I.T. révèlent que la disparité persiste à tous les niveaux. La raison en est que les femmes ne sont employées qu'en tant qu'auxiliaires de l'homme. Sur deux millions et demi d'Anglaises, en 1967, selon le ministère du Travail, 750 000 étaient ouvrières spécialisées, 700 000 étaient employées dans l'administration, les services techniques, les bureaux et la majorité dans cette dernière catégorie. C'est la différence qui est souvent masquée dans les statistiques, particulièrement lorsque les diverses activités sont classées par secteur, sans définir le type de travail exercé. Néanmoins, il est évident que les femmes sont plus fréquemment employées dans le secteur tertiaire que dans le secteur secondaire ou primaire, en Suède et en Belgique, pour les deux tiers, aux Pays-Bas pour les trois quarts. Au Danemark et en Suède, les femmes constituent la moitié des effectifs dans le secteur tertiaire. Dans les économies où la plupart des emplois salariés sont subalternes, le nombre des femmes l'emporte sur celui des hommes dans les services. Il en est ainsi au Brésil, en Bolivie, en Argentine, au Canada, en Colombie, en Haïti, dans la Jamaïque et même, à un degré moindre, aux États-Unis.

Le plus grand nombre des hommes travaillant dans l'industrie sont des ouvriers qualifiés ou en voie de le devenir. Dans le Royaume-Uni, les femmes qualifiées sont plus nombreuses que les autres dans trois secteurs seulement, l'habillement, la chaussure, la céramique. Dans beaucoup d'industries, il n'y a pas de femmes qualifiées du tout, et dans d'autres elles sont si rares qu'il n'existe pas de statistiques précises à leur sujet. Dans les pays avancés, en dehors de secteurs traditionnels, le textile et la confection, on n'emploie des femmes qualifiées que dans l'industrie électrique et chimique, mais l'expansion est lente et peut être modifiée par d'autres facteurs. Il semble que l'on veuille décourager les femmes : au Luxembourg les ouvrières qualifiées sont apparemment moins payées que les ouvrières spécialisées, bien que ceci puisse être une distorsion des statistiques.

Des 9 millions de femmes employées en Grande-Bretagne, il n'y en a que 2 % qui exercent des fonctions de cadres administratifs et seulement 5 % des professions libérales. Aux États-Unis, les femmes ne figurent pas sur les statistiques des architectes, des chimistes ou des ingénieurs parce qu'il y en a moins de 10 % dans chaque catégorie, c'est-à-dire moins de 1 %. En France, le nombre des femmes ingénieurs a augmenté de 50 %, celui des techniciennes de 120 % et celui des cadres de l'administration, de 40 %. Mais cette augmentation spectaculaire s'explique par le fait que le chiffre initial était très bas. Simone Mesnil-Grente recommande encore aux jeunes filles des professions féminines telles que diététicienne ou infirmière, ou audacieusement, celle d'assistante technique d'ingénieur. Dans les moyens de communication de masse, l'homme est journaliste ou reporter, la femme, documentaliste. Voilà ce qui explique la différence de rémunération.

Le problème de l'emploi des femmes est étroitement lié à celui de la formation scolaire et professionnelle. En Angleterre, trois fois plus de filles que de garçons quittent l'école à quinze ans. Il n'y a qu'un tiers de filles dans le cycle terminal et un quart dans les universités. Trois quarts des filles de dix-huit ans ne reçoivent ni formation professionnelle ni enseignement supérieur. En France, la situation est meilleure. Il y a 43 % d'étudiantes. En Norvège, la proportion n'est que de 22 %. Le tableau est plus sombre si nous tenons compte de ce que l'enseignement supérieur signifie dans ces pays.

L'image qui résulte de tout cela est celle d'une force de travail féminine inerte, dépréciée aux yeux des employeurs comme des salariés. Les femmes sont une réserve de main-d'œuvre. On ne fait aucun effort en vue de leur promotion sociale parce qu'on doute de sa rentabilité et il en résulte que le rendement des femmes est bas. C'est un autre cercle vicieux. Les femmes exercent des emplois temporaires et, tout en étant dociles, elles sont instables. Plus de la moitié des Anglaises qui travaillent sont mariées et c'est vrai des autres pays européens dont nous possédons les statistiques. On suppose que leur sujet de préoccupation principal est leur famille et qu'elles ne travaillent que pour s'assurer un superflu, sans ambition personnelle. Elles n'ont pas d'obligation alimentaire à l'égard de leur mari. Si la discrimination est historiquement justifiable bien qu'absurde en regard du travail fourni, elle a des conséquences dramatiques pour les femmes qui doivent subvenir à leurs besoins et éventuellement à ceux d'une famille. Les jeunes filles, en plus de la discrimination sexuelle, supportent celles de l'âge et de l'ancienneté. Les standardistes qui ont fait grève en Angleterre au début de 1971 gagnaient 6,10 livres par semaine. Elles n'auraient pu le faire sans indemnité. Les femmes divorcées ou veuves ne peuvent pas prendre d'emploi aussi mal payé. Leur possibilité de choix est limitée et il leur est difficile de gagner suffisamment d'argent pour entretenir les personnes qu'elles ont à charge.

Peut-être du fait que 1969 était le cinquantième anniversaire du suffrage féminin en Grande-Bretagne la conférence annuelle des Trade Unions a retenti de discours vibrants prononcés par les déléguées féminines, et s'est engagée à poursuivre la lutte pour le principe de l'égalité de rémunération, à soutenir les grèves déclenchées par les femmes et à faire grève pour elles. Le Premier ministre du moment a fait remarquer que le pays ne pouvait pas se permettre le coût de cette augmentation de salaire, qu'on ne pourrait que l'accorder progressivement sur plusieurs années, tandis que le gouvernement cherchait avec quel nouveau contrat de productivité il pourrait faire face à la situation. L'agitation féminine s'était déjà manifestée lors de la grève des salariées de Ford, à Dagenham (1) au cours de laquelle Barbara Castle eut recours à l'expédient écœurant de discuter avec les grévistes

---

(1) La grève de Ford était due en grande partie aux efforts de Rose Boland, déléguée syndicale des femmes. Elle a eu pour résultat entre autre la constitution du *National Joint Action Campaign Committee*, le groupe féminin de gauche le plus engagé.

autour d'une tasse de thé. Les travailleuses étaient trop polies pour lui faire remarquer que son traitement de 8 500 livres était peut-être égal à celui des autres ministres mais que les femmes qui travaillaient à la cantine de la Chambre des communes gagnaient 30 shillings de moins que les hommes. Et personne ne souligna que les femmes employées dans les bureaux du siège des Trade Unions gagnaient moins que les hommes. L'année précédente, la conférence des Trade Unions avait écarté la proposition de créer une commission d'enquête sur les possibilités d'emploi des femmes et leur statut, alors que la Chambre des communes avait écarté le projet de Mrs Joyce Butler visant à créer une commission d'enquête sur la discrimination, arguant le « manque de temps ».

La conférence des Trade Unions exigeait des lois avec une confiance naïve qui ne fut pas partagée par les analystes plus objectifs. Ils se rendaient compte que si les femmes n'avaient plus l'avantage d'être moins chères, elles risquaient de n'être pas employées du tout, et qu'elles seraient éventuellement cantonnées dans la catégorie des manœuvres ou des ouvrières spécialisées. A interdire la discrimination sexuelle par les appointements dans les offres d'emploi, la discrimination deviendrait clandestine et les femmes brigueraient des emplois sans aucune chance de les obtenir. La loi ne peut pas venir à bout des préjugés, ni créer d'un coup de baguette magique des femmes ayant une formation professionnelle prêtes à s'intéresser à un emploi intéressant. En général, les femmes elles-mêmes restent indifférentes au problème.

En Grande-Bretagne, seules deux millions de femmes sont syndiquées. Pendant la grève de la poste et du télégraphe, en 1971, des téléphonistes mariées ont quitté le syndicat et choisi de travailler. Elles étaient probablement moins nombreuses que le prétend la presse conservatrice, mais suffisantes pour maintenir un service réduit. Le peu d'empressement des femmes anglaises à adhérer aux syndicats et à militer est en partie dû à leurs obligations familiales, qui ont été reconnues lorsque les Trade Unions ont cherché à protéger les femmes contre les heures supplémentaires ou les équipes de nuit.

« La faible influence des femmes dans la direction des Etats est due en grande partie à leur propre inertie... Non seulement elles manifestent peu de goût pour entrer dans le « cercle gouvernemental » mais elles admettent en grande majorité le système de justification inventé par les hommes pour rationaliser leurs abstentions. Curieusement d'ailleurs, elles semblent parfois plus rigoureuses qu'eux dans ce domaine, plus antiféministes. »

Maurice Duverger,
Le rôle politique des femmes,
Unesco, 1955.

En fait, ces clauses de sauvegarde figurent déjà dans la législation du travail des pays du Marché commun. En Belgique, elles s'étendent en principe aux hommes mais il y a des dérogations. Malheureusement, l'effet immédiat de cette législation humanitaire risque de se traduire par l'exclusion des femmes des travaux les mieux rémunérés, c'est-à-dire les heures supplémentaires et les équipes spéciales. Elle ne s'étend d'ailleurs pas aux infirmières dont les heures de travail sont très longues dans certains cas, et qui ont à assurer périodiquement le service de nuit. Elles ne s'appliquent pas non plus aux employées des boîtes de nuit ou des lignes aériennes. Les femmes anglaises ont lutté contre cette discrimination en déclarant qu'elles étaient prêtes à accepter les mêmes conditions de travail que les hommes. Mais les hommes n'étaient pas disposés à renoncer aux services gratuits que leurs épouses leur rendent à domicile. Il a même été question de créer des crèches qui devaient être gérées conjointement par les employeurs et les syndicats.

En Italie, les entreprises qui emploient plus de 30 femmes mariées de moins de cinquante ans sont obligées de créer une crèche. Il doit théoriquement y avoir des crèches communes à plusieurs usines et les femmes ont droit à deux pauses d'une demi-heure pour s'occuper de leurs bébés. En France et en Allemagne, il est question de créer de telles crèches. En Belgique, au Luxembourg et aux Pays-Bas, rien n'est prévu. On imagine les efforts frénétiques des employeurs italiens pour éviter d'employer plus de 30 femmes mariées de moins de cinquante ans.

L'intrusion de la sexualité et des enfants donne une note de frivolité à la discussion. L'employeur auquel on demande de s'occuper des enfants de ses employées sera tout naturellement porté à discriminer toujours davantage. D'autant plus que la manifestation de masse organisée par la *National Joint Action Campaign for Women's Equal Rights* à Trafalgar Square, le 18 mai 1969, n'a attiré qu'un millier de personnes. Les activistes sont forcées, dans de telles circonstances, de compenser par la véhémence la défection de leurs effectifs, en accusant leur propre sexe de sabotage. On pense au cas de la courageuse Mrs Lillian Bilocca. Grâce à l'action qu'elle a menée, les chalutiers de Hull qu'on avait envoyés pêcher en plein hiver dans les tempêtes glaciales de la mer du Nord, sont devenus des martyrs nationaux. Son beau visage irrité est apparu dans tous les journaux, et son éloquence populaire a été si efficace qu'elle a forcé l'attention. Aujourd'hui, Mrs Bilocca est inemployable, et le suprême affront lui a été infligé au nom de son sexe par le capitaine Laurie Oliver, secrétaire du Hull Trawler Officer's Guild :

« Les femmes de certains membres de l'organisation m'ont demandé de déclarer que le comportement de Mrs Bilocca n'a pas rehaussé l'image que le public peut se faire des femmes de pêcheurs. Les femmes qui ont perdu leurs maris dans ces trois bateaux n'ont pas songé à se plaindre et nous les admirons. L'idée de former un comité de femmes pour défendre des hommes est, à mon avis, complètement ridicule. »

Les conventions 110 et 111 de l'O.I.T. doivent être ratifiées par le gouvernement britannique. Elles ont trait à l'égalité de salaire et l'égalité des chances. Le Premier ministre a déclaré que le gouvernement ne pouvait ratifier la convention car elle n'avait pas abouti à la réalisation des conditions requises.

En fait, cette ratification a probablement peu d'importance. La parité des salaires n'a pas été réalisée dans les pays où la loi en fait une obligation. En 1957, avant que la loi ne fût promulguée dans le traité de Rome, la différence entre les salaires masculins et féminins se situait entre 7 % et 8 %. En 1970, elle est plus près de 25 à 26 %. Les statistiques révèlent un autre fait déprimant. Moins les femmes sont nombreuses, mieux elles sont traitées. Le parallèle avec les immigrants de couleur est évident. Il est improbable que le gouvernement britannique accepte la formule de l'O.I.T. qui stipule *un salaire égal pour un travail de valeur égale* alors que la résolution du Marché commun parle de *travail identique*, ce qui permet de la contourner en rebaptisant le travail en question.

C'est l'artifice auquel on a eu recours en Italie. Il n'y a rien de paranoïaque à supposer que si l'on ne peut pas déprécier un travail en le débaptisant, on n'engagera pas de femme pour le faire. Lorsque des chefs d'État tels que Mr Wilson déclare que les femmes auront un salaire égal lorsque les travailleurs masculins seront prêts à payer la note, ils provoquent les formes les plus régressives de névrose masculine. Le salaire égal a été accordé en principe aux femmes en Grande-Bretagne et, comme le droit de suffrage des femmes suisses, il a été accordé par des hommes qui, à la conférence des Trade Unions de 1969, étaient 1 200 contre 51 femmes. Il reste à voir si la condition de la femme qui travaille s'en trouvera améliorée, fût-ce dans les statistiques.

Si l'on vous apprend les travaux d'aiguille ce n'est pas en raison de la valeur intrinsèque de ce que vous pouvez faire de vos mains, qui est de peu d'importance, mais pour que vous soyez en état de juger de la qualité de ce genre de travail et d'en diriger l'exécution par d'autres. C'est également pour vous permettre de remplir d'une façon relativement agréable les heures solitaires que vous êtes appelées à passer chez vous.

Gregory,
A Father's Legacy to his Daughters,
1809, p. 59.

Jusqu'à présent j'ai parlé des femmes effectuant un travail rémunéré et non pas de la majorité des femmes britanniques qui sont des ménagères. Il y en a seize millions. La ménagère ne perçoit aucune rémunération, bien que le projet de loi de Lady Summerskill sur la propriété conjugale en 1964 affirmait son droit de garder pour elle la moitié de l'argent du ménage. Une telle loi ne pourrait profiter qu'aux gens riches car on ne peut pas contraindre le mari à verser à sa femme le double de l'argent nécessaire à l'entretien de son foyer. Le nombre d'épouses capables de mettre de l'argent de côté doit être très réduit. La législation du divorce qui a pour but de protéger la femme abandonnée a le même caractère. Elle n'est réaliste que dans le cas de gens riches dont nous pouvons supposer, à considérer la moyenne des salaires, qu'ils sont une très petite minorité. Les autres n'ont d'autre choix que de rester mariés car leurs épouses n'ont aucune indépendance financière. La cohabitation est une nécessité matérielle. Le document des conservateurs, « A fair Share for the Fair Sex », n'a aucune valeur pratique dans la majorité des cas, bien que les trois mille élégantes déléguées de la quarante et unième conférence annuelle des femmes du parti conservateur l'aient trouvé enthousiasmant. Le projet de réforme de la législation familiale ne s'applique également qu'à une toute petite minorité, et les procès pour rupture d'engagement, restitution des droits conjugaux, détournement et séduction, qu'il abolit, n'étaient plus que de rares anachronismes. La loi sur la propriété matrimoniale, qui permet à l'épouse d'exiger un règlement financier et la restitution de l'argent investi dans le domicile conjugal ou l'affaire de son mari, a contribué à faire du divorce une prérogative des riches. La commission des lois a envisagé que la femme abandonnée réclame des dommages à l'autre femme. Mais encore une fois, il est rare que l'autre femme ait les moyens de payer des dommages. Le mariage deviendrait encore plus sordide si des poursuites engagées sur un tel fondement se multipliaient.

> Le désœuvrement de l'épouse... n'est pas une simple manifestation de paresse ou d'indolence. Il apparaît invariablement sous le masque de tâches domestiques ou d'obligations sociales qui, à l'analyse, n'ont d'autre fin que de démontrer que la femme n'a pas besoin de se préoccuper d'un profit ou de l'utilité matérielle de son activité... le goût que satisfont ses efforts pour orner et entretenir son intérieur a été formé en fonction d'une règle de bienséance qui exige ce déploiement de gaspillage...
>
> Thorstein Veblen,
> *The theory of the Leisure Class,*
> 1899, pp. 81-82.

L'autre femme, attaquée en justice, serait réduite à demander à son mari de payer les dommages et intérêts, ce qui ne serait pas différent de la pension alimentaire. De même que notre pays ne peut pas se permettre d'accorder un salaire égal à travail égal, il n'a pas les moyens de libérer les femmes du féodalisme financier qu'est le mariage. Si l'on instituait une assurance nationale en faveur des femmes abandonnées, la presse dominicale accuserait le gouvernement d'encourager l'immoralité. De toute façon, malgré les lourds impôts qui pèsent sur les revenus des classes moyennes, ce serait économiquement irréalisable. Les ménagères sont condamnées à rester les victimes économiques du système, car toute disproportion entre le coût de la vie et les gains réels doit être amortie par elles, alors qu'elles n'ont en compensation ni indépendance ni liberté de mouvement.

Plus de la moitié des maîtresses de maison britanniques travaillent en dehors de leur foyer. Quelques-unes exercent des professions libérales et dépensent la majeure partie de leurs honoraires à payer une domestique, une voiture, une assurance-retraite, et leurs impôts. La directrice mariée d'un grand établissement scolaire gagne 1 900 livres par an, sur lesquelles elle paie 1 010 livres d'impôts, 110 livres pour l'assurance-retraite, 200 livres pour une aide domestique, 300 livres pour sa voiture, 75 livres pour de menus achats, vêtements ou livres. Il lui reste un revenu net de 205 livres par an. Une femme médecin a constaté que sa femme de ménage rapportait plus d'argent chez elle qu'elle-même. Ces femmes sont très mal traitées par le fisc, qui refuse de taxer leur revenu indépendamment de celui du mari. Si un pays ne peut se permettre d'imposer les femmes mariées comme des personnes indépendantes, il est vrai aussi qu'en principe il ne peut pas se permettre de gaspiller les capacités intellectuelles des femmes. La plupart des femmes qui exercent une profession libérale se trouvent dans l'enseignement, et il n'y en a plus qu'un tiers qui soient encore en activité six ans après la fin d'études onéreuses payées par l'État. Les femmes médecins dont le mari n'est pas en mesure de subventionner l'activité sont pourtant indispensables.

La lourdeur des impôts est probablement la considération qui décourage le plus les femmes d'acquérir une formation professionnelle qui leur permette d'embrasser une carrière bien rémunérée. Malgré ses pieuses résolutions la C.E.E. n'a pas réussi à s'accorder sur une solution équitable. Les femmes mariées n'ont droit à être imposées indépendamment de leur mari que dans un seul pays membre. Dans tous les autres, la femme mariée ne peut continuer à exercer sa profession qu'aux frais de son mari.

Il n'y a qu'une petite minorité de femmes exerçant des professions libérales qui persistent à poursuivre leur carrière après le mariage. La plupart des femmes mariées qui travaillent contestent qu'il soit nécessaire d'avoir une femme de ménage lorsqu'on exerce une profession, alors qu'il est évident qu'un professeur ou un médecin ne peut pas se permettre d'être inefficace par surmenage. En un sens, on pourrait cyniquement justifier le salaire inférieur payé aux ouvrières avec l'argument qu'elles dépensent la majeure partie de leur énergie en dehors de leur emploi. Pour la plupart des femmes, s'installer devant une machine, qu'il s'agisse d'une machine à écrire ou d'une machine à coudre, est un repos après les efforts physiques et la tension nerveuse qu'elles ont consacrés à prendre soin de leurs enfants. L'heure du déjeuner est la plus fatiguante de la journée pour la secrétaire qui doit faire les courses et régler les notes du foyer. En juillet 1969, les femmes qui travaillent ont manifesté contre l'augmentation des frais de crèche, passés de 2 livres 10 shillings à 6 ou 7 livres, parce qu'il en résultait que beaucoup d'infirmières et d'enseignantes n'avaient plus aucun intérêt matériel à poursuivre leur activité. La grève du corps enseignant en 1970 a révélé que la fonction la plus indispensable des enseignants était de garder les enfants pendant que les mères travaillaient. Beaucoup de femmes qui travaillent ne peuvent le faire que grâce aux services non rémunérés d'un membre de la famille. Beaucoup d'entre elles s'enorgueillissent d'être capables de faire face à la fois à leurs obligations familiales et à leurs obligations professionnelles et acceptent l'admiration condescendante qu'on leur manifeste avec une sorte de stakhanovisme implicite.

Le comportement professionnel de la femme souffre aussi du rôle subalterne qu'elle joue dans sa vie privée. Chez elle, elle doit entretenir le moral de son mari et l'assurer de sa compétence de chef de famille. Un homme qui gagne moins que sa femme est un objet de pitié. Dans les relations professionnelles la femme doit réconforter ses collègues masculins tout autant que son mari.

C'est chez les secrétaires que cette servilité se manifeste le plus ouvertement. Leur fonction est de protéger l'amour-propre de leur supérieur, éventuellement de couvrir ses fautes. Une enquête de l'*Alfred Marks secreterial bureau* montre que 80 % des secrétaires gagnant plus de 1 000 livres par an étaient disposées à faire des courses, 74 % à faire le marché pour leur patron et son épouse, et 73 % étaient prêtes à mentir pour éviter à leur supérieur d'avoir des ennuis avec la direction. A la suite de cet article, le *Sunday Times* énumérait les qualités de la parfaite secrétaire. Par ordre d'importance inversé :

1. Utilisez toujours un déodorant. Vous n'êtes pas la femme entre mille qui n'en a pas besoin.
2. Apprenez à faire du bon thé et du bon café.
3. Ne donnez pas à maman, au fiancé, au mari, ou à tantine le numéro de téléphone du bureau.
4. Allez aux lavabos pour vous remaquiller, vernir vos ongles ou changer de bas.
5. Ne mettez pas de mauvaises nouvelles sur le dessus du courrier.
6. Soyez toujours séduisante mais non pas provocante.

La secrétaire, tout autant que l'épouse, est le symbole du statut social de celui qui l'emploie. Plus ses devoirs sont limités à satisfaire ses désirs, plus elle a de valeur. Une secrétaire-standardiste-réceptionnaire est un modèle utilitaire. La secrétaire privée est le modèle de luxe. Un coup d'œil aux offres d'emploi d'un quotidien suffit à résumer les qualités de la parfaite collaboratrice : elle doit être séduisante, avoir le sens de l'organisation, être d'humeur égale, enjouée, intelligente, pleine de tact, efficace, soignée, intuitive. Le style de ces annonces en dit long : « Je pars pour l'île Maurice rejoindre mon fiancé. Mon patron, président d'un groupe de consultants de Mayfair, se lamente à l'idée de mon départ. Croyez-vous que vous êtes le genre de secrétaire personnelle qu'il apprécierait ? Le secrétaire général d'une société regrette amèrement d'avoir laissé s'envoler l'oiseau rare. Quelqu'un voudrait-il lui démontrer que je ne suis pas irremplaçable (1) ? »

L'âge souhaité est presque toujours indiqué, et il en ressort un conflit comique entre le désir d'avoir une secrétaire séduisante et le souci de son efficacité. Toutefois, personne ne va jusqu'à demander une femme d'âge mûr, car la relation filiale doit être maintenue. Le plafond semble être trente ans. Si une secrétaire privée veut se rendre indispensable, elle doit délibérément accroître son humilité et sa servitude. « Une bonne secrétaire doit avoir un seul but : servir de toutes les façons possibles les intérêts de son employeur... Elle est fidèle, docile, consciencieuse... Elle le soutient dans tout ce qu'il entreprend, ne lui parle jamais des autres membres du personnel, le seconde dans ses relations avec les clients...

« Elle doit en outre user de flatterie subtile, et ne jamais avoir d'autre opinion que celle de son supérieur. En d'autres termes, elle doit devenir un objet agréable et nécessaire du mobilier de bureau. » Pourquoi une femme servirait-elle un homme aussi fidèlement en échange d'un salaire modique tout en l'aidant, lui, à faire carrière et en couvrant ses fautes ? Étant donné qu'elle doit connaître à fond les affaires qu'il traite, pourquoi n'aspirerait-elle pas à prendre sa place ? Pourquoi ne lui apprend-on pas à flatter le patron de son patron, et à miner

(1) Pris dans les annonces de *The Times*, 4-7-1969.

habilement la position de son supérieur jusqu'à ce que les clients souhaitent avec ferveur avoir affaire à elle plutôt qu'à lui ? L'explication tient à la franc-maçonnerie des hommes. Une femme qui démasquerait l'incompétence de son supérieur serait probablement congédiée à sa place. Néanmoins, avec beaucoup de ruse et de petites trahisons quotidiennes, qui n'exigent pas plus d'habileté qu'il n'en faut pour défendre son supérieur en maquillant la vérité, elle peut parvenir à ses fins. On peut se demander combien de sociétés sont en réalité dirigées par des secrétaires. Une grève à l'échelle nationale nous éclairerait à ce sujet.

Aux niveaux inférieurs, il se produit un phénomène intéressant qui semble indiquer une progression de l'émancipation féminine. Le 15 juin 1969, M. Harold Quitman, président du *City Affairs Committee*, écrivit au *Times* pour se plaindre de la pénurie de personnel compétent disposé à accepter un emploi de bureau permanent alors que des agences offrent du personnel temporaire immédiatement disponible. Pauvre M. Quitman ! Il n'est que logique après tout que la femme, privée de tout espoir d'avancement, n'ait pas de raison de s'emmurer en permanence dans la même entreprise. Il est plus intéressant pour elle d'aller de l'une à l'autre, en faisant subir le supplice de Tantale à des employeurs qui ont l'intérêt de la nouveauté sans plus pouvoir tyranniser des assistantes volages. Priscilla Clemenson décrit son système dans *Petticoat*. Elle travaille de sept à huit mois par an dans vingt à trente emplois différents. Pendant ce temps elle fait des économies et des projets, et sitôt qu'elle en a la possibilité, elle boucle ses valises et s'en va faire une croisière en Scandinavie ou du ski en Suisse. « A changer d'emploi, de lieu et d'activité, je suis plus intéressante et je m'intéresse davantage aux autres... »

Le succès des agences offrant du personnel temporaire ressort de leur prolifération. Les femmes que leur travail ennuie lisent tous les jours des publicités alléchantes dans le métro qui leur promettent une rémunération plus élevée et des loisirs si elles ont le courage de s'arracher à la routine pour se lancer dans l'aventure du travail temporaire. Il en résulte que les employeurs sont obligés de promettre des conditions de travail agréables, l'occasion de rencontrer des gens intéressants, et d'user de flatterie. Mais les jeunes femmes anarchistes d'aujourd'hui ne se laissent pas séduire facilement. M. Quitman et ses pareils n'ont que ce qu'ils méritaient. Ils persistent à expliquer leurs difficultés actuelles en invoquant la frivolité des jeunes générations au lieu de prendre conscience de ce que ce sont eux qui n'offrent pas de contrat acceptable. On dit qu'en désespoir de cause, les employeurs se rabattent sur les femmes mariées, dont on espère qu'elles sont plus stables en raison de leurs obligations familiales. Au moins, elles ne s'en iront pas faire du bateau à voile ou du ski. Mais elles sont plus préoccupées de leurs soucis domestiques que de leur travail. D'une façon ou d'une autre, les femmes gagneront la partie. Il y a des régressions. On prétend que les femmes américaines préfèrent manœuvrer les hommes en les cajolant et en les flattant plutôt que de risquer l'affrontement. Les secrétaires temporaires semblent avoir trouvé une méthode de marchandage plus efficace et plus conforme à la dignité. Si leur employeur veut les garder, il faut qu'il leur propose une raison de rester. Il arrivera un jour où seul l'offre de son propre poste y suffira. Il serait normal qu'on utilise le savoir-faire qu'acquièrent les femmes au contact de systèmes de gestion différents, mais il est probable que les préjugés, la mesquinerie et l'incapacité des hommes à supporter la critique, s'y opposent. Malheureusement, les possibilités professionnelles dont jouissent les sténographes londoniennes n'existent pas en province, où le personnel de bureau demeure condamné à des emplois fixes, mal payés, et où la vie demeure centrée sur le foyer familial.

En Angleterre, comme dans la plupart des sociétés industrielles modernes, les femmes dominent deux professions, l'enseignement et les soins aux malades. La carrière d'infirmière est née de l'habitude de la petite noblesse anglaise d'envoyer ses filles porter du gruau et du bouillon aux malades méritants. Les efforts héroïques de Florence Nightingale pendant la guerre de Crimée n'ont pas réussi à sortir la profession de son statut d'amateurisme. Il résulte de cette absence d'évolution, qu'aujourd'hui, 640 000 femmes effectuent, pour un salaire de famine, un travail nécessaire qui exige des connaissances techniques croissantes, de la compétence, de l'initiative et du « dévouement ». Les malades deviennent de plus en plus nombreux, les soins plus complexes et les effectifs n'augmentent pas. Il n'existe pas d'organisme unique qui défende les intérêts des infirmières, ni même de diplôme unique. Le *National Health Service* fonctionne aux dépens de ces femmes qui, en plus d'être surmenées et mal payées, mènent une vie cloîtrée sous la tutelle sévère de l'infirmière en chef. Elles sont obligées de porter des uniformes archaïques lorsqu'elles sont de service, et même pendant leurs heures de liberté elles demeurent soumises à des règlements abusifs. Elles ne peuvent même pas se targuer de la dignité de leur profession. Leur dévouement signifie qu'elles sont obligées d'accomplir les besognes serviles que les filles de salle refusent. En outre, on leur conteste le droit de faire grève pour améliorer leur situation. Lorsqu'une infirmière militante, Sister Veal, lança une campagne pour alerter l'opinion publique, les infirmières se virent interdire de porter leur uniforme lors de la manifestation. Et elles s'inclinèrent. On incite les infirmières à accepter un salaire dérisoire et des conditions de travail dégradantes par le chantage moral, sachant qu'elles n'abandonneront pas les malades et les mourants. Pourtant les ambulanciers font grève de même que les électriciens des hôpitaux pour obtenir que leurs salaires soient alignés sur ceux des autres catégories professionnelles. Mais ce sont des hommes. Dans d'autres pays, où ce n'est pas le gouvernement qui règle la note des soins médicaux, la situation des infirmières est meilleure car elles négocient dans un marché libre. Néanmoins, elles restent mal organisées. Aux États-Unis où les salaires sont élevés, la profession est aussi désorganisée qu'en Angleterre, et aucun effort n'a été fait pour venir en aide aux pauvres qui ne peuvent pas se permettre d'être malades. Les infirmières sont des domestiques possédant une formation professionnelle et leur situation ne diffère pas de la structure courante de l'emploi féminin.

Les vendeuses, les serveuses, les manutentionnaires, les teinturières complètent le tableau. L'image de la femme est tellement associée aux corvées de nettoyage qu'un certain Alois Valkan, à Vienne, qui cherchait à gagner un peu d'argent pour arrondir sa retraite, dut se déguiser pour trouver un emploi de femme de ménage. Il finit par être arrêté un jour où il pénétra dans les lavabos réservés aux femmes alors qu'il n'était pas déguisé et que la police enquêtait sur des vols commis dans le vestiaire. Même dans les professions où les femmes sont en majorité, les postes de commande sont détenus par des hommes. Il n'y a pas de « maîtresse d'hôtel ». Les modélistes et les coupeurs sont en général des hommes. Dans les forces armées, les femmes n'exercent que des tâches administratives ou des activités auxiliaires. Même les hôtesses de l'air, dont on envie la situation, ne sont guère plus que des serveuses glorifiées, souvent placées sous les ordres d'un steward.

Les jeunes filles qui cherchent à échapper à cette situation subalterne rêvent de devenir actrices. Si l'on en croit le *Sunday Times*, les rares femmes qui ont marqué notre époque étaient des actrices. Michael Croft, directeur du *National Youth Theatre*, a mis en garde les jeunes filles contre les risques d'un tel choix, en faisant remarquer que dans les pièces contemporaines il n'y avait que deux rôles de femmes pour trois rôles d'hommes. Dans l'ensemble de la profession les quatre cinquièmes des gens sont en chômage et il s'agit en général de femmes. Et pourtant sur 4 150 candidats qui se sont présentés au *Youth Theatre* pour 200 places disponibles, les deux tiers étaient des jeunes filles. Pour les filles qui désirent exploiter leur beauté, le métier de modèle semble être une carrière possible. Mais après avoir passé par une école de mannequins, la candidate doit réunir un jeu de bonnes photos, et faire la tournée des agences. Leur avenir dépend du choix des photographes, profession dominée par les hommes avec quelques exceptions remarquables. Même un modèle qui trouve suffisamment de travail n'est payé qu'avec beaucoup de retard, quels que soient les efforts déployés par son agence pour toucher ses honoraires. Très souvent les jeunes femmes sont en chômage et doivent recourir à des expédients peu honorables pour joindre les deux bouts. Poser nue rapporte de l'argent mais entraîne des avanies presque insupportables. Bob Guccione, du *Penthouse*, n'hésite pas à déclarer qu'il fait prendre la pilule à ses modèles pour développer leurs seins et leurs fesses, les envoie à Tanger pour les bronzer, chez le dentiste pour réparer les défauts de leur dentition, chez le dermatologue pour enlever leurs grains de beauté, et qu'elles sont habillées, coiffées et manucurées aux frais du magazine. Après cela, elles sont payées 200 livres par jour pendant une semaine pendant qu'on les photographie. On les convainc de poser avec un mélange de flatterie et de gin. Théoriquement, après cela elles peuvent espérer devenir vedettes de cinéma ou poursuivre leur carrière de modèle. Sinon elles se retrouvent avec 1 000 livres en poche dont une partie sera réclamée par le percepteur et l'autre consacrée à entretenir leur beauté.

Tous les gens de l'industrie du spectacle sont syndiqués en Angleterre en raison de la politique du « closed shop » (1), et les femmes sont les plus nombreuses. Le syndicat des acteurs est traditionnellement conservateur et dominé par une direction masculine. Vanessa Redgrave, lors d'une assemblée générale exceptionnelle, présenta une motion de protestation contre la politique des conservateurs qui voulaient interdire le *closed shop*. La motion fut rejetée. Les stripteaseuses, qui gagnent 6 shillings par numéro, à raison de cinquante par semaine, n'osent pas adhérer à un syndicat pour améliorer leurs conditions d'existence par peur de l'abondance de la concurrence. Il est probablement exagéré de prétendre que leurs employeurs leur font systématiquement subir les derniers outrages, mais il est inévitable que les hommes cèdent souvent à la tentation de profiter de la situation pour obtenir des faveurs, ne s'agirait-il que de privautés mineures.

Néanmoins, il est sans doute psychologiquement

---

(1) En Angleterre, nul ne peut travailler s'il ne fait partie d'un syndicat professionnel mais il doit appartenir à cette profession pour pouvoir se syndiquer... Il y a là un cercle vicieux. (Note de l'éditeur.)

préférable qu'une fille risque son va-tout plutôt que de se résigner à une servitude ignominieuse. Si elle pense qu'elle a du talent, elle n'a d'autre choix que de tenter sa chance. La plupart d'entre elles finissent par trouver un mari qui subvient à leurs besoins pendant les périodes de repos forcé. L'industrie du spectacle a toujours été très voisine de la prostitution depuis l'époque où les grandes actrices étaient aussi des courtisanes célèbres. Plus d'une prostituée, qu'elle se qualifie de call-girl, d'hôtesse ou de putain, s'imagine qu'elle exploite les hommes et peut-être réussit-elle à le faire tant qu'elle évite les complications sentimentales, mais le rôle du souteneur, cet imprésario de la prostitution, est trop connu pour qu'on puisse supposer que les prostituées ont conquis leur indépendance. Dans notre société occidentale, le maître souteneur est incarné par Hugh Hefner, qui a inventé des bordels où l'on ne peut que regarder les prostituées, sans que cela change rien au principe. Servir les clients coiffée d'une tête de lapin n'est pas plus enviable que la situation servile des infirmières ou celle des femmes qui exécutent un travail mal payé à domicile. Les femmes qui se lancent dans l'industrie du spectacle exploitent trop souvent leur séduction en tant qu'objet sexuel pour que leur situation ne s'en ressente pas. En cherchant à échapper à cette exploitation, elles finissent par être plus tyrannisées par l'employeur ou l'agent qui veille sur elles qu'elles ne l'auraient été dans une autre profession par leur patron. Et elles risquent de devenir un instrument de profit au point que leur talent n'a pas l'occasion de se manifester. La plupart des gens sont encore étonnés d'apprendre que Marilyn Monroe était une grande actrice. Et la plus étonnée fut elle-même. C'est une des raisons de son suicide.

De moins en moins de femmes s'engagent dans

la carrière d'infirmière. C'est l'enseignement qui a la préférence. En tant que professeur d'université, je n'ai pas eu conscience de me heurter à une discrimination sexuelle ouverte. Mais j'ai été étonnée de constater qu'il y avait si peu de femmes parmi mes collègues. On a affirmé qu'il fallait que les femmes soient deux fois plus brillantes que les hommes pour surmonter les préjugés défavorables mais il est plus probable qu'elles ont moins d'incitations à poursuivre leurs études ou à s'y consacrer avec autant d'énergie que les hommes dont le but principal est de faire carrière. Les femmes font des études décousues en raison du peu de débouchés qui s'offrent à elles. On m'a nommée de préférence à des hommes et rien ne m'empêche de faire une carrière normale. Je reconnais que je n'ai pas eu à bûcher pour obtenir mes diplômes. En tant que maître de conférence d'une université provinciale, il me faut tolérer les bizarreries des épouses de professeurs mais il est facile de les ignorer. Il se peut que ma nomination ait été due à des références plus brillantes que celles des candidats masculins mais je ne peux pas le prouver. Peut-être, si j'avais été un homme, m'eût-on proposé un poste à Cambridge. Ce qui est certain, c'est que la moyenne des adolescentes qui poursuivent leurs études ont à lutter contre d'énormes obstacles, ne serait-ce qu'en raison de la perte d'énergie et d'esprit d'entreprise qui marque la puberté. Il est vrai en fait que les femmes qui parviennent à devenir professeurs d'université sont névrotiques. Mais si une fille estime qu'elle est de taille à réussir, rien ne s'y oppose. Les filles intelligentes choisissent souvent d'enseigner dans d'autres institutions, mais c'est une vie difficile et ingrate. Toutes celles qui exercent cette profession le disent, mais sont peu disposées à prendre des mesures pour modifier cet état de choses. Les hommes qui ont embrassé cette carrière où les femmes sont les plus nombreuses ont estimé que les conditions de travail et les traitements étaient inacceptables. La *National Union of Teachers*, dont les adhérents sont surtout des femmes, est si apathique que les hommes ont fondé un autre syndicat, la *National Association of Schoolmasters* afin d'améliorer leur situation par l'action militante. La N.U.T. a finalement suivi leur exemple et rejeté la duperie de la parité, en organisant une série de grèves dans l'hiver 1969-1970. Inutile de dire que tous les porte-parole du syndicat étaient des hommes et que dans le bureau exécutif de quarante-quatre membres, il n'y a que quatre femmes.

Une jeune fille qui étudie la médecine obtiendra ses diplômes si elle travaille suffisamment mais il est vrai que les femmes préfèrent les médecins hommes et les hommes aussi. Une femme peut devenir architecte ou ingénieur et, à condition de trouver des employeurs qui la prennent au sérieux, elle peut faire carrière. Mais on constate que les femmes qui apprennent l'électronique ou la radio-télégraphie ne trouvent pas d'emploi (1). Les femmes peuvent obtenir le prix Nobel si elles font de la recherche scientifique mais il est improbable qu'elles deviennent directeur d'un laboratoire de recherches. Quelle que soit la voie choisie, la fille qui fait des études universitaires se heurtera à l'opposition de sa famille. Elle devra faire face aux récriminations, s'entendre dire qu'elle gâche les meilleures années de sa vie alors qu'il est si amusant d'être coquette et de sortir avec les garçons, que le mal qu'elle se donne ne servira plus à rien le jour où elle se mariera,

---

(1) Il y en a des exemples tous les jours. Valérie Stringer, ingénieur en électricité, ne trouve pas de travail (*The People*, 25-1-1970) et Dalla Bradshaw, radiotélégraphiste, s'est heurtée aux préjugés des marins contre les femmes.

etc. C'est une usure constante. On continue à exiger d'elle qu'elle accomplisse des tâches domestiques qu'on ne songerait pas à infliger au garçon, à moins qu'elle n'aille faire ses études dans une autre ville, expédient souvent désapprouvé par les parents. L'équilibre affectif de la jeune fille dépend tellement du comportement des hommes à son égard qu'elle risque de compromettre ses études par un drame sentimental. Je l'ai souvent constaté chez mes étudiantes. Les hommes peuvent prendre leur plaisir quand et où ils le désirent ou pas du tout. Les filles, si elles ne retiennent pas l'attention des garçons, se sentent rejetées, tout en considérant la sexualité sans amour comme dégradante. Il en résulte qu'elles échouent fréquemment dans leurs études. Les jeunes filles sont rarement brillantes. Il est déprimant de constater que dans la plupart des cas, ce sont les hommes qui ont les meilleures notes, alors que, professionnellement, si elle veut bénéficier des mêmes chances que l'homme, la femme doit être plus brillante pour surmonter le préjugé qui pèse sur elle. Si elle est convaincue qu'il lui faut aussi conserver son identité sexuelle en se montrant féminine le conflit des désirs risque de produire un résultat désastreux.

Il y a des femmes qui ont réussi, et il est temps, après ce tableau déprimant, de les évoquer. Asha Radnoti, après avoir étudié à Oxford les sciences politiques et économiques et la philosophie, a passé ses examens avec mention. Le comité des nominations d'Oxford lui a proposé la carrière féminine habituelle, l'enseignement. Elle a refusé, de même que des offres d'emploi chez I.B.M., pour prendre un poste d'analyste dans le bureau d'études d'investissements de Prudential. Dix-huit mois plus tard, elle travaillait pour une banque canadienne d'investissements en tant qu'assistante du directeur des investissements et aujourd'hui elle gère le portefeuille du Castle Britannia Unit Trust Group en ayant la responsabilité quotidienne d'investir plus de 4 millions de livres. Miss Ishbel Webster a passé douze ans à travailler comme épilatrice pour la Tao Clinic à Londres puis elle a breveté sa propre formule pour un dépilatoire en bombe appelé *Spray-Away*. Mrs Norma Rotheroe a débuté comme femme de chambre à Camden Town, puis elle a obtenu un poste de prospectrice pour une société de nettoyage. Aujourd'hui après avoir été directeur d'Acme, la plus grande entreprise britannique de nettoyage industriel, elle est président de Multi-Office Services Ltd.

La haute couture a dû admettre dans ses rangs des femmes de talent comme Nina Ricci, Coco Chanel et la princesse Galitzine. En Angleterre, le devant de la scène est occupé par un groupe de femmes dynamiques qui travaillent pour un nouveau marché et l'influence de Gina Fratini, de Barbara Hulanicki, de Rosalind Yehuda, de Jean Muir, de Marion Foale et Sally Tuffin, de Sybil Zelker, d'Alice Pollock et de Célia Birdwell se fait sentir même en France. Les femmes ont fait carrière dans le journalisme et les nouveaux moyens de communication de masse. Pour la France on peut citer Jacqueline Baudrier, Françoise Giroud, Daisy de Galard, Éliane Victor. Agnès Varda, Susan Sontag et Mai Zetterling ont mis en scène des films qui ont du succès. Golda Meir est devenue Premier ministre d'Israël. Tout est possible.

Il semble que les chances de réussite sociale de la femme sont proportionnelles à son ambition et que plus elle vise haut, plus elle fait preuve d'originalité dans le milieu qu'elle a choisi, plus elle a de possibilités de s'imposer. La valeur la plus haute, dans notre société, est la créativité, que ce soit dans la conception des produits de consommation de masse, dans la rédaction de textes publicitaires, dans le roman, ou dans l'invention de formes d'organisation adaptées à la demande. Le commerce britannique repose sur l'exportation d'idées et de savoir-faire et les hommes n'en ont pas le monopole. Et ce n'est pas incompatible avec la féminité. Les poils pubiens de Mary Quant ont été rasés en forme de cœur par un mari follement épris, si c'est cela qui vous séduit. Une de mes histoires préférées de succès féminin est celle de Mrs Pamela Porter, qui est propriétaire d'un poids lourd et fait 2 500 km par semaine en compagnie de trois épagneuls. C'est aux femmes de faire leurs preuves. Il faut non seulement qu'elles égalent l'homme dans la course aux emplois, mais qu'elles le surpassent. Cet aiguillon peut tourner à leur avantage.

L'AMOUR

16

L'IDÉAL

Si le Dieu dont on dit qu'il est l'amour existe dans l'imagination des hommes c'est parce qu'ils l'ont créé. Ils ont certainement eu une vision de l'amour qui est divine, bien qu'il soit impossible d'en trouver un exemple concret dans le monde actuel. Cette intuition, ils l'ont répétée comme un exorcisme dans des situations où il n'y avait que haine, car elle semblait être la loi de la vie. *Dieu est amour*. Sans amour, il n'y aurait pas de monde. Si Thanatos régnait à l'exclusion d'Eros, rien n'existerait. Le désir est la cause du mouvement et le mouvement est l'essence de tout ce qui existe. L'univers est un processus dont la méthode est le changement. Qu'on invoque Héraclite ou la musique des sphères d'innombrables protons et neutrons, toutes les cultures ont cru à un mouvement créateur engendré par le désir, réprimé par la mort et la seconde loi de la thermodynamique. On a tenté de le formuler de façon diverse car les lois par lesquelles nous cherchons à nous rendre maîtres de cette dynamique et à la définir rationnellement doivent toujours être révisées. L'énergie, la création, le mouvement et l'harmonie, l'évolution, se situent tous sous l'égide de l'amour, dans le domaine d'Eros. Thanatos le talonne, mettant la maison en ordre, traçant des frontières, cherchant à régner. Les êtres humains aiment, malgré la compulsion qui les incite à limiter et à exploiter l'amour, chaotiquement. C'est l'amour qui les persuade de prononcer des vœux, de construire des maisons et finalement, de convertir la passion en devoir.

Mais lorsque les mystiques affirment que Dieu est amour, ou qu'Aleister Crowley dit « l'amour est la loi » il ne s'agit pas de l'amour qui est le lot de la femme. Beaucoup de platoniciens étaient convaincus que les femmes n'étaient pas capables d'amour car elles étaient inférieures à l'homme physiquement, socialement, intellectuellement, et même par la beauté corporelle. L'amour n'est pas possible entre l'inférieur et le supérieur car celui de l'inférieur est fondé sur l'égoïsme, le désir de sécurité, d'avantage social. L'être inférieur ne peut pas comprendre les facultés qui rendent l'être supérieur digne d'amour. L'être supérieur ne peut pas s'abaisser en aimant ce qui lui est inférieur. Il faut nécessairement qu'il y ait de la condescendance dans ses sentiments ou qu'ils soient l'expression d'un désir pervers d'avilissement. On ne peut aimer qu'un égal, car l'essence de l'amour est d'être mutuel et l'inférieur ne peut pas produire quelque chose de plus grand que lui-même. Lorsqu'il voit sa propre image, l'homme se reconnaît en elle et l'aime par suite d'un amour-propre bienséant et justifiable. Un tel amour repose sur la compréhension, la confiance, la similitude. C'est l'amour qui constitue les communautés, du plus petit groupe au plus vaste (1). C'est le seul fondement de struc-

(1) Pendant la Renaissance, le concept de l'amour platonique, dans des formulations simples, était banal. En plus des arguments fondamentaux du *Convivium* et d'autres dialogues on connaissait les apologies de Cicéron et de Plutarque, et les théories d'Héraclite et d'Aristote. On en retrouve l'essentiel dans beaucoup d'ouvrages, le *Cortigiano*, l'*Academie* de la Primaudaye, et les livres et traités de morale destinés aux classes nouvellement alphabétisées, *The Boke of the Governor* de Sir Thomas Elyot (1551), *The Booke of Friend-*

tures sociales viables parce qu'il est le bien commun. La société est fondée sur l'amour mais l'État ne l'est pas car il est un rassemblement de minorités dont les intérêts sont différents, voire inconciliables. Comme un père doit faire vivre sous un même toit des enfants de sexes et d'âges différents, l'État doit faire régner l'harmonie entre des groupes en conflit, non pas par l'amour mais par la discipline qu'il leur impose. Ce que l'homme éprouve pour ce qui est très différent de lui, c'est de la fascination et un intérêt qui s'affaiblit lorsque la nouveauté s'estompe et que l'incompatibilité devient sensible. C'est la situation où se trouvent dans notre société des femmes féminines enchaînées aux hommes. On les a rendues artificiellement différentes et fascinantes et elles finissent par n'être plus que différentes, isolées sous le toit d'un homme ennuyé et hostile.

Dès le début de la vie, l'amour humain est fonction du narcissisme. L'enfant qui perçoit son soi et le monde extérieur comme un tout indifférencié éprouve un amour universel jusqu'à ce que l'expérience lui apprenne à redouter la souffrance. Si on le jette à l'eau, il nage, comme il flottait dans la matrice avant qu'elle ne devienne trop étroite pour lui. Le petit enfant accepte la réalité parce qu'il n'a pas de moi.

Alors même que son moi se constitue, l'enfant doit apprendre à se comprendre en fonction de ses relations avec les autres et à comprendre les autres en fonction de soi. Plus le sentiment qu'il a de sa dignité se dégrade, plus l'opinion qu'il a d'autrui se dégradera. Plus il aura de respect pour lui-même plus il mettra d'espoir en ses amis. On a toujours

ship of Marcus Tullius Cicero (1550), *The Casket of Iewels* (1571) de John Charlton, le *Treatise of Moral Philosophy* de Baldwin (1550), le *Politeuphuia* de Bodenham (1597) et *Wits Theater of the little World* de Robert Allott (1599). La formulation la plus élégante et la plus claire semble être celle de Bacon, *Essay on Friendship*.

The Angel that presided o'er my birth
Said « Little creature, form'd of joy and
[mirth,
Go love without the help of anything on
[Earth »

William Blake, Poems from Mss, c. 1810 (None-such, p. 124) et Suttie (*op. cit.*), pp. 30-31.

(*L'Ange qui présida à ma naissance me dit « petite créature faite de joie et de gaieté, va de par le monde en aimant sans dépendre de rien ».*)

compris cette interaction mais sans lui donner l'importance qu'elle mérite. Lorsqu'Adam vit Ève au paradis terrestre, il l'aima parce qu'elle faisait partie de lui-même, qu'elle était une côte de ses côtes et plus semblable à lui qu'aucun des animaux que Dieu avait créés pour sa délectation. Son mouvement de désir vers elle était un acte d'amour pour sa propre espèce. Ce narcissisme diffus a toujours été accepté comme le fondement de l'amour excepté dans la relation homme-femme, où l'on a supposé que le désir de l'homme était excité par ce qui est différent dans la femme. C'est pourquoi on a accentué les différences au point que les hommes ont plus de traits en commun avec des hommes d'autres races, croyances et couleurs qu'avec les femmes de leur entourage. Le sentiment de la fraternité chez les hommes est narcissique. L'argument qui le justifie est que tous les hommes de tous les pays du monde sont semblables.

Cette fraternité ne deviendra réalité que le jour où la conscience de l'existence d'êtres totalement étrangers débarrassera l'homme de sa myopie et où il se rendra compte qu'il a plus de points communs avec les Eskimos, les mendiants bengalis ou les Noirs pédérastes qu'il n'en a avec les formes de vie intelligente du système solaire X. Néanmoins, on nous dissuade de qualifier d'amour les relations de gens qui ont des intérêts communs, par exemple des joueurs de football ou des musiciens, surtout s'ils sont du même sexe. Ce faisant, nous ignorons le témoignage des corps et du comportement. La femme dont le mari se rend au *pub* local tous les soirs ne se dit pas qu'il aime ses amis plus qu'il ne l'aime elle, mais elle le ressent malgré tout comme une infidélité.

La notion de compatibilité d'humeur entre futurs époux provient de ce que l'on a conscience que l'amour est un appariement. Mais on se rend rarement compte que quelques goûts communs ne suffisent pas à combler le gouffre qui sépare les sexes dans tous les autres domaines. Il ne suffit pas de s'indigner contre ceux qui conseillent aux jeunes filles d'adopter les passe-temps de leur petit ami afin de le séduire en feignant de l'intérêt pour ce qui lui plaît. De toute façon, l'amour de l'homme ira à ses pairs même si son sexe appartient à sa femme. Le lien intermasculin peut s'expliquer par l'harmonie entre *similes inter pares*, c'est-à-dire, par l'amour. Par ailleurs, la castration de la femme se traduit par la convergence de ses sentiments vers son compagnon, et un manque de liens avec les personnes de son sexe. Du fait que tout son amour est orienté par la recherche de la sécurité pour ses enfants ou pour la créature mutilée et craintive qu'elle est, elle ne peut espérer de réconfort de personnes qu'elle sait être aussi faibles qu'elle. Les femmes sont incapables d'aimer car en raison d'un manque de narcissisme elles n'éprouvent pas de plaisir à voir des membres de leur propre sexe. L'effet destructeur de l'insécurité sur le narcissisme spontané et normal apparaît clairement dans l'utilisation du maquillage et de la dissimulation, ruses dont les femmes sont toujours conscientes. Même celles qui proclament le plus chaleureusement leur amour pour leur propre sexe (en dehors des lesbiennes qui doivent inventer leur propre idéal) ont d'ordinaire de curieuses relations, extraordinairement intimes, mais déloyales, précaires, tendues, si longue et si étroite que soit leur amitié.

Nous pouvons parler de la fraternité des hommes et feindre d'inclure les femmes dans ce vocable mais nous savons qu'il n'en est rien. Selon la sagesse populaire, les femmes ne s'assemblent que pour médire d'une absente et continuent à le faire par peur d'être elles-mêmes victimes de cette médisance. Cela passe pour une boutade, mais tout autant que les plaisanteries sur les belles-mères, elle est fondée sur une amère réalité. Les femmes ne vont pas faire un saut au café. Elles n'inventent pas, comme les hommes, des prétextes, manie de collectionneur, ancienne camaraderie scolaire, indolantes activités sportives, pour se réunir. Les soirs où les hommes les admettent dans leur cercle, elles les regardent, le visage glacial, se donner l'accolade et faire les fous en prétendant qu'ils sont restés des enfants sous l'apparence d'adultes. Elles ignorent tout de l'amour du semblable. Elles ne peuvent pas s'aimer l'une l'autre de cette façon innocente, spontanée, bon enfant, car elles ne s'aiment pas elles-mêmes. Ce que nous voyons, faisant tapisserie, c'est une assemblée de domestiques endimanchées, masquant leurs sentiments, qui ont remplacé leur tablier par du parfum et feignent d'être détendues, de se distraire, alors qu'elles ne ressentent que de la fatigue. Tout ce qu'elles peuvent espérer, c'est que l'une d'entre elles parvienne à interférer avec cet amour qui unit les hommes en accaparant l'attention de son mari ou d'un autre mâle. Même si les hommes n'abandonnent pas les femmes à elles-mêmes, la conversation est exclusivement

masculine, avec un accompagnement musical féminin. Les plaisanteries sont des plaisanteries
d'hommes. L'activité qui est évoquée et les anecdotes
qu'on raconte à son propos sont purement masculines. Si, en dehors du cas particulier de l'homosexualité, l'amour des hommes pour les hommes
n'était condamné par la société à être asexué, la
femme jugerait qu'elle est en droit de se plaindre.
Mais personne ne songe à protester si elle fait
l'amour sans amour et si l'homme aime sans satisfaction sexuelle. Toute autre solution paraîtrait
consternante.

Il n'y a pas que l'espoir à renaître éternellement
dans le cœur de l'homme. L'amour s'y manifeste
intempestivement. Il arrive encore que des sentiments de bienveillance pour notre prochain nous
transfigurent de temps à autre. Non pas lorsque
nous recherchons la sécurité au moyen de la flatterie
mais dans des situations exceptionnelles où il y a
confiance et coopération, sans considération de
devoir et de compulsion. Dans le courrier des
lecteurs du *People* on en trouve un exemple extraordinaire.

« Mon mari et moi avons emménagé dans notre
premier logement il y a dix-huit ans. Nos voisins
sont arrivés quinze jours plus tard. Nous les trou-
vions plutôt distants et eux-mêmes n'étaient pas
tentés de lier plus ample connaissance. Mais au
cours des années, nous avons béni le jour où nous
sommes devenus voisins. Notre fille est leur filleule.
Chaque fois que nous avons eu un coup dur, ils
nous ont aidés. Ils viennent de nous faire le plus
grand des compliments. Mon mari a changé d'emploi
et nous avons dû nous installer à trois cents kilomètres de notre ancien domicile. La séparation
était trop dure. Plutôt que de nous dire adieu le
mari de ma voisine a également changé d'emploi
et ils nous ont suivis. Bien que nous n'habitions

plus porte à porte, il n'y a que cinq minutes de trajet entre nos maisons. Notre amitié a vraiment résisté au temps. »

Cette situation remarquable est rare car la nature des relations familiales est telle qu'elle incite les gens à se replier sur eux-mêmes. Chaque fois qu'un homme vide son cœur devant un étranger, il réaffirme l'amour qui unit l'humanité. Bien entendu, le véhicule de la communication n'est fait que de mots, mais celui qui parle se sent encouragé à espérer de l'intérêt et de la sympathie et, en général, il les obtient. Son interlocuteur se sent incapable de juger le comportement de celui qui se confie à lui en fonction de ses propres normes. Pour une fois, il se met à la place de l'autre. Ce n'est pas toujours le chagrin et la misère qui sont communiqués de cette façon mais parfois la joie et la fierté. Un chauffeur de camion m'a parlé un jour de sa femme, en me disant combien elle était désirable, intelligente, aimante, et combien elle était belle. Il me montra une photographie et je rougis de honte car j'avais imaginé une beauté physique : la femme, selon les normes de la mode, était terne, grosse, mal fagotée. Les romans, les pièces de théâtre, les films ont pour fonction de nous permettre d'exercer notre sympathie pour notre semblable, si souvent étouffée par les censures et les contraintes de la vie quotidienne. Pour une fois, nous ne méprisons pas Camille, nous ne sommes pas jaloux de Juliette, et nous sommes même capables de comprendre le régicide ou l'enculé. C'est cela l'amour.

L'amour du semblable est fondé sur la compréhension, donc sur la communication. C'est l'amour qui nous a appris à parler et la mort qui a posé son doigt sur nos lèvres, nous incitant à nous taire. Toute littérature, si virulente soit-elle, est un acte d'amour, et tous les moyens de communication électroniques attestent la possibilité de la compréhension. On n'a pas encore compris leur puissance unificatrice. Malgré les arguments spéciaux des statisticiens, des politiciens, des autres professionnels du cynisme et des faiseurs de mort, on ne peut se tromper sur le message transmis par le regard d'un enfant biafrais. Mais si les moyens de communication de masse alimentent notre amour du semblable, les circonstances substituent la proximité à la passion.

Si nous pouvons donner de l'amour une image idéale réalisable, sa fonction paraîtrait analogue à la relation entre des personnalités qui se réalisent, décrite par Maslow. Il s'agit probablement d'un équilibre précaire. Les forces de l'ordre et de la civilisation limitent d'une façon directe les possibilités de réalisation du soi. Maslow présente ces personnalités idéales comme ayant une meilleure perception de la réalité — ce que Herbert Read appelle les yeux de l'innocence, par allusion à l'enfant qui ne cherche pas à rejeter la réalité. Leur relation au monde phénoménal n'est pas déterminée par la nécessité de l'exploiter à moins d'être exploité par lui, mais par le désir de l'observer et de le comprendre. Elles ignorent le dégoût. L'inconnu ne les effraie pas. Elles ne sont pas sur la défensive et n'ont aucune affectation. Elles n'ont à se reprocher que la paresse, des accès d'humeur, des préjugés, de la jalousie, de l'envie. Leur réflexion, au lieu d'être une rumination égocentrique, porte sur des problèmes objectifs. C'est pourquoi elles s'enthousiasment souvent pour des causes qui dépassent leurs préoccupations quotidiennes. Leurs réactions sont déterminées par le présent et non pas par la nostalgie du passé ou l'anticipation de l'avenir. Bien qu'aucun sentiment de culpabilité, de peur, ou toute autre forme de compulsion ne les incitent à adhérer à une religion, l'expérience religieuse, ou, selon les termes de Freud, le sentiment océanique, leur est plus facilement accessible qu'aux Pharisiens. La condition essentielle de la réalisation de soi est l'indépendance, la résistance à l'acculturation. Son danger est l'indépendance excessive ou l'excentricité. Néanmoins, si nous en croyons Rogers qui affirme que nous ne pouvons aimer autrui que dans la mesure où nous ne nous sentons pas menacés par lui, des gens de ce type sont davantage capables d'amour. Bien sûr, les circonstances s'opposeront à ce qu'un tel être humain puisse aimer tout le monde. Il est peu probable qu'il soit strictement monogame. Il serait un compagnon insatisfaisant pour ceux qui éprouvent le besoin d'être dominés, exploités, ou d'établir une autre forme de symbiose compulsive. Les personnalités poursuivant la réalisation du soi sont moins nombreuses que les autres et, en général, mal mariées. Maslow ajoute un commentaire imprévu sur leur comportement sexuel : « Une autre particularité que j'ai constatée dans le comportement amoureux de gens sains est qu'ils ne font pas de différence marquée entre les rôles des deux sexes. Ils ne pensent pas que la femme est passive et l'homme actif, que ce soit dans le domaine de la sexualité, de l'amour, ou de toute autre situation. Ils sont si convaincus de leur virilité ou de leur féminité qu'ils n'hésitent pas à adopter à l'occasion le rôle sexuel opposé. Il est particulièrement digne d'intérêt que de telles personnalités puissent être alternativement passives ou actives en amour... c'est un exemple de la façon dont des dichotomies courantes sont résolues dans l'actualisation du soi. On est amené à penser que ces dichotomies ne paraissent fondées en réalité que parce que les gens ne sont pas en bonne santé mentale (1). »

Il se peut que Maslow n'exprime qu'une préfé-

(1) A. H. Maslow, *Motivation of Personality* (New York, 1954), pp. 208-246, citation de pp. 245-246.

rence subjective pour un certain type de personnalité, que ce ne soit qu'un autre compromis entre Eros et la civilisation. Néanmoins, en actes, il nous faut tous arriver à une forme de compromis. Maslow indique au moins un chemin dans lequel nous pouvons nous engager au lieu de se contenter de décrire théoriquement ce que la personnalité pourrait être si la psychanalyse atteignait son but. Jusqu'à présent elle n'a même pas réussi à définir ce but et encore moins à le justifier devant un monde qui attend « qu'on rende des âmes à nos corps, qu'on nous rende nous-mêmes à nous-mêmes, et qu'on triomphe de l'aliénation humaine ».

Chose surprenante, Maslow a inclu des femmes dans les exemples qu'il a donnés de personnalités poursuivant la réalisation du soi. Mais après tout, même si mes arguments concernant l'acculturation des femmes sont exacts, la nocivité du stéréotype est si évidente et il est pour beaucoup de femmes si irréalisable qu'elles peuvent être amenées à réagir contre lui. Il faut beaucoup de courage et d'indépendance pour être soi-même au lieu de se conformer au modèle approuvé par la société, mais l'entreprise devient plus facile au fur et à mesure qu'on s'y engage. Une femme qui décide de suivre sa propre voie se rend compte que son conditionnement est ineffaçable mais du moins, ayant conscience de ses effets, elle peut lutter contre eux. Alors que la mystification de l'homme est d'un ordre plus subtil. Lorsqu'une femme ne pose pas de conditions avant de s'engager dans une relation sentimentale elle la rompt plus aisément en raison de la résistance qu'elle oppose à ceux qui cherchent à la dominer. L'opinion de ses amies sera en général favorable à l'homme qui était disposé à l'épouser, qui l'aimait, etc. Sa promiscuité, résultant d'un désir sexuel constant, de la tendresse et de l'intérêt qu'elle porte aux autres, sera prise pour de la promiscuité compulsionnelle ou pour l'incapacité de dire « non » bien qu'elle soit d'un caractère fondamentalement différent. Son amour sera souvent sous-estimé par ceux qui lui inspirent le plus de tendresse, et son amour-propre sera exposé à de multiples attaques. Ces pressions ne sont pas anodines. Même si la femme ne se laisse pas intimider, elle réagira de quelque autre façon, par exemple en provoquant le scandale alors qu'elle ne voulait être que spontanée. Elle peut aussi se contenter de plaider la cause de la promiscuité ou d'écrire des livres sur les femmes.

Par égard pour l'amour, les femmes doivent rejeter les rôles que leur propose la société. En tant que créatures inférieures, souffrant d'insécurité et d'impuissance, elles ne pourront jamais aimer généreusement. L'idéal de l'amour platonique, d'Eros conçu comme une force de création, d'harmonisation et de stabilisation de l'univers, a reçu en anglais son expression la plus achevée dans le poème de Shakespeare, *The Phoenix and the Turtle* :

> Loved, as love in twain
> Had the essence but in one
> Two distincts, division none :
> Number there in love was slain.
> Hearts remote, yet not asunder ;
> Distance and no space was seen
> Twixt the turtle and his queen :
> But in them it were a wonder.

(*Le mystère de l'amour qui unit deux êtres distincts, quelle que soit la distance qui les sépare.*)

Ce poème n'est pas une invite au survivant à s'immoler sur le bûcher funéraire de l'autre bien qu'il décrive les obsèques mutuelles du phénix et de la tourterelle. Il est une apologie du concept de l'harmonie, de la fusion, sans sacrifice ni renoncement à soi, de cette connaissance non destructrice que Whitehead puise dans les œuvres de Lao-Tseu.

> **Property was thus appall'd**
> **That the self was not the same ;**
> **Single nature's double name**
> **Nether two nor one was called.**
> **Reason in itself confounded**
> **Saw division grow together ;**
> **To themselves get either neither**
> **Simple were so well componded.**

L'amour entre pairs est conscience de communauté, unité de la beauté et de la vérité. Le phénix et la tourterelle ne cohabitent pas nécessairement, ils sont le symbole d'une sympathie qui ne dépend pas de l'intimité physique. Le phénix renaît constamment de ses cendres comme un mythe prométhéen. L'amour du phénix et de la tourterelle n'est pas la cohésion d'un couple artificiellement lié pour la vie mais le principe d'amour toujours réaffirmé dans la relation du soi narcissique avec le monde dont il fait partie. Ce n'est pas un fantasme d'anéantissement du moi dans l'identité d'un autre par la domination sexuelle, mais un état de compréhension spirituelle.

« La spiritualité, c'est-à-dire la pureté d'une nature noble et forte, avec toutes les facultés neuves et inconnues qu'elle est appelée à engendrer, n'a pas encore paru à l'horizon. Cela résulte de la disparité des intérêts de l'homme et de la femme qui n'ont en général en commun que l'attirance de la passion et qui, sans elle, seraient aussi éloignés que les pôles (1). »

Dans la réalité, les hommes et les femmes aiment d'une façon très différente et le comportement que nous qualifions ordinairement d'amour est si éloigné de la bienveillance, si antisocial, qu'il est contraire à l'essence même de l'amour. Dans notre mode de vie, il y a plus de Thanatos que d'Eros, car l'égotisme, l'exploitation, la dissimulation, l'obsession, la manie tiennent plus de place que l'érotisme, la joie, la générosité et la spontanéité.

(1) S. E. GRAY, *Womanhood in its Eternal Aspect* (Londres, 1879), p. 4.

17

L'ALTRUISME

> « Love seeketh not Itself to please
> Nor for itself hath any care
> But for another gives its ease,
> And builds a Heaven in Hell's despair »
> So sung a little Clod of Clay
> Troodden with the cattle' feet...

William Blake, « The Clod and the Pebble », *Songs of Experience* (Nonesuch, p. 66).

(*Une motte de terre, piétinée par le bétail, chante l'amour désintéressé qui crée le ciel dans le désespoir de l'enfer.*)

Je viens de parler de l'amour comme d'une affirmation de confiance dans le soi, une extension du narcissisme à l'ensemble de l'espèce, considérée dans sa diversité. Pourtant on nous apprend que le plus grand amour est de donner sa vie pour autrui. A l'école, on nous encourageait à l'abnégation par charité. Nous nous privions de bonbons et nous glissions nos sous à l'intention des missions dans un tronc décoré d'un négrillon — si nous poussions la religion jusque-là. Cet amour-là était défini négativement. Il reposait sur la mortification, l'oubli de soi dans l'humilité, la patience, le sacrifice. Beaucoup d'entre nous constataient l'égocentrisme de ces pratiques au spectacle du comportement des filles les plus pieuses, car leur but était de trouver grâce aux yeux du Seigneur. Chacun de ces actes devait lui être offert, sinon ce dépôt céleste risquait de ne pas être porté à notre compte. Pourtant, l'idée était séduisante. Elle flattait nos tendances masochistes tout en étant associée à des fantasmes d'anéantissement. On nous affirmait que c'était l'amour de la mère qui couvre son enfant de son corps lorsqu'un danger le menace, de la perdrix qui détourne les chasseurs de son nid. Noble, instinctif et féminin. Toutes nos mères en étaient animées, sinon elles n'auraient pas affronté les malaises et les douleurs de l'enfantement. Personne ne pouvait exprimer la grandeur des sacrifices maternels, particulièrement dans notre cas à nous qui ne recevions pas une éducation gratuite. Chaque mère était une sainte. Le commandement de Dieu était d'aimer son prochain comme soi-même, mais les religieuses étaient enflammées à l'idée de l'aimer plus qu'elles-mêmes.

Il est possible que l'altruisme soit un idéal sublime, mais il est malheureusement impraticable. Nous ne pouvons pas nous libérer de nous-mêmes, nous ne pouvons pas agir contre nos propres motivations, à moins que nous ne soyons des perdrix et que nous agissions instinctivement comme les animaux, esclaves de la perpétuation de l'espèce. Nous, les enfants qui écoutions ces belles paroles, nous savions que les sacrifices de nos mères n'existaient pour la plupart que dans l'imagination des religieuses. On nous exhortait à nous montrer reconnaissantes d'avoir reçu le don de la vie. Après la rédemption pour laquelle nous ne saurions jamais avoir suffisamment de gratitude, tout en ne comprenant pas pourquoi il était nécessaire que quelqu'un mourût pour nous, il nous fallait remercier les autres de nous avoir donné la vie. Les religieuses soulignaient que le commandement d'aimer nos parents succédait immédiatement à celui qui nous commandait d'aimer Dieu, et comme elles nous servaient de parents et vivaient uniquement pour le service de Dieu et de leur prochain, nous devions être reconnaissantes pour cela aussi. Les enfants, hélas ! sont pragmatiques. Nous constations que nos mères utilisaient leur abnégation comme moyen de chantage, bien qu'il fût difficile de savoir si elles seraient devenues de grandes vedettes ou des reines de la société si elles ne nous avaient enfantées. Dans nos moments de perversité, nous faisions remarquer que nous n'avions pas demandé à naître, ni à fréquenter une école chère. Nous savions que nos mères devaient avoir eu des motifs personnels pour agir envers nous comme elles le faisaient. L'idée du sacrifice de nos parents ne nous remplissait pas de gratitude mais de confusion et de culpabilité. Nous aurions voulu qu'ils soient heureux, mais ils étaient tristes et frustrés, et cela par notre faute. Le cri de la mère de Portnoy est le cri de toutes les mères à moins qu'elles ne renoncent totalement à leur rôle de martyre. Lorsqu'on nous grondait ou qu'on nous battait pour avoir causé des soucis à nos mères, nous protestions que nous ne leur avions pas demandé de se préoccuper de nos actes avec tant de zèle. Lorsque nos carnets scolaires nous valaient des reproches et des récriminations, nous comprenions à qui le sacrifice devait apporter des satisfactions. N'y avait-il aucune possibilité pour nous d'être portées au crédit de ces transactions émotionnelles ? En ce qui concernait les religieuses, nous étions certaines qu'en renonçant au monde pour se consacrer à Dieu, elles n'avaient rien sacrifié qu'elles eussent passionnément désiré, et surtout pas pour nous, qu'elles ne connaissaient pas.

Mais si les garçons ont la possibilité de prendre de la distance à l'égard des motivations de leurs parents, voire de les considérer avec cynisme, les filles finissent par en être victimes. L'idée qu'elles se font d'elles-mêmes est si confuse et la dépendance qu'on leur a inculquée si puissante qu'elles pratiquent l'abnégation très tôt. C'est la culpabilité primordiale d'être venue au monde qu'elles expient en renonçant courageusement à tous leurs intérêts personnels pour se consacrer au bonheur de leurs époux. La perception de la motivation réelle de cette immolation existe confusément à côté de l'idéologie officielle. Les experts en relations publiques s'efforcent d'inciter les jeunes filles à devenir infirmières en affirmant que c'est le plus satisfaisant de tous les métiers alors qu'il est le plus dur et le plus mal payé. La satisfaction réside tout entière dans le sentiment de faire le bien. Les infirmières seront pénétrées de leur mérite non seulement parce qu'elles soulagent ceux qui souffrent, mais parce qu'elles se contentent d'une rémunération modique. Il en résulte qu'elles sont des créditrices permanentes dans le livre de comptes des émotions. Tout malade d'un hôpital d'État témoignera de ce que signifie en réalité cette exploitation du masochisme féminin : des nuits d'insomnie passées à souffrir plutôt que de sonner une infirmière surmenée, prête à se répandre en reproches.

La plupart des relations sexuelles sont perverties par la confusion entre l'altruisme et l'amour. Le sacrifice est le leitmotiv de la plupart des drames conjugaux joués par les femmes. Cela va de la réplique la plus crue « je t'ai donné les meilleures années de ma vie » à la plus machiavélique « je n'ai couché avec lui que pour favoriser ton avancement ». La femme, en échange des multiples sacrifices qu'elle accomplit, exige la sécurité. Mais s'il y a échange de bons procédés, on ne peut plus parler de sacrifice. En réalité, il s'agit d'un commerce, dont la nature exige que la femme soit toujours

208

créditrice. Bien entendu, la malhonnêteté existe aussi chez les hommes qui se justifient de ne pas prendre de risque et d'exercer des professions médiocres en invoquant leurs obligations vis-à-vis de leur femme et de leurs enfants, mais ce trait de caractère n'est pas constant, alors qu'il est difficile d'imaginer une relation homme-femme dont le thème du sacrifice féminin soit absent. Tant que les femmes seront réduites à vivre par procuration, par le truchement de l'homme, il faut qu'elles œuvrent à se rendre indispensables et c'est ce souci de chaque instant que l'on qualifie abusivement d'altruisme. L'altruisme est une absurdité. Les femmes pratiquent l'abnégation dans la mesure où elles n'ont rien d'autre à offrir. Et elles sacrifient ce qu'elles n'ont jamais possédé : un soi. Le cri de la femme abandonnée : « Qu'ai-je fait pour mériter cela ? » révèle aussitôt l'économie sentimentale aberrante qu'elle a pratiquée. Ce n'est qu'au cours de querelles que la plupart des hommes découvrent à quel point la soumission de leurs épouses était hypocrite et subie à contrecœur. Il est bien évident que ce faux altruisme n'est pas le monopole des femmes mais tant que les femmes auront besoin des hommes pour vivre alors que les hommes vivent, qu'ils se marient ou pas, il apparaîtra comme une motivation plus importante chez la femme que chez l'homme. L'injonction mal comprise d'Aleister Crowley, « fais ce que tu veux » nous enjoint de ne pas nous faire d'illusion, dans la mesure du possible, et d'assurer la pleine responsabilité de nos actes. Ce n'est qu'autant qu'on a choisi une ligne d'action qu'il est impossible d'en imputer à autrui les consé-quences. L'altruisme des femmes n'exprime que l'inauthenticité de leur être et leur narcissisme défectueux.

18

L'ÉGOTISME

But a pebble in the brook
Warbled out these metres meet :

Love seeketh only Self to please
To bind another to Its delight
Joys in another's loss of ease
And builds a Hell in Heaven's despite.

William Blake, « The Clod and the Pebble », *Songs of Experience* (Nonesuch, p. 66).

(*Un caillou du ruisseau gazouille que l'amour ne cherche que la satisfaction de soi-même et asservit l'autre en faisant du ciel un enfer.*)

Si l'altruisme est chimérique, il ne s'ensuit pas que tout amour est fondamentalement égocentrique. Le narcissisme dont j'ai dit qu'il était le fondement de l'amour n'est pas lié au « moi » qui n'est que l'aspect conscient ou semi-conscient de la personnalité, mais l'expression de la personnalité totale. L'égotisme, en amour, n'aboutit pas à l'amour du semblable mais à la supposition de l'existence d'une unité entre deux personnes qu'il faut imposer et protéger contre toute tentative de socialisation. Si quelqu'un aime exclusivement une autre personne et demeure indifférent au reste de ses semblables, il n'aime pas d'amour mais subit un attachement symbiotique, fait preuve d'un égocentrisme élargi. Freud pensait que la passion sexuelle est exclusive parce que la jalousie semble en être une partie intégrante. Nous constatons en effet que toutes les expériences de mariage de groupe échouent en raison de la difficulté que chacun éprouve, même avec la meilleure volonté du monde, à dominer l'égotisme sexuel. La jalousie masculine est différente de la jalousie féminine. Une femme devient l'extension du moi d'un homme comme son cheval ou sa voiture. Si on la lui vole, le délit est commis par le voleur et non pas par l'objet possédé. C'est pourquoi les hommes s'efforcent de restaurer l'image de leur moi en menaçant de violence ceux qui lorgnent leur femme ou dansent avec elle. Ce n'est pas la supposition que les femmes sont portées à la promiscuité qui provoque la jalousie des hommes dans notre société mais la supposition qu'elles n'ont, dans les rapports sexuels, qu'une attitude d'acquiescement passif. Il semble que les hommes flirtent souvent avec les femmes des autres par désir d'atteindre le mari et non pas par désir de la femme. D'où la ridicule rivalité de coqs qu'on observe encore dans la société anglo-saxonne du XXe siècle. Il y a des gens qui expriment leurs relations amoureuses en termes d'exclusivisme jaloux. « J'aime être près d'elle. Je n'ai pas particulièrement envie de faire la conversation. Mais je me sens terriblement malheureux lorsque je la vois en compagnie d'un autre (1). » Le langage d'une telle passion est toujours négatif : « Je n'ai jamais désiré que toi, tu es la seule femme que j'aie jamais aimée » est considéré comme une justification suffisante du droit de propriété. L'amant ne pouvant vivre sans son aimée, il faut qu'elle reste avec lui, même contre sa volonté. Et ceci est couramment qualifié d'amour. Tant que l'aimée reste, elle sera traitée avec générosité, mais si elle

(1) *Honey*, août 1969, « She Loves me Not ».

part, elle devient un objet de haine et de vengeance. Cette symbiose est fort bien illustrée par une histoire macabre parue dans les journaux italiens. Meo Calleri a enlevé Maria Teresa Novara de la maison de ses parents, à Asti, dans le Piémont, pour l'installer dans un sous-sol inconnu de tous. Il la ravitaillait en nourriture et journaux illustrés dans les marges desquels elle a tenu une sorte de journal qui décrivait les jours passés à attendre son amant. Il se tua dans un accident de voiture. Personne ne connaissait l'existence de son nid d'amour et la malheureuse prisonnière périt de suffocation en attendant vainement son geôlier, outrageusement maquillée, sur son lit. Elle ne pouvait littéralement pas vivre sans lui.

Pourtant, une réponse affirmative aux questions : « Êtes-vous convaincue que vous ne pouvez pas vivre sans lui ? » et : « Si vous le perdiez demain, pensez-vous que la vie n'aurait plus de sens et que vous n'éprouveriez plus jamais les mêmes sentiments pour quelqu'un d'autre ? » passe pour prouver, aux yeux d'un conseiller sentimental contemporain, qu'une femme est vraiment, profondément, amoureuse. Si les hommes considèrent la fidélité de leur femme comme un soutien nécessaire à leur moi et le cocufiage comme la pire des hontes, les femmes sont disposées à accepter l'infidélité par besoin de sécurité. Elles souffrent tous les tourments de la jalousie parce qu'elles ont peur d'être abandonnées, malheur qui ne leur semble que trop probable. Aucun homme ne s'attend à être abandonné avant

---

Envying stood the enormous Form, at variance with Itself
In all its Members, in eternal torment of love & jealousy

> Driven forth by Los time after time from
> Albion's cliffy shore
> Drawing the free loves of Jerusalem into
> infernal bondage
> That they might be born in Contentions
> of Chastity & in Deadly Hate between Leah
> & Rachel, Daughters of Deceit & Fraud
> Bearing the Images of various Species of
> Contention
> And Jealousy & Abhorrence & Revenge &
> Deadly Murder
> Till they refuse liberty to the Male, and not
> like Beulah
> Where every Female delights to give her
> maiden to her husband.

Blake, *Jerusalem*, pl. 69, 11-6-15.

(*Description de l'être humain déchu, déchiré entre
l'amour et la jalousie avec les perversions qui en
résultent.*)

---

qu'il en ait eu la preuve. Dans *Extraordinary
Women* de Compton Mackenzie, l'une des femmes
fait remarquer :

« Voltaire a dit qu'aucun homme ne peut imaginer
pourquoi une femme aurait envie de *coucher* avec
un autre que lui. Je pense qu'il aurait pu dire
également que passé un certain âge aucun homme
ne peut être tout à fait certain que la femme qui
couche avec lui veut coucher avec lui. Mais dès le
premier moment où une femme *couche avec un
homme* elle pense toujours qu'il veut *coucher avec
une autre femme* (1). »

L'homme est jaloux en raison de son amour-

---

(1) Compton Mackenzie, *Extraordinary Women* (Londres, 1967),
p. 107, les expressions en italique sont en français dans le texte.

propre ; la femme, parce qu'elle en manque. Un jeune homme qui voulait que je vive avec lui m'a répondu, lorsque je lui ai demandé s'il serait possessif ou pas, qu'il coucherait avec moi si souvent que je serais incapable de désirer un autre homme. C'est ce genre de présomption qui fait que l'homme ne peut supporter d'être trompé. La conviction des femmes qu'elles n'ont aucune possibilité de satisfaire ni de refréner la sexualité des hommes explique leur sentiment d'insécurité. Une femme est si consciente d'être appréciée en tant qu'objet, en fonction d'un stéréotype, qu'elle ne voit aucune raison qui empêcherait son compagnon de convoiter les seins qu'exhibe une de ses invitées, surtout si elle a peur que les seins en question soient plus conformes au stéréotype que les siens. Bien entendu, beaucoup de femmes parviennent à asservir sexuellement leur compagnon et la façon la plus facile d'y parvenir est de l'enchaîner par une perversion. Je me souviens d'une femme qui se vantait d'avoir au lit une qualité que je n'avais pas et en déduisait que c'était la raison pour laquelle un de nos amis communs l'aimait davantage qu'il ne m'avait aimée moi. Je découvris qu'elle éprouvait le besoin d'être battue et humiliée, ce qui avait obligé notre ami mutuel à raviver en lui-même une tendance dont il s'était toujours méfié. Il en était très malheureux. Les femmes sont toujours prêtes à remplacer l'association spontanée en vue du plaisir par la perversion car elle lie davantage. Il y a en Angleterre des centaines de cas de femmes qui consentent à s'affubler de cuir ou de caoutchouc, battent leur mari ou satisfont n'importe quel autre caprice parce que la compulsion sexuelle leur assure la sécurité.

Ce genre d'avilissement est parfois considéré par la femme comme une forme extrême d'altruisme, alors que, comme les autres formes d'altruisme féminin, il n'est que de l'égotisme déguisé. Les femmes abandonnées qui poursuivent leurs hommes en fuite, le visage ruisselant de larmes, en criant « tu ne peux pas me faire ça » révèlent que tout ce qu'elles ont offert au nom de la générosité et de l'altruisme n'était qu'une transaction qui devait leur rapporter une rémunération. La manifestation ultime de cet égotisme amoureux est la tentative de suicide, pratiquée par les deux sexes. Notre société encourage la substitution de la perversion au plaisir spontané, et tous les artifices qui permettent aux femmes de rendre l'homme dépendant et de limiter ses tendances au vagabondage sexuel et à l'instabilité. Mais si les moralistes incitent la femme à lutter indirectement contre les infidélités de son mari en se servant de son complexe de culpabilité pour cimenter la symbiose conjugale, ils permettent à l'homme d'exercer une surveillance et une restriction démesurées sur les activités de sa femme, même celles qui paraissent innocentes. On en trouvera un exemple dans presque tous les magazines féminins. Voici un extrait d'une lettre adressée à Evelyn Home, de *Woman*:

« Je me dispute encore avec ma femme au sujet d'une soirée à laquelle nous avons assisté il y a un an. Une semaine plus tard, un des hommes avec lesquels elle avait dansé lui a rendu visite pendant que j'étais à mon travail. A tort ou à raison, j'ai été m'en plaindre chez lui. Sa femme a ri et a dit que son mari n'avait fait qu'une visite amicale. Ma propre femme m'a fait une scène violente en affirmant que je pouvais lui faire confiance. Sinon, elle irait au lit avec le prochain visiteur afin que j'aie un motif réel de me tourmenter. Je prétends qu'une fois marié, aucun des conjoints ne doit recevoir de telles visites. Ai-je raison ou dois-je imiter le comportement de ma femme ? »

Le malheureux avait réfléchi à cette question

pendant un an. Sa femme a reçu la visite d'un homme pendant la journée et il rumine le fait pendant une année entière. Il a si peu d'estime pour elle qu'il discute de l'incident avec la femme de l'autre qui se moque de lui, de sa déloyauté, de sa présomption. Sa femme ne manifeste guère d'amour, car elle le menace au lieu d'aborder le fond de la question. Voilà ce qu'est le mariage, le fondement de notre société ! Mais Evelyn Home ne rejette pas cette moralité. Elle endosse les suppositions de cet homme concernant les amis de sa femme et donne à cette jalousie le nom d'amour.

« Comme vous n'admirez pas la conduite de votre femme, ne l'imitez pas. Mais demandez-vous pourquoi elle a accueilli favorablement les attentions d'un autre homme. Je ne doute pas que sa visite ait été purement amicale, mais votre femme a été manifestement ravie du compliment qui lui était fait. Lui dites-vous souvent que vous l'aimez ? Dans le cas contraire, faites-le dès aujourd'hui, car elle a besoin de reprendre confiance en elle-même. Pensez à la vie qu'elle mène. Ne vous ennuieriez-vous pas si vous étiez à sa place ? N'auriez-vous pas besoin d'activité intellectuelle ou d'autres intérêts ? Songez que c'est peut-être le cas de votre femme si vous voulez qu'elle demeure heureuse et fidèle. »

Les gens qui achètent des livres trouveront cela risible, en écartant ces comportements comme typiques d'une certaine civilisation, mais les ordinateurs prouvent que cette conception de la vie domestique est encore acceptée par la majorité des lectrices de magazines féminins.

Cet amour est exclusif. Tous les autres, même celui qui est donné aux enfants, provoquent de la jalousie. D'où la haine proverbiale de la belle-mère, qui montre comment le couple nucléaire se dissocie de l'ensemble de la machine sociale. C'est une répétition de la situation œdipienne qui engendre le complexe d'Œdipe chez les enfants, si bien que la famille devient le champ de bataille des Atrides pris dans le même filet qui s'infligent les uns aux autres une lente agonie. Les amants ne vivent que l'un pour l'autre et sont morts au monde. Un mort fait un bon employé, et sa femme-morte l'attend, oubliée par la société, dans leur mausolée de brique où ils continueront à se livrer à leur jeu de meurtre rituel, à coups de caresse, de sarcasmes, de brutalités, peu importe. Chaque homme tue ce qu'il aime, a dit Oscar Wilde, avec une irresponsabilité caractéristique. Les techniques que l'on emploie pour réduire les jeunes enfants à l'état de poupées ou d'infirmes sont utilisées dans l'amour conjugal pour achever l'unité égotiste. Le babil enfantin, qui va jusqu'à appeler le mari « papa » et la femme « maman » maintient la conversation au niveau d'imbécillité approprié.

Même entre les amoureux qui réussissent à éviter ce ridicule, l'égotisme se manifeste par l'accumulation de petits objets et de rites sentimentalement significatifs. Les objets, les lieux, les mots cocasses, les jeux sont autant de charmes magiques qui doivent les protéger contre toute intrusion du monde extérieur. L'égotisme des femmes est encore plus radical que celui des hommes car les femmes voient dans le manque d'égards pour leurs joujoux et leurs manies la pire manifestation d'insensibilité. Faire cadeau d'un de ces objets ou appeler une autre personne par un surnom consacré est l'équivalent d'une rupture : c'est impardonnable. Les expédients de l'égoïsme à deux finissent par provoquer la séparation des partenaires car là où il n'y a pas de liens visibles, rien ne peut être rompu.

Un des aspects le plus réfrigérant de l'égotisme amoureux est le désir de l'homme et de la femme

**J'aurais honte de la rendre à ses parents.
Je me ferai un chapeau de sa chevelure et je
transformerai ses os en mortier. Je ne lui
rendrai pas la liberté. Mais j'en épouserai
une autre.**

Mari déçu, Battak, Sumatra.

d'être fiers de leur partenaire. La plupart des
hommes désirent des femmes avec lesquelles ils
peuvent s'exhiber devant leurs amis bien que la
femme doive être subjuguée par un désir exclusif
pour son propriétaire. Une bonne partie de l'indignation que le mari ressent lorsque sa femme a
flirté avec d'autres hommes vient de ce que l'avantage d'avoir une femme jolie et désirable a été
dissipé par l'impression qu'elle donne de n'être pas
satisfaite de son maître. Le nombre des chansons
pour adolescents qui déplorent la légèreté des belles
femmes en souhaitant une poupée de papier que
les autres ne puissent pas voler montre à quel point
cette forme d'égotisme est répandue. Sitôt qu'un
homme a trouvé la femme de ses rêves, il s'empresse
de la montrer à ses amis. La femme y attache moins
d'intérêt car elle est prête à renoncer à ses propres
relations pour adopter celles de son compagnon.
Il n'y a de phénomène parallèle que lorsque la femme
est membre d'un groupe qui décrète que certains
hommes sont trop excentriques, trop tartignoles,
trop ternes, pour qu'on puisse se montrer avec eux
en public. L'affirmation que l'individu en question
a des qualités et des richesses cachées n'y changera
rien. Une femme démontre sa propre valeur à ses
sœurs en choisissant un homme séduisant qui a
socialement réussi. C'est probablement un aspect

de la sélection naturelle qui influence la recherche du partenaire dès le départ, et qui serait sain si les critères n'étaient aussi artificiels, aussi vulgaires, aussi commerciaux. Un homme, qui s'était éperdument épris de sa secrétaire au détriment de son mariage, m'a expliqué que sa secrétaire avait eu pour amants des hommes célèbres, qu'elle avait été hippie alors que c'était à la mode et qu'elle avait déménagé quand son quartier avait cessé d'être en vogue. Elle avait de longues jambes, de longs cheveux blonds, une silhouette élégante. L'érotisme n'avait pas de secrets pour elle. Comment aurait-il pu ne pas l'aimer ? Sa femme, qu'on lui avait enviée dix ans plus tôt, s'en tirait beaucoup moins bien (en partie pour avoir été mariée avec lui), donc il valait mieux pour tout le monde qu'il suive la mode. Les femmes aussi baignent dans la gloire du compagnon qu'elles ont choisi. Il serait absurde d'épouser un artiste célèbre en restant indifférent à son succès. Chacun désire que ses mérites soient reconnus, mais notre société serait meilleure si l'on y avait une conception plus diversifiée du mérite, et si chacun, au lieu de chercher à capter l'amour de l'autre, songeait à l'aimer. Conquérir et perdre sont des termes absurdes dans le cadre de relations amoureuses. Si nous cessions de considérer l'autre comme une conquête, nous cesserions de craindre que les liens du captif se relâchent ou que notre beauté se fane, et l'homme ne risquerait plus d'attraper un ulcère à l'estomac à l'idée de pouvoir être surpassé par un rival ou socialement diminué. Lillian Hellmann a aimé Dashiel Hammett toute sa vie et a continué à le faire après sa mort. Cet amour ne l'empêchait pas d'aimer d'autres gens, elle ne cherchait pas à le lui imposer quand il ne le désirait pas, ni à l'abaisser ou à le détruire, fût-ce par des compliments mensongers. Lorsqu'il fut mourant, elle était à ses côtés pour l'aider. Cette curieuse histoire d'amour à distance n'est qu'un exemple des multiples formes que pourrait revêtir l'amour si nous avions suffisamment d'imagination et de clairvoyance pour le sauver du stéréotype d'une société de consommation à l'agonie.

« Je sais aussi peu de choses de l'amour romantique qu'à dix-huit ans, mais je connais le profond plaisir de l'intérêt soutenu, de la curiosité passionnée de ce qu'un autre pense, fera ou ne fera pas, des tours qu'on se joue et de ceux dont on s'abstient, du lien fragile qui, au cours des années, devient câble d'acier et qui, dans mon cas, pend dans le vide, bien après que la mort l'a rompu. »

« C'est ainsi qu'il vécut avec moi pendant les quatre dernières années de sa vie. Ce ne fut pas toujours facile. Il y eut même de mauvais moments, mais nous éprouvions un plaisir inexprimé à constater que nous étant rencontrés il y a si longtemps, ayant gâché tant de choses et réparé quelques-unes, nous avions duré. Parfois, sentant que la mort n'était plus éloignée, je souffrais que cet aspect de nos relations n'eût jamais été pleinement affirmé ou du moins, le fût rarement. J'essayais parfois d'obtenir une assurance dont je pourrais me souvenir ensuite. Un jour je dis « nous avons été un couple réussi, n'est-ce pas ? »

Il me répondit : « Réussi est un terme trop ambitieux pour moi. Pourquoi ne pas nous contenter de penser que nous nous en sommes mieux tirés que la plupart des gens (1) ? »

Le signe distinctif de l'amour égocentrique, même lorsqu'il veut passer pour de l'altruisme, est une réponse négative à la question : « Est-ce que je

---

(1) Lillian Hellmann, *An unfinished Woman* (Londres, 1969), p. 278.

souhaite que l'être que j'aime soit heureux plus que je ne désire l'avoir auprès de moi ? » Sitôt que nous nous efforçons de nous rendre indispensables, en créant chez les êtres aimés une dépendance qui les rend vulnérables, nous devrions prendre conscience que notre amour a revêtu la forme socialement approuvée de l'égotisme. Chaque femme qui s'attache quotidiennement à se rendre séduisante, à mijoter les plats de son mari, à flatter son orgueil et son assurance au détriment de son sens de la réalité, à être son amie la plus intime à l'exclusion de tout autre être humain, et l'encourage à ignorer l'opinion publique pour ne puiser de réconfort que dans ses bras, le ligote avec des liens d'acier qui finiront par les étrangler l'un et l'autre. Chaque fois qu'une femme se force à rire des plaisanteries éculées de son mari, elle le trahit. L'homme qui dit à sa femme : « Que ferais-je sans toi ? » est déjà détruit. La victoire de son épouse est complète, mais c'est une victoire à la Pyrrhus. Tous les deux ont tellement sacrifié ce qui les rendait aimables à l'origine au profit de la symbiose de dépendance mutuelle qu'ils ne parviennent même plus à constituer à eux deux un être humain complet.

19

L'OBSESSION

On est amoureux comme on est traumatisé.
L'amour est donc à l'état présumé temporaire,
une aberration mentale.

Les symptômes extérieurs en sont l'insomnie,
l'exaltation, le manque d'appétit, des alternances
d'euphorie et de dépression, des yeux fébriles,
l'agitation.

L'explication essentielle de ce désordre mental,
qui amène l'individu à égarer des objets, à devenir
victime d'oublis, de confusions d'idées, et à manifester tous les symptômes de l'irresponsabilité, est
l'obsession de l'objet aimé, n'eût-il été vu qu'une
fois de loin. L'objet aimé occupe en permanence
toutes les pensées de la personne dont on affirme
qu'elle aime, bien qu'en général elle sache peu de
chose à son sujet. Elle lui attribue toutes les qualités
qu'elle apprécie le plus, qu'il les possède ou non.
Elle en attend plus qu'aucun être humain ne peut
donner. Il en résulte que l'objet aimé joue un rôle
particulier par rapport au « moi » de l'obsédé qui
décide qu'il est la seule personne qui lui convient.
Dans le cas de l'homme, cette conviction justifie
un comportement agressif soit dans la poursuite
de l'objet, soit dans l'éviction des rivaux. Dans le
cas de la femme, aucun comportement agressif
n'étant possible, il est probable que l'obsession se
traduira par une tendance à ruminer, des accès

de mauvaise humeur, l'attente de la sonnerie du téléphone, le désir de parler de l'objet aimé avec d'autres femmes, et même une attitude de froideur ou de mépris pour attirer l'attention de l'homme en question.

Autrefois on pensait que cet état s'emparait de l'individu dès la première rencontre :

« **Whoever loved that loved not at first [sight? »**

Christopher Marlow, *Hero and Leander*, vers [178.

(*Quel est l'amant qui n'a aimé au premier regard?*)

Toutefois, cette attaque brutale de la maladie semble avoir été une caractéristique de l'amour illégitime. Depuis que l'obsession est devenue le fondement du mariage, on a observé une évolution plus progressive d'états chroniques. On supposait que la cause de la maladie était un échange de regards fatal avec l'objet aimé, décrit comme une flèche de Cupidon transperçant le cœur de la victime pour y laisser une blessure qui s'envenime et se révèle inguérissable. Dans des cas extrêmes de passion destructrice, on a cherché des explications plus compliquées comme Phèdre qui se croit victime de Vénus.

« **Ce n'est plus une ardeur dans mes veines [cachée : C'est Vénus tout entière à sa proie attachée. »**

Racine, *Phèdre*.

Cette imagerie fait fréquemment appel au feu, celui du désir qui consume et celui de la frustration qui dessèche. On supposait que toute tentative de surmonter cet état, en évitant l'objet qui le provoquait ou en essayant de dominer la passion par la volonté, ne faisait que couvrir le feu qui continuait à brûler sous les cendres pour flamboyer avec une intensité accrue. L'amour ne pouvait être tenu sous clef. Il en résultait que tomber amoureux était un terrible malheur qui impliquait inévitablement la ruine d'un ménage jusqu'alors stable et l'immolation de soi dans l'ardeur d'une passion irrationnelle. Racine décrit l'amour comme un mal, dans les deux sens du terme, moral et physiologique.

On retrouve cette imagerie dans les chansons sentimentales. Les classiques du genre sont pleins de cœurs qui battent à se rompre, d'yeux éblouis par une lumière céleste, à moins qu'ils ne soient aveuglés par la fumée de cette chaudière de passion qu'est le cœur. Les amants ne trébuchent pas, personne ne les pousse. Ils tombent d'eux-mêmes, éperdus d'espoir et pathétiques, dans la langueur enivrante d'une caresse. Ils ont une agréable sensation d'étrangeté, il semble qu'ils soient en proie à une douleur réconfortante, ou frictionnés par un gant de velours. Ils soupirent, ils s'affligent, ils ont des accès d'étourdissement. S'ils y échappent, tout leur plaisir est de regarder la personne aimée dans le blanc des yeux.

L'ironie suprême est que la ménagère, vaquant à ses mornes travaux, fredonne inconsciemment les niaiseries de ces chansons sentimentales. Combien d'entre elles réfléchissent aux conséquences réelles du fait que l'amour rend aveugle ? Que reste-t-il du rêve lorsque le cœur n'est plus en feu et qu'aucune fumée ne vous aveugle plus sur les réalités banales de la situation ? Mais cela, aucune chanson n'en parle.

Une autre chanson affirme ironiquement que le chanteur n'est pas amoureux, puisqu'il ne soupire pas, ne s'afflige pas, n'a pas d'accès d'étourdissement. Sommes-nous si loin de Roméo décrivant dans le langage de la convention sa passion pour une femme qu'il ne connaît pas et qui est totalement indifférente à ses avances?

Love is a smoke rais'd with the fume of
                                          sighs;
Being purg'd a fire sparkling in lovers' eyes;
Being vex'd, a sea nourished with lovers'
                                          [tears.
What is it else? a madness most discreet,
A choking gall, and a preserving sweet.

William Shakespeare, *Roméo et Juliette*, acte I, scène I.

L'amour est la buée de nos soupirs.
Satisfait, c'est un feu qui étincelle dans les yeux des amants.
Contrarié, c'est une mer nourrie de leurs larmes.
Qu'est-il encore? Une folie des plus sages.
Un fiel qui étouffe, une douceur qui vivifie.

Cette attitude, éminemment logique lorsqu'il s'agissait de passions adultères, survit dans l'imagerie de l'amour entre époux. On continue à affirmer que l'amour est aveugle, à la façon de Cupidon représenté traditionnellement les yeux bandés. Toutefois, cette cécité est généralement interprétée comme le refus de celui qui aime de voir la personne aimée d'une façon réaliste et, particulièrement, de discerner ses défauts.

L'incapacité de la volonté et de la raison de venir à bout du phénomène s'exprime dans les qualificatifs dont on l'accompagne. On est « éperdument », « follement » amoureux. Il ne vient apparemment à l'esprit de personne de penser qu'on peut l'être lucidement, avec tendresse et constance. Les observateurs ne s'accordent pas sur l'autovaccination qui résulte de la maladie. Certains prétendent qu'on n'aime vraiment qu'une fois, d'autres que c'est la seconde qui est la bonne, les troisièmes que la première fois est seule authentique, le reste qu'ils tombent amoureux une fois par semaine ou tous les jours.

« Sex is a momentary itch
Love nevers lets you go. »

Kingsley Ami, An Ever-fixed Mark, *Erotic Poetry*, éd. William Cole (New York, 1963), p. 444.

(*La sexualité est un tourment momentané, l'amour, lui, est éternel.*)

La particularité de la maladie est d'être incurable. C'est pourquoi, lorsque des adolescents amoureux doivent être séparés parce qu'ils sont trop jeunes ou mal assortis, il ne reste qu'à nier qu'ils en sont affligés. On prouve que leur « amour » n'est pas du véritable amour parce qu'ils sont trop jeunes pour l'éprouver.

Pendant mon adolescence, Nat King Cole a obtenu un extraordinaire succès avec une chanson ironique et déchirante sur un couple entouré d'ennemis qui ne cessaient de répéter aux partenaires qu'ils étaient trop jeunes pour être véritablement amoureux, que l'amour n'était qu'un mot qu'ils avaient entendu — comme tous les autres concepts auxquels nous croyons. L'argument des rabat-joie était manifestement fallacieux, car, à le vérifier par l'expérience, ils n'auraient d'autre choix que d'aimer. La conclusion de la chanson, que l'amour du jeune couple serait durable, n'est pas plus convaincante. Comme on ne peut pas démontrer que l'amour existe, on ne peut pas non plus démontrer qu'il est authentique. L'avantage de nier son existence dans un cas particulier c'est qu'il est impossible de réfuter cette négation bien que, comme l'insinue la chanson, elle ravivera probablement le mythe de l'amour adolescent persécuté, une variation autour du thème d'Aucassin et de Nicolette, alimentée par l'esprit de contradiction.

La méthode de diagnostic varie. Les observateurs fondent leur jugement sur l'agitation du sujet, la diminution de son attention et de son efficacité, ou un intérêt indu pour l'objet aimé s'exprimant par la curiosité ou la spéculation. Il faut néanmoins remarquer que ces observateurs sont eux-mêmes attachés à la détection de l'amour, parce qu'ils en tirent satisfaction tout autant que des voyeurs si bien qu'ils contribuent souvent à créer de telles situations. On aime toujours quelqu'un qui aime. La victime peut décider qu'elle a contracté la maladie en raison de l'intensité de ses réactions lorsqu'elle espère voir l'objet aimé, qu'il est en vue, ou qu'il ne vient pas. Elle sera obsédée par l'omniprésence de son image mentale dans ses rêves, au moment des repas, au cours de discussions portant sur un sujet tout différent. Si cet amour n'est pas partagé, les symptômes diminuent ou sont transférés sur un autre objet, à moins qu'ils ne s'intensifient jusqu'à se transformer en torture. Cela dépend en grande partie de l'attitude du malade à l'égard de sa maladie. Plus il est masochiste et doute de sa compétence à conquérir l'objet aimé, plus il sera porté à se consumer dans la solitude. L'objet aimé, inconscient de la tempête qu'il a déchaînée dans l'âme de l'autre, en sera pourtant tenu pour responsable et accusé de cruauté ou d'ingratitude envers une personne qui lui veut du bien. Si celui qui aime commet un acte d'agression contre l'objet aimé pour se venger de son indifférence, les juristes se montreront indulgents à son égard, particulièrement si l'objet est considéré comme indigne. Si l'on refuse ce privilège à la passion, on s'en justifiera en affirmant que ce n'était pas de l'amour, mais une concupiscence vindicative.

En général, on estime que les femmes ne doivent parvenir à cet état d'obsession que lorsqu'il a été délibérément provoqué par l'homme. Malheureusement, l'amour étant présenté comme un état désirable, rendu prestigieux par l'accumulation des témoignages, il semble que les adolescentes passent beaucoup plus de temps dans les affres de la passion que les jeunes gens. La mythologie populaire n'en maintient pas moins que les filles réagissent aux hommes qui leur font la cour et à la contagion de l'amour. Le révélateur en est le tout-puissant baiser.

« C'était la première fois qu'on m'embrassait et j'en ai été bouleversée et transportée. Il y avait longtemps que j'étais folle de Mark. Lorsque nous nous sommes embrassés, j'ai compris qu'il m'aimait aussi (1). »

On est fou de quelqu'un et le contact des lèvres et des langues provoque un transport. Pourtant, dans le cas cité, l'amour n'était pas authentique en dépit de la similitude des symptômes. Betsy venait d'être embrassée par Mark, « le meilleur athlète de l'école et le garçon le plus riche de la ville. Quelle chance pour moi ! » Mais elle avait un meilleur ami en Hugh, son voisin, qui la met en garde contre l'arrogance et l'égoïsme de Mark. Au cours de la

(1) *Sweethearts* vol. II, n° 57, décembre 1960, « Kisses can be False ».

seconde rencontre, Hugh, prenant son courage à deux mains, fait sa déclaration à Betsy et la prend dans ses bras. « Lorsqu'il m'a embrassée, mon cœur s'est mis à battre à coups redoublés, et j'ai été prise d'un sentiment que je ne peux pas exprimer, l'impression de marcher sur des nuages. » C'est apparemment de l'amour authentique. Du moins, la conclusion l'affirme : « Je m'étais trompée, et je m'en suis rendu compte lorsque j'ai pu comparer. L'amour n'est pas toujours ce qu'il semble être et les baisers peuvent tromper. »

Les sensations provoquées par les deux baisers ne peuvent pas être clairement distinguées. Dans les deux cas elles sont décrites avec des termes qui conviendraient davantage aux effets de la drogue : battements de cœur, bourdonnements d'oreille, jambes flageolantes. En fait, l'amour est la drogue dont la mythologie populaire enrobe la sexualité. La sexualité sans amour est considérée comme la satisfaction grossière d'un besoin animal. Avec l'amour, elle devient extatique et transcendantale. La fonction de l'amour est manifestement une autosuggestion qui modifie les réactions sexuelles corticales, ce qui est probablement le cas. Il n'en reste pas moins que Betsy ne peut distinguer les deux baisers que pour des motifs politiques. Il est en effet souhaitable qu'elle épouse un homme de sa propre classe sociale et il n'y aurait aucune objection contre cette politique si elle était exprimée clairement au lieu d'être drapée dans les sornettes de cette comparaison entre deux baisers non identiques. Dans les deux cas, les critères sont ceux de l'hallucination plus que des motifs raisonnables de se marier. Tout repose sur des réactions égocentriques et non pas sur la communication de deux personnes qui s'interrogent sur leurs sentiments.

Cette confusion est caractéristique de toute la littérature qui décrit l'amour « véritable ». Les préjugés sentimentaux font qu'on ne croit pas que l'amour puisse être soumis à l'action de la raison et de la volonté cependant que la passion anarchique suscite la méfiance. En général, comme dans l'exemple que nous venons de citer, le mariage le plus approprié, au lieu d'être qualifié de raisonnable, est présenté comme le plus excitant. La différence sociale entre l'amour réel et l'imaginaire, qui sont tous les deux un composé de désir sexuel et de fantasmagorie, est que l'amour réel conduit au mariage. Pourvu qu'il en soit ainsi, on accepte une diminution marquée du niveau d'excitation, mais sans l'admettre officiellement. L'adultère et la fornication restent plus excitants que les relations conjugales, mais notre culture nous oblige à soutenir le contraire. La publicité du livre de Taylor Caldwell, *Let Love Come last*, aborde, entre autres thèmes, la question « Est-ce un péché que de se marier avant de tomber amoureux ? » Paradoxalement, l'amour sanctifie à la fois le mariage et les liaisons illégitimes. L'amour triomphe de tout.

L'irrationalité de l'amour est célébrée avec attendrissement par la littérature populaire dans les histoires de femmes qui renoncent à l'ambition et aux froides satisfactions de leur carrière pour l'amour chaleureux et pressant d'un mari. La brillante directrice commerciale X résiste pendant des mois à l'amour du jeune représentant de commerce Y jusqu'à ce qu'il lui manifeste de la froideur et qu'elle devienne jalouse. Après cela, il a un accident et elle l'accompagne en ambulance jusqu'à l'hôpital. Après tout « quand l'amour vous appelle, qui peut lui résister ? »

L'amour est soit assimilé à une fonction humaine nécessaire (l'appel de la nature) soit à une entité exigeant l'accomplissement d'un devoir agréable, autrefois personnifiée par un dieu. Néanmoins, le but des crises psychologiques décrites par la littérature sentimentale est de révéler aux victimes inconscientes qu'elles sont amoureuses, un peu comme un lépreux découvrirait son mal en vidant une casserole d'eau bouillante sur son pied engourdi. Ce genre de test peut être utile, et même recommandable dans le cas de personnes qui doutent qu'elles sont vraiment amoureuses. « L'amour n'est jamais vraiment l'amour tant qu'il n'a pas subi l'épreuve de la réalité. » Un essai de séparation peut démontrer si une obsession est durable ou pas. Certains experts de cette thérapeutique ont mis au point un questionnaire auquel le malade doit répondre, mais le procédé est peu concluant. Les questions vont de « s'il vous quittait, pourriez-vous encore supporter la vie ? » à « trouvez-vous qu'il a mauvaise haleine ? » Un autre procédé consiste à expliquer à l'amoureux transi ce que l'amour n'est pas, sans préciser, hélas ! ce qu'il est.

« L'amour n'est pas une simple excitation, un plaisir passager. Ce n'est pas un moyen d'échapper à la solitude et à l'ennui, ni une association confortable en vue d'un profit mutuel et de considérations pratiques. Il n'est pas un sentiment unilatéral et il ne suffit pas de le vouloir ou de le désirer pour qu'une inclination devienne réciproque. »

L'adolescent qui s'efforce de mettre en pratique ces procédés empiriques est excusable s'il se sent désorienté. Beaucoup de poètes ont brûlé d'un amour unilatéral. L'établissement de la parité en amour est impossible. Il est difficile de savoir si un plaisir est passager avant qu'il ne soit passé. Et si l'amour n'est pas un moyen d'échapper à la solitude et à l'ennui, ni une association en vue d'un profit mutuel, on ne voit plus en quoi il est désirable. La description positive fournie par le même auteur est tout aussi déroutante :

« L'amour revêt beaucoup de formes. C'est la réaction satisfaite du petit enfant auquel on témoigne de l'attention et de la tendresse et la curiosité affectueuse de l'enfant plus âgé. C'est l'enjouement des adolescents et leurs romantiques envolées d'imagination. C'est le sentiment de vénération qu'éprouvent l'un pour l'autre des époux parvenus à la plénitude sentimentale... L'amour est délicat, insaisissable et avant tout, spontané. Il se nourrit d'honnêteté, de sincérité, de naturel, associés au sens de la responsabilité mutuelle et à la sollicitude. Au début, il surgit de lui-même, mais il ne peut prospérer et durer que si le cœur et l'âme se donnent pleinement et sans détours (1). »

Affirmer que tomber amoureux est une raison suffisante pour se marier, c'est une tentative de réagir contre le mythe fallacieux. Mais elle n'est pas convaincante. Une prise de position aussi vague ne peut rien contre le prestige des poèmes d'amour. L'illusion de l'amour psychédélique qui transfigure le monde, met des étoiles dans les yeux, vous transporte, vous transperce le cœur des flèches de Cupidon, ne sera pas dissipée par une prose aussi terne. La folie magique conserve son pouvoir compulsionnel sur notre esprit. La femme d'un veuf se demande si son mari était très amoureux de la rivale morte. Du mari qui a tué sa femme infidèle, on dit « il en était fou » et le jury proclame que c'est une circonstance atténuante. « Je savais que c'était un meurtrier, mais je l'aimais », déclare la femme qui épouse un condamné. Il n'est jamais question que d'amour alors que ce jargon masque l'égotisme, l'appétit sexuel, le masochisme, les fantasmes les plus divers, traduits en hypocrisie sentimentale et aboutissant à un magma de souffrances et de joies dont la source est purement narcissique. Les

(1) *Datebook's Complete Guide to Dating,* publié sous la direction d'Art Unger (New Jersey, 1960), p. 89.

personnalités réelles disparaissent sous la convention de la cour amoureuse, des baisers, des rendez-vous, du désir, tandis que l'alternance des querelles et des compliments meuble l'aridité de leurs relations. Nous ne sommes pas faits pour nous idolâtrer les uns les autres et pourtant, la cour amoureuse n'est que de l'idolâtrie. Les jeunes gens d'aujourd'hui ne déploient plus, semble-t-il, la servilité contre laquelle protestait Mary Astell au XVIIᵉ siècle. Mais la folie mystique de l'amour engendre le même halo de pacotille et fait naître les mêmes espoirs qui se dissipent sitôt que la nouvelle épousée devient capable « de considérer avec sang-froid sa condition ». Au XXᵉ siècle, une féministe comme Ti-Grace Atkinson dit la même chose d'une façon plus brutale : « L'amour est la réaction de la victime à un viol. »

Cette description ne rend pas compte de toutes les formes d'amour. Elle n'est que celle de l'obsession dévastatrice dont sont victimes les héroïnes des grandes histoires d'amour, que ce soit celles des bandes dessinées ou celles des romans cartonnés consacrés aux affres de la passion. Il faut que les femmes prennent conscience que cette mythologie grossière de l'amour a pour fonction de les inciter à une initiative irrationnelle qui les détruira. L'obsession n'a rien à voir avec l'amour qui n'est pas pâmoison, possession, manie, mais « un acte de connaissance, la seule façon de saisir ce qu'il y a de plus intime dans une personnalité (1) ».

(1) O. Schwarz, *The Psychology of Sex* (Londres, 1957), p. 20.

20

L'AMOUR ROMANTIQUE

Peut-être n'est-il plus vrai que les jeunes filles rêvent d'être amoureuses. Peut-être que la révolution pop, qui a substitué le désir physique à la sentimentalité en incorporant de force l'éthique sexuelle des blues urbains à la culture créée par la jeunesse pour son propre usage, aura un effet considérable sur les mœurs sexuelles. Peut-être les jeunes filles ont-elles remplacé par une bataille sexuelle réelle les fictions romantiques de mon adolescence. Néanmoins, ce n'est pas certain. L'enquête du Pr Peter Mann, de l'université de Sheffield, révèle que des femmes dont l'âge va de vingt-cinq à quarante-cinq ans lisent encore avidement des romans sentimentaux, particulièrement les ménagères et les secrétaires. Certaines achètent jusqu'à quatre-vingts livres par an. Le marché est plus grand qu'il ne l'a jamais été. Le romantisme n'est pas mort, s'exclame victorieusement le *Woman's Weekly*, « célèbre pour sa fiction » en août 1969.

« Malgré les libertés dont ils jouissent, la majorité des jeunes d'aujourd'hui continuent à entretenir les mêmes rêves que leurs aînés, à trouver la vie aussi riche d'aventures et à respecter ses valeurs les plus hautes... Kathy, ce soir-là, sur la pelouse, semblait poser pour l'illustration d'une histoire d'amour victorienne. Sa robe blanche, d'un tissu diaphane, était boutonnée jusqu'au cou et retombait sur ses ballerines de satin noir. Un ruban de velours noir ceignait sa taille mince et elle portait une chaîne d'or avec un médaillon. Sa chevelure noire était partagée par une raie médiane... « Elle se rend à son premier bal », m'expliqua sa mère. « Elle déborde de surexcitation »... Pour chaque fille reniflant mélancoliquement de la marijuana dans une discothèque obscure il y a des milliers de Kathy surexcitées à l'idée d'endosser leur première robe de bal. »

Voilà ce qu'est apparemment l'amour romantique. L'emphase avec laquelle l'auteur de l'article, un homme, décrit l'accoutrement de la jeune fille, est typique de cette mythologie. Le bal est une cérémonie sacrée, où Kathy paraîtra dans toute sa gloire afin d'être courtisée et adorée. Son jeune compagnon, ensorcelé, la suivra en titubant, vêtu d'un smoking austère, pressera sa main fraîche, enlacera sa taille frêle, pour faire virevolter cette créature désarmée d'un bout à l'autre de la piste de danse. Il lui fera compliment de sa beauté, de la grâce avec laquelle elle danse, et la remerciera pour cette soirée inoubliable.

Les débutantes, en blanc virginal, font encore leur entrée dans le monde chaque année en faisant la révérence devant la reine, le maire, l'évêque, ou toute autre autorité, les yeux modestement baissés. Les jeunes gens les invitent poliment à danser et les jeunes filles acceptent gracieusement, à moins qu'elles ne cherchent un prétexte pour les éconduire dans l'espoir que quelqu'un de plus séduisant se présentera. Leurs admirateurs devraient leur offrir des fleurs. Mais chaque fille espère qu'il se produira quelque chose de plus excitant, de plus romantique que le mécanisme social prévu. Peut-être qu'un homme terriblement fascinant les serrera plus fort que les autres et respirera le parfum de leur chevelure. Peut-être qu'après le souper, lorsqu'ils se promèneront sur la terrasse, il perdra le souffle, ébloui par sa beauté et la splendeur de ses yeux insondables. Son cœur battra, elle rougira délicieusement. Il dira des choses merveilleuses et se montrera étrangement tendre et passionné. Peut-être la soulèvera-t-il de terre dans ses bras, d'une vigueur irrésistible. Il ne s'ensuivra rien de plus qu'un baiser sur les lèvres. Pas d'étreintes et de caresses vulgaires. Rien que des bras robustes qui la protègent contre la grossièreté du monde, et la chaleur de ses lèvres qui la fera frémir exquisément.

Dans l'univers du romantisme sentimental, on ne s'embrasse jamais avant de s'aimer à moins qu'un vil séducteur ne cherche à duper une innocente jeune fille, l'espace d'un moment, car un héros chevaleresque et omnipotent ne tardera pas à voler à son secours. Le premier baiser est le symbole de l'extase, de l'échange des cœurs, d'un mariage imminent. Sinon il est *mensonger*. C'est grossier et absurde, pourtant c'est le mythe classique de la presse du cœur. L'état que le baiser est censé provoquer est en réalité dû à l'imagination car peu de lèvres sont douées de telles capacités électriques et psychédéliques. Plus d'un jeune homme, en essayant de comprendre sa petite amie, a été déconcerté par son ivresse extatique pour s'apercevoir ensuite qu'il se trouvait encombré d'une relation passionnelle non désirée et compulsionnellement asexuée.

La fille s'imagine que lorsque l'amour fera irruption dans sa vie ce sera merveilleux, inoubliable, sublime. Ce sera comme Mimi et Rodolphe chantant des arias parfaites dès leur première rencontre. Peut-être ne s'éprendront-ils pas l'un de l'autre tout de suite. Ils éprouveront une tendresse croissante jusqu'au jour où interviendra miraculeusement ce prodigieux baiser. Il doit naturellement s'ensuivre de continuelles manifestations de tendresse, d'estime, de flatterie, de sensibilité, de la part de l'homme qui sera galant et chevaleresque en toutes circonstances. Le héros romantique sait comment traiter les femmes. Il leur adresse des fleurs, des petits cadeaux, des lettres d'amour, peut-être des poèmes célébrant la beauté de leur chevelure et de leurs yeux. Il leur offre des dîners à la chandelle sur une terrasse inondée de lune avec accompagnement musical assourdi. Rien de précipité, de physique. Quelques embarras de respiration. Des lèvres brûlantes pressées sur son corsage. Des mots tendres murmurés dans ses cheveux luxuriants. Les petites choses ont beaucoup d'importance. Ses chocolats favoris, des petits noms d'amitié, un cadeau pour son anniversaire, la commémoration de leur rencontre, des jeux niais. Et puis les détails absurdes qui se graveront dans l'esprit de l'amoureux, le parfum de la bien-aimée, son foulard, ses dessous froufroutants, ses mouchoirs en dentelle, les petits chats qu'elle tient sur ses genoux. Le mystère, la magie, le champagne, les attentions courtoises, la tendresse, la surexcitation, l'adoration, la vénération, les femmes en sont insatiables. La plupart des hommes ignorent tout de cette fantasmagorie féminine parce qu'ils ne lisent pas la même littérature et ne sont pas exposés au commerce du romantisme sentimental. L'homme qui étudie ce comportement afin de plaire aux femmes, que ce soit par désir sexuel ou cupidité, est en général redouté et méprisé par ses congénères qui le soupçonnent d'être ambivalent. Les coiffeurs et les esthéticiens étudient les faibles de leurs clientes et flirtent délibérément avec elles, leur faisant les compliments qu'elles désirent entendre et suggèrent qu'elles méritent mieux que la médiocrité domestique qu'elles sont obligées de supporter.

Les publications de la presse du cœur sont largement diffusées en Grande-Bretagne. *Jackie,* qui s'adresse à des adolescentes de dix à seize ans, atteint le million d'exemplaires. Les héroïnes sont plus élancées qu'autrefois, elles arborent des minijupes, des crinières indisciplinées, des cils charbonneux. En général, elles évitent la niaiserie psychédélique du baiser. Les hommes sont d'une séduction diabolique, à la façon des libertins de romans-feuilletons. Élégants et impassibles, ils fixent les femmes éperdues avec une virilité qui se traduit par une mâchoire de granit. Le curieux de cette littérature, c'est l'importance donnée à des objets servant de fétiches. Le romantisme sentimental semble dépendre de disques, de livres, de babioles et, dans un cas qui relève presque du surréalisme, d'un banc dans un parc. Kate et Harry s'aiment. Ils s'asseoient sur le banc d'un parc et échangent des déclarations du genre — « O, Kate je vous aime plus que tout au monde. » — « Et moi je vous aime plus que tout le reste de l'univers, chéri. » Le banc finit par prendre une importance énorme dans leurs relations. Lorsque le conseil municipal décide de le supprimer, Kate se précipite dans le bureau de Harry, à la mairie, pour exiger qu'ils s'opposent à cette action horrible en demeurant assis sur le banc. Harry s'exécute jusqu'à ce que son supérieur, l'inspecteur du cadastre, le menace de renvoi s'il s'obstine. Harry cède, laissant Kate seule pour défendre le banc. Elle y voit la preuve de son inconstance. Mais un de ceux qui sont chargés de déménager le banc, manifestement un amant de valeur en raison de sa mâchoire de granit et de sa coiffure byronnienne, prend la place de Harry à côté d'elle. « Nous sauverons ce banc pour vous et pour tous les amoureux à venir. » La dernière image montre l'héroïne regardant son sauveteur avec des yeux noyés de larmes, sa bouche infantilement boudeuse à un cheveu de son profil prognathe. « Mais vous allez perdre votre emploi pour rien. Croyez-vous vraiment que nous pouvons triompher? » dit sa bulle. « Je suis sûr que nous triompherons », affirme la bulle de l'homme, « tout est possible lorsque les gens le veulent vraiment et aiment suffisamment. Essayons... ».

Le héros de ce type de roman est dominateur, manifestement supérieur à la bien-aimée par un ou plusieurs aspects, plus âgé, d'un rang social plus élevé, ou du moins plus intelligent et plus au courant de la vie. Il est autoritaire mais plein de sollicitude pour la dame de ses pensées, qu'il protège et guide à travers les embûches de la vie avec un paternalisme évident. Il peut être sévère et même distant, voire rébarbatif. Les héroïnes finissent toujours par l'attendrir à force de modestie et de beauté, auxquelles s'ajoute l'effet ensorcelant de leurs atours. C'est un homme qui a souffert d'une déception sentimentale ou qui méprise les femmes. Néanmoins, le feu de la passion couve sous la surface, bien qu'il le domine par tendresse et avec une compréhension infaillible pour les besoins affectifs de l'héroïne. Le modèle de ces héros est romantique dans le sens historique du terme car il a probablement sa source en Rochester, Heathcliff, Mr Darcy et Lord Byron. Malheureusement, le bon sens de Jane Austen et des sœurs Brontë est éclipsé par la sentimentalité de Lady Caroline Lamb. Georgette Heyer, en exploitant délibérément le succès sexuel du héros byronnien, a créé l'archétype de l'âge du plastique, Lord Worth. C'est un bel exemple de stéréotype, auquel tous les héros de fiction sentimentale ressemblent plus ou moins.

« Il était le modèle de l'homme à la mode. Miss Taverner dut admettre que c'était un homme très séduisant, mais détesta aussitôt sa physionomie. Il avait l'air d'être imbu de lui-même. Ses yeux, qui la dévisageaient ironiquement de dessous les paupières blasées, étaient les plus durs qu'elle eût jamais vus et ne trahissaient aucune émotion mais de l'ennui. Il avait le nez trop rectiligne pour son goût. Sa bouche était bien dessinée et ferme, mais les lèvres étaient minces. Elle crut y lire du sarcasme...

« Le pire était son indifférence. Il ne manifestait ni satisfaction d'avoir habilement évité un accident, ni regret de voir l'état du cabriolet. Il avait merveilleusement conduit. Il devait y avoir une force insoupçonnée dans les mains élégamment gantées qui tenaient les rênes avec une telle affectation d'insouciance. Mais pourquoi, au nom du ciel, éprouvait-il le besoin de se donner cette allure de dandy ? »

Rien de ce qu'un tel homme peut faire ne saurait être banal. Avec des paupières aussi blasées ! Avec ces traits patriciens et ce dédain aristocratique qui ont ouvert à Childe Harold les portes de la bonne société, et la menace excitante d'une force insoupçonnée ! Il est à remarquer qu'il existe surtout grâce à son élégance, Brummell est de ses amis, mais comment pourrait-il ne pas être ému au spectacle de l'héroïne ?

« Elle aurait préféré avoir des cheveux noirs. Elle trouvait ses boucles blondes insipides. Par bonheur, ses sourcils et ses cils étaient foncés et ses yeux, d'un bleu lumineux (à la façon de ceux des poupées de cire, avait-elle dit avec dédain à son frère) avaient une expression de sincérité et un feu qui donnaient beaucoup de caractère à son visage. Au premier abord, elle faisait l'effet d'une figurine de Dresde mais aussitôt après on découvrait l'intelligence de son regard et l'expression résolue de sa bouche. »

Bien entendu, l'intelligence et la résolution de l'héroïne demeurent heureusement confinées dans ses yeux et l'expression de sa bouche. Mais elles sont le prétexte de son vilain comportement à l'égard de Lord Worth — la plus excitante des relations —, devenu son jeune tuteur, à la suite d'un imbroglio ingénieux. Lui, la surprenant en cette délicieuse tenue « une simple robe de percale, festonnée de dentelles et une mante de taffetas » dans l'acte impudique d'extraire un caillou de sa chaussure, ce qui l'oblige à cacher précipitamment son pied déchaussé sous sa jupe, la soulève de terre et la jette dans son cabriolet (à ce stade, ils ignorent la nature du lien qui existe entre eux). Puis s'emparant de la chaussure sans qu'elle songeât à résister, il l'approche calmement de son pied afin qu'elle puisse l'enfiler. Pour exciter davantage sa charmante indignation, il l'embrasse. A ce rythme conquérant, le roman risquait de n'avoir que vingt pages. Par bonheur, Worth, en tant que tuteur, est un homme à principes, qui ne séduit pas sa pupille. Avec son aide, froide et sévère, elle devient la beauté de la saison, courtisée par tous mais n'en aimant aucun (excepté lui). Elle a quatre-vingt mille livres de rentes par an, ce qui est le motif de l'intérêt que lui manifestent les uns, celui des autres étant un désir lubrique. Le plus remarquable d'entre eux est le prince de Galles dont les avances sont si répugnantes qu'elle s'évanouit pour être ranimée et ramenée chez elle par son invincible père-amant, le seul à l'aimer sans basse convoitise ni cupidité car il est fabuleusement riche, et aussi constant que robuste. Il la protège tout le temps, même lorsqu'elle ne s'en aperçoit pas, jusqu'à sa majorité, où, après l'avoir longuement dévisagée, il la serre dans ses bras. Georgette Heyer, par discrétion ou pruderie, s'abstient d'exploiter la sexualité. Barbara Cartland, elle, accumule les descriptions de baisers, ce qui révèle beaucoup plus clairement la préoccupation essentielle de la littérature sentimentale. Dans *The Wings of Love*, l'intérêt amoureux est partagé entre deux hommes. L'un,

Lord Ravenscar, est un viveur quadragénaire qui convoite le corps frêle de la ravissante Amanda et lui impose de force ses répugnantes importunités.

« Son étreinte se resserra. Ses lèvres s'attachèrent aux siennes comme un étau (*sic*). Elle sentait la passion monter en lui comme une flamme démoniaque. Et soudain, il la souleva dans ses bras.

« — Amanda, dit-il d'une voix rauque, que le diable m'emporte, pourquoi attendrions-nous ?

« Ses lèvres charnues se collaient à ses yeux, ses joues, sa gorge. Elle sentit qu'il la déposait sur le sofa tandis qu'elle luttait vainement pour se redresser, en mesurant sa totale impuissance. Elle entendit le fichu de sa robe se déchirer entre ses mains (1). »

C'est cette héroïne totalement désarmée qui est l'élément le plus important de l'histoire. Elle est incapable de se défendre contre un viol car comment une créature aussi délicate aurait-elle l'idée d'envoyer un coup de pied à un pair du royaume en proie à la passion ? Elle réagit tout aussi passivement devant des formes plus agréables de conquête sexuelle, vis-à-vis du second homme, le héros qui la protégera contre sa propre passion animale et les crimes et les folies du monde.

« Elle se tourna vers la porte et soudain, Peter Harvey s'agenouilla devant elle. Elle le regarda, déconcertée, tandis qu'il portait l'ourlet de sa robe de mousseline blanche à ses lèvres.

« — Amanda, dit-il, voilà comment un homme, quel qu'il soit, devrait vous aborder. Aucun d'eux, et Ravenscar moins que tout autre, n'est digne de faire plus que baiser l'ourlet de votre robe. Vous en souviendrez-vous ? »

---

(1) Barbara Cartland, *The Wings of Love* (Londres, 1968).

Voilà le genre d'homme qu'on épouse. A genoux, en train de sucer l'ourlet boueux d'une robe, tout en étant le tuteur moral de la personne qu'il honore de cette attention. Barbara Cartland cultive la titillation tout autant que Georgette Heyer la couleur historique. Par une succession d'incidents absurdes, les amoureux se rencontrent dans la chambre d'un bordel où le héros entreprend de sauver l'héroïne. Amanda lui avoue son amour dans un cadre plus convenable.

« Amanda, vous me mettez dans une situation intolérable, dit Peter d'une voix étranglée.

« — Vous ne me désirez pas, répondit-elle.

« — Un jour je vous obligerai à vous excuser pour ces paroles. De même qu'un jour je vous embrasserai jusqu'à ce que vous demandiez grâce.

« Elle sentit qu'il baisait ses paumes avec un mélange de vénération et de passion affamée qui la bouleversa au point que tout son corps frémit d'une soudaine extase. »

Ils ne se sont pas embrassés car Peter a déclaré : « Si vos lèvres touchent les miennes, je ne répondrais pas des conséquences. » Si un baiser sur les paumes provoque un orgasme il est à craindre en effet qu'un baiser sur les lèvres déclenche une attaque d'épilepsie. Elle est déjà devant l'autel, prête à répéter les vœux qui la lieront à vie à l'odieux Ravenscar lorsque le héros le démasque en l'accusant de traîtrise, se bat en duel avec lui, et prend sa place aux côtés de la bien-aimée.

J'ai acheté ces deux romans dans un supermarché, mais je ne les ai pas choisis au hasard, car Heyer et Cartland étaient des noms qui faisaient partie des fantasmes de mon adolescence. J'ai d'ailleurs rencontré Barbara Cartland parée d'une cascade d'aigues-marines lors d'un débat universitaire sur le sujet :

« Soyez une sage et douce jeune fille et laissez l'intelligence aux autres. » C'était bien entendu le principe que Barbara Cartland défendait, comme s'il était possible d'être sage sans intelligence. Aujourd'hui, il semble qu'elle fasse office de conseiller sentimental et distribue des aphrodisiaques à base de miel. Elle peut d'ailleurs se targuer du succès de sa fille, heureusement mariée avec un pair d'Angleterre. Si les mouvements de libération féminine veulent être efficaces, il leur faudra tenir compte du phénomène industriel que sont les romans de Barbara Cartland, qui rapportent un argent considérable.

Le troisième roman que j'ai acheté ce jour-là, je l'ai choisi au flair. Il était intitulé *The Loving Heart* et décrivait « une nouvelle histoire de passion romantique se déroulant dans l'arrière-pays australien ». Il contenait tous les ingrédients éprouvés du genre. En inventant Grant Jarvis, Lucy Walker a utilisé le paternalisme féodal dans le cadre d'une entreprise d'élevage de moutons. Non seulement son héros est riche, mais il règne en maître sur une société de loyaux serviteurs blancs, à demi infantiles, et de serviteurs noirs qui le sont complètement.

Afin de juxtaposer les éléments de son histoire d'une façon qui provoque un maximum d'émotions sentimentales, Lucy Walker a été amenée à concevoir une intrigue si compliquée qu'il faudrait autant de temps pour la résumer qu'il en a fallu pour l'inventer. Il suffit de savoir qu'Elizabeth Heaton se fait passer pour la fiancée de Grant Jarvis afin de le protéger contre des intrigantes qui cherchent à se faire épouser par ambition. Ce sont des femmes effrontées, énergiques, pourvues par la nature d'appas particulièrement impressionnants. Mais l'héroïne a le teint et la pureté anglais, en plus du don d'imiter la reine lorsqu'elle joue le rôle de dame de ce manoir archiféodal. Sa pudeur est telle qu'elle souffre le martyre lorsque, pendant sa première nuit sur l'exploitation, la solution d'une crise l'oblige à coucher en combinaison par terre devant le feu tandis que le corps de Grant la protège du froid de l'autre côté. Lorsque Grant pénètre dans sa chambre à coucher en plein jour, en dépit du fait qu'elle n'est pas seule, elle ne peut s'empêcher, « sa vie en eût-elle dépendu », de rougir d'une façon compromettante. Elle remercie Dieu que le plateau du petit déjeuner soit posé sur ses genoux « comme une sorte de bouclier protecteur ». Physiquement, Grant est une belle illustration du père-phallus, « extrêmement séduisant, avec des yeux gris-bleu au regard froid » qui, associés à une bouche rectiligne et une mâchoire ferme, « donnaient une impression de dureté... et d'indifférence ». Tous les efforts de l'héroïne sont consacrés à mériter son approbation et dans ses moments de loisir, quand elle ne fait pas la classe aux enfants et ne lessive pas l'Union Jack (*sic*) elle tombe en contemplation devant cette dure beauté masculine, et s'abandonne à des rêveries masochistes.

« En regardant Grant qui, appuyé sur la balustrade, fixait la plaine, et en remarquant de nouveau la cicatrice blanche qui marquait son bras, elle eut l'impression que, malgré sa richesse et sa puissance, c'était un homme solitaire. Elle ne savait pas si son isolement résultait d'une tragédie personnelle ou de sa fortune. Mais s'il lui demandait de rester, elle ne ferait pas de difficultés. Elle éprouvait une étrange compulsion à le servir (1). »

Voilà le héros dont rêvent les femmes. Dans les traits qu'elles lui prêtent, elles chérissent leurs chaînes. Les hommes prétendent que les femmes

_____

(1) Lucy Walker, *The Loving Heart* (Londres, 1969).

aiment les ratés. En réalité, elles sont hypnotisées par l'homme qui a réussi et semble maître de son destin. Elles souhaitent pouvoir lui remettre la responsabilité de veiller à leurs intérêts. Il n'existe pas d'hommes qui correspondent à ce héros, mais les très jeunes femmes, victimes de l'astigmatisme des fantasmes sexuels, croient les voir là où il n'y a qu'illusion. Ouvrir les portières des voitures, manœuvrer le maître d'hôtel, choisir des cadeaux, gagner de l'argent passent souvent pour des qualités romantiques et les femmes n'hésitent pas à sacrifier leur jugement moral à leur champion. Plus d'une ménagère vibre à la lecture des mémoires de Charmaine Biggs, la femme de l'homme qui dévalisait les trains. En racontant dans les quotidiens l'histoire d'une vie confuse et plutôt sordide, elle, ou ses conseillers, ont choisi avec beaucoup de perspicacité ce qu'il fallait souligner. Elle ne cesse d'insister sur la stature de Biggs, sa force physique, son audace, son impudence devant les tribunaux et dans les centres de détention préventive, son attitude cavalière à l'égard de l'argent et ses prouesses sexuelles. On lui pardonne même l'adultère.

Bien que la littérature sentimentale ait une fonction de substitut, la fascination des fantasmes est telle qu'elle affecte le comportement. On est en général convaincu que l'homme doit être plus fort et plus âgé que la femme. Je ne peux pas prétendre que je sois totalement libérée du rêve d'un homme gigantesque, du genre armoire à glace qui m'écrasera contre son pardessus de tweed, regardera de haut en bas dans mes yeux et laissera un goût céleste ou la brûlure de la passion sur mes lèvres assoiffées. Pendant trois semaines j'ai été mariée avec lui. Lorsqu'on affirme que les femmes s'habillent en vue de plaire aux hommes, il faut se rendre compte qu'elles espèrent provoquer l'effet dévastateur qu'a sur Peter Harvey la robe de mousseline blanche d'Amanda. Les bals traditionnels sont une extraordinaire illustration sociale du mythe de la passivité et de la soumission féminines. La femme se déplace à reculons, entraînée par un chaste enlacement, le visage très près de celui de l'homme, mais sans le toucher. Cette façon de danser est relativement récente et propre aux classes moyennes car les danses aristocratiques étaient cérémonieuses et dans les milieux populaires la femme avait un rôle indépendant impliquant une dépense physique plus ou moins grande. Je ne connais pas de danse folklorique ou indigène où l'homme sert d'énergie motrice à la femme. Le spectacle préféré de la femme des classes moyennes est le ballet qui incarne tous les stéréotypes romantiques. En réalité, la ballerine, dont tous les mouvements demandent autant d'effort que de discipline, saute, mais il semble qu'elle soit soulevée par son partenaire comme une feuille ou du duvet de cygne. Au niveau social du bal, on retrouve la même contradiction. La femme doit avoir suffisamment de maîtrise physique pour paraître virevolter en état d'apesanteur.

La mythologie sentimentale influe surtout sur les relations du garçon et de la fille. Les garçons, à moins qu'ils n'exploitent délibérément la sentimentalité féminine, ne se doutent guère de la signification du baiser dans le canon de la littérature romantique. Pour eux, ce n'est qu'un début, un préliminaire de l'intimité. Pour la fille, c'est le couronnement de l'exaltation amoureuse qui ne peut intervenir qu'à son paroxysme. Même si elle ne le croit pas vraiment, elle ne comprend pas l'attitude du garçon. Les baisers des adolescents sont en général dénués de la passion respectueuse que les filles en attendent. Les hommes plus âgés la feindront éventuellement, et cela sans même en avoir conscience. Les adolescents les mieux élevés cherchent à séduire les filles. Tout en admettant le fait, chaque adolescente rêve d'amour romantique comme d'une chose qui pourrait lui arriver sans qu'elle puisse la provoquer. L'impulsion de céder aux désirs du garçon contrarie l'impulsion d'imposer les formes requises par le romantisme sentimental et la fille, exhalant son âme sur les lèvres de son insensible soupirant, se séduit elle-même en grossissant l'incident. Elle offre à la fois plus et moins que n'en attend le garçon. L'imbroglio qui s'ensuit lorsque le garçon viole le protocole sentimental atteste de l'empire de la fantasmagorie sentimentale. Le plus naïf des néophytes apprend bientôt que le comportement le plus efficace est celui du « désir réprimé mais presque impossible à dominer » dont quelques soupirs et un regard enflammé donneront l'illusion. Si l'on pense à la réplique du héros de Barbara Cartland « si je vous embrassais, je ne répondrais pas des conséquences », un tel jargon est de la dynamite. Malgré leur prude insistance sur la modestie rougissante de l'héroïne et l'exclusion de tout contact plus intime et plus familier, des auteurs tels que Georgette Heyer et Barbara Cartland ouvrent la voie aux séducteurs. Si elles facilitent les entreprises du bellâtre, elles mettent encore plus d'obstacles sur le chemin de l'homme ordinaire. Même si le héros romantique est moins stéréotypé que la passive héroïne, il a un certain nombre de qualités indispensables. Il n'est jamais gauche, bien qu'il puisse être insolent, voire insultant. Il n'est jamais nerveux, mal assuré, ni humble, et toujours bien de sa personne. Dans le cadre tribal de l'adolescence, il y a des garçons avec lesquels on ne sort pas, ils sont laids ou godiches ou collants. On aura plus d'indulgence pour un débauché.

Les décors, les vêtements, les objets, tout atteste de la ritualisation de la sexualité qui est le caractère fondamental de la littérature sentimentale. De même que l'eucharistie n'est pas un véritable repas et ne satisfait pas la faim, le baiser est une communion qui ne peut être réalisée en acte. Lorsque Barbara Cartland décrit le héros en train de baiser l'ourlet de la robe de la bien-aimée entourée de lis, elle révèle qu'il s'agit d'une sorte de religion sexuelle. Ce qui est exigé, c'est de la dévotion, pas de l'amour. Pour certaines femmes, ces rites sont une condition indispensable à l'acceptation des rapports sexuels, même dans la vie conjugale. Sans ces observances, la sexualité deviendrait un devoir domestique parmi d'autres. La mauvaise volonté de la femme tient souvent davantage au besoin de ce charme magique qu'à une intention de marchandage sordide. Le désir de voir la sexualité transformée en cérémonie solennelle a un rapport curieux avec la prétendue lenteur des réactions féminines. Ce que beaucoup de femmes cherchent dans les rapports sexuels, ce n'est pas la satisfaction d'une pulsion mais l'exaltation, l'adoration physique qui leur a été promise lors de la messe de mariage. Les femmes demandent souvent à l'homme d'accomplir la cérémonie sexuelle de « l'être ensemble », alors que l'homme croit à tort que c'est à sa virilité qu'elles en ont.

« Dormir, il voulait dormir. Chacun était libre, c'étaient nos conventions. Je regrettais, mon ventre ne comprenait pas l'hébreu. Je l'appelais « Gnangnan ». Il me répondait « Détraquée ». Je t'aimerai comme je t'aimais à Saint-Rémy dans le récit... Il cédait, j'étais désespérée.

« Je commençai avec des arabesques. Ma main était mon espoir. (...) Dilettante, laborieuse, attentive, curieuse, aux aguets, prévenante, je trace le nom de Saint-Rémy sur mon amant. (...) Recroquevillée dans mon désordre d'amour, ma main suit le profil de sa jambe tandis que je m'allaite au talon de mon mari. (...) Lourde promenade. Mon Dieu ! que j'écrivais bien de son genou à sa toison, mon Dieu, c'était ma religion (1). »

Dans l'œuvre de Violette Leduc, la vulgarité est une force. Ici, la sentimentalité rejoint la variété supérieure du romantisme pour aboutir à un rituel panthéiste de l'amour. Obéissant à la conception romantique de l' « être ensemble », *la bâtarde* s'embarque dans un voyage sentimental égocentrique sur le corps désarmé de son mari. On comprend que l'homme soit écœuré par cette préciosité, qu'il ait besoin d'une obscénité sans détours, d'un peu d'énergie vitale au lieu de ce désir neurasthénique. C'est une version inférieure de cet amalgame de futilité et de dévotion qui est à l'origine du refus de la femme de tolérer certains actes sexuels manifestement spécifiques et mécaniques alors qu'elle s'accommode par ailleurs de perversions parce qu'elles sont ritualisées. L'homme peut obtenir beaucoup, sexuellement, par la flatterie, car c'est une forme de prière. L'adoration de la nudité féminine est un rite respecté par les amants les plus extravertis, de même que les caresses et la répétition de la phrase « je t'aime » exigée par les femmes les plus dissolues. Dans les magazines sexuels, l'orgasme est qualifié d' « expérience suprême », ce qui est une autre forme de romantisme et la croyance que les rapports sexuels sont une sorte d'immolation mystique.

« Comme la plupart des jeunes filles, je désirais vaguement que mon Prince Charmant vienne et me réveille d'un baiser magique. Mais lorsque je fis l'expérience de mon premier baiser et de beaucoup d'autres par la suite, sans le résultat promis, j'ai été profondément déçue. Ce n'est que beaucoup plus

(1) Violette Leduc, *La bâtarde*, Gallimard.

250

tard, après un orgasme satisfaisant, que je compris subitement le véritable sens du conte de fées et la nature du baiser magique dont il est question (1). »

En tant que jeune et cynique réformatrice sexuelle, j'ai souvent pensé que le baiser mystique des romans sentimentaux devait être interprété comme étant un orgasme. Mais aujourd'hui, je crois que j'avais tort. Ce qui se produit dans la conception romantique de la sexualité, c'est que l'orgasme finit par symboliser le baiser et non pas l'inverse. L'esprit influencé par les contes de fées les a traduits dans l'imagerie de la presse du cœur. Aucun garçon qui s'est masturbé, que ce soit avec un gant de base-ball dans le style des revues burlesques ou dans un simple morceau de papier, n'aurait l'idée de décrire l'orgasme d'une façon aussi *stupide*. Maxine Davis ne se rend pas compte de l'emphase de sa prose lorsqu'elle affirme : « Même lorsqu'une fille a lu des manuels de prépa-ration au mariage en essayant d'assimiler toutes les informations qui lui sont données par des gens pondérés et objectifs, si elle n'a pas flirté, si elle ne s'est pas masturbée ou si elle n'a pas rêvé jusqu'à l'orgasme, elle n'a pas la moindre idée de ce que sera l'expérience suprême (2). »

J'ai toujours été déconcertée de trouver la même tournure d'esprit chez D.H. Lawrence lorsqu'il décrit des rapports sexuels réels. Il associe une étrange répugnance à parler des actes effectifs de son héros et une prodigieuse imagerie d'orgasme cosmique. Si l'on compare la littérature sentimentale :

« Lentement, très lentement, avec une merveil-leuse tendresse, ses lèvres rencontrèrent les siennes.

---

(1) « The Sexual Sophisticate », cité dans Phyllis et Eberhard Kronhausen, *Sexual Response in Women* (Londres, 1965), p. 61.
(2) Maxine Davis, *The Sexual Responsibility of Women* (Londres, 1957), p. 91.

Leurs bouches se touchèrent un instant, pétale de fleur contre pétale de fleur... Il chercha de nouveau sa bouche et il sembla que le monde, autour d'eux, s'évanouissait, qu'ils étaient seuls au-dessus des nuages, baignant dans la splendeur du soleil, qui avait quelque chose de divin (1). »

et la version de D.H. Lawrence :

« Elle sembla défaillir sous lui et il sembla défaillir, se penchant sur elle. C'était une mort parfaite pour tous les deux et en même temps une accession presque intolérable à l'être, à la merveilleuse plénitude de la satisfaction immédiate, irrésistible, jaillissant de la source la plus profonde de la force vitale, de la source de vie la plus obscure, la plus profonde, la plus étrange du corps humain, au dos et à la base des reins (2). »

on s'aperçoit que la différence n'est pas très grande.

C'est le romantisme sentimental qui incitait Elizabeth Heaton à protéger la partie vulnérable de sa personne avec le plateau du petit déjeuner comme si le pénis était une gigantesque fontaine qui jaillirait soudain par suite d'un dynamisme mystérieux. Pourtant, je n'ai pas compris ce qui n'allait pas avant de faire attention à l'imagerie des blues qui échappe à la pruderie et au faux mysticisme du prophète de la sexualité. Peut-être explique-t-elle l'apparition aux États-Unis d'auteurs qui sont capables de parler de sexualité avec enthousiasme et clarté. On ne peut pas classer Hemingway dans cette catégorie car pour lui, un orgasme est réussi lorsque la terre bouge. C'est toujours cette tradition-là qui est le plus abondamment représentée.

---

(1) Barbara Cartland (*op. cit.*), p. 62.
(2) D. H. Lawrence, *Women in Love* (Londres, 1968), p. 354.

La pruderie, l'exaltation et la « poésie » des œuvres de Lawrence et de Hemingway les situent dans la tradition du romantisme sexuel même si elles s'adressent à des lecteurs plus cultivés. Leur vocabulaire est plus riche que celui de Barbara Cartland mais la structuration est la même à cela près que l'aboutissement n'est pas le baiser sur les lèvres mais la fornication. Tant qu'ils prétendent décrire la réalité sexuelle, la mystification est la même. Le rôle de la femme est toujours de passer mystérieusement, avec les délais convenables, d'un état d'exaltation fébrile à l'autre. On peut remarquer ici que Lawrence et Hemingway ont été l'un et l'autre soupçonnés d'impuissance. Aujourd'hui où l'on reconnaît officiellement le rôle sexuel des femmes, les comportements masochistes des romans féminins sont accentués et élaborés, mais sans changer fondamentalement. On attend que les femmes éprouvent du plaisir sexuel, mais sans s'abaisser à sortir du temple domestique bourgeois. On leur apporte la sexualité à domicile comme une observance rituelle, une expérience mystique qui leur est accordée par l'homme de même que Dieu accorda l'extase à Thérèse d'Avila.

Le plus grand bonheur d'une femme est d'être courtisée. A ce moment-là, elle règne sur son entourage, elle est le point de mire de tous les yeux, jusqu'au jour sublime où elle traverse l'église, enveloppée d'une surnaturelle blancheur, au bras viril de son père qui la remettra à son nouveau père-subrogé. Si elle est habile et si son mari en a le loisir et les ressources, elle obtiendra peut-être d'être courtisée toute sa vie. Il est plus probable qu'elle se rendra compte que le mariage n'a rien de romantique, que son mari oublie anniversaires et fêtes et lui fait rarement des compliments. Personne ne la flatte plus, ne lui donne plus le sentiment d'être désirable. Elle se rend compte que la sensibilité de son mari

> **On dit aux femmes dès leur première enfance, et l'exemple de leurs mères le confirme, qu'une certaine connaissance de la nature humaine, très justement qualifiée de « ruse », la douceur de caractère, l'apparence de l'obéissance et le respect scrupuleux de convenances puériles leur permettront de s'assurer la protection de l'homme...**

Mary Wollstonecraft,
The Vindication of the Rights of Women,
1792, p. 33.

est plus sexuelle que personnelle, ou du moins elle en a l'impression parce qu'il néglige les rites qu'elle avait imposés en tant que fiancée rougissante. Pendant qu'il lui faisait la cour, leurs relations étaient un enchantement (l'envoûtement précédant l'emprisonnement dans la montagne de verre). Elle ne rencontrait son futur mari que lorsqu'il l'emmenait dans le monde, fêtée et célébrée, parée pour plaire et ne parlant que d'elle-même et de son amour. Si la nostalgie de l'adulation perdue devient désespérée, elle peut en être sérieusement affectée. L'amour romantique était la seule aventure de sa vie et le mariage y met un terme. Les magazines féminins l'exhortent à ne pas permettre au romantisme de disparaître de ses relations conjugales. Elle s'efforce de ne pas se laisser aller, de continuer à paraître jeune et jolie, de ne pas demander tous les jours à son mari s'il l'aime, et souhaite en elle-même que son baiser d'adieu matinal fût un peu moins mécanique. Tôt ou tard, elle aura l'impression d'avoir été séduite et en accusera son mari bien qu'elle ait été victime d'autosuggestion. L'amour tel qu'elle l'imaginait, lèvres électriques, rêve éveillé, n'a jamais existé. Elle se rend compte qu'elle n'était qu'une petite sotte et que le mariage est une dure réalité. Son romantisme se transforme en besoin d'évasion. Elle s'achète des accessoires romantiques tels que le parfum, que son mari ne remarque même pas. Elle continue seule un rêve qui n'a même plus d'objet.

« *Felice*, un amour de vacances qui dure éternellement. *Miss Lenthéric* est une aventure sentimentale. C'est le plus romantique des nouveaux parfums et vous ne savez pas ce que vous manquez si vous ne l'essayez pas. *Aqua Manda*, deux mots qui peuvent changer votre vie. »

Maintenant que la femme mariée en est réduite à se flatter elle-même, le marché regorge de produits qui sont autant de caresses :

« De Zanzibar aux parfums d'épices... à la rosée matinale de la Birmanie, dans le monde entier les femmes préfèrent Lux à toutes les autres savonnettes. Des femmes belles avec un beau teint. Voyez-vous, la mousse de Lux est spécialement enrichie avec la crème d'huiles naturelles... rendue plus douce afin de garder à votre peau sa douceur satinée par des moyens naturels. Joignez-vous aux plus belles femmes du monde... »

La publicité pour les teintures capillaires est toujours faite en fonction du besoin d'évasion des femmes, il en résulte « une autre vous-même, extravagante et fascinante » à laquelle s'ouvriront de nouvelles possibilités. Même le bain peut devenir un rite romantique.

« *New Dew* apporte la magie des Alpes dans votre baignoire. Une fleur fraîchement épanouie à la rosée, prête à saluer le jour. Voilà ce que vous aurez l'impression d'être chaque fois que vous utiliserez *New Dew*... Vous n'avez besoin que de deux mesures de cette essence verte et parfumée pour vous évader dans le monde de la nature, des fleurs et de la fraîcheur. »

Mais la suprême aventure consiste à tomber amoureuse. Bien que le rêve soit envolé, les femmes veulent le revivre. C'est la seule histoire qui les intéresse. J'ai vu sur un *vaporetto*, à Venise, une jeune femme qui ne devait pas être mariée depuis plus de quelques mois, lire attentivement un roman-photo tandis que son mari tentait vainement de bavarder avec elle et de la caresser. Même à ce moment-là la fantasmagorie était plus fascinante que la réalité. C'est toujours la même histoire que racontent les magazines féminins en variant le décor, en compliquant toujours davantage les détails de l'intrigue, dont le fondement reste le coup de foudre, le baiser, la déclaration d'amour et le mariage imminent. D'autres auteurs traitent des thèmes ancillaires, l'adultère, l'abus de confiance, la déception, la nostalgie, mais le mythe du romantisme dans le mariage reste l'élément essentiel de la culture féminine.

La religion sexuelle est l'opium de la femme esclave et servante. J'ai trouvé dans un magazine féminin une lettre particulièrement naïve qui l'exprime clairement :

« Avez-vous jamais pensé combien la plupart des inventions modernes détruisent le romanesque ? Il n'est plus nécessaire que l'épouse raccommode les inusables chaussettes en nylon de son mari ou repasse sa chemise. Quel homme se baissera pour ramasser le mouchoir en papier qu'on a laissé tomber ? Qui pensera à pousser un sac à provisions surchargé mais monté sur roues ? Il n'y a plus besoin d'aider une femme en minijupe à monter en autobus, et son briquet à gaz fonctionne toujours. »

Autrement dit, le romanesque est la rémunération de corvées domestiques, d'entraves physiques et de la prostitution, car le problème du briquet affecte davantage les dames qui font le trottoir que les autres. A en croire cette correspondante, le romanesque sentimental est condamné. Mais j'en voudrais des preuves plus certaines avant d'être optimiste à cet égard. Les vêtements féminins sont beaucoup plus romantiques qu'ils ne l'étaient pendant les années de guerre et de pénurie et si les minijupes ont augmenté la liberté des mouvements, les cheveux et les cils postiches, la fausse pudeur, l'ont de nouveau inhibée. Même dans un livre aussi platement documentaire que *Groupie*, l'amant prestigieux qui supplante tous ceux que Katie avait eus précédemment présente tous les traits du héros romantique. Il dit à Katie à quel moment elle peut venir le voir, et lui ordonne péremptoirement de faire le lit ou de satisfaire ses autres caprices. Katie adore être commandée. Elle se persuade qu'il s'agit d'une forme déguisée d'amour, comme dans le cas de Lord Worth et de Grant Jarvis ; le livre se termine sur une note d'espoir. Elle attend que son héros revienne d'Amérique pour la tyranniser de nouveau. C'est une autobiographie, lugubre à force d'être littérale, mais le personnage de Grant est une falsification inconsciente du stéréotype originel. Si l'on souhaite que l'émancipation de la femme se réalise et qu'elle devienne libre d'aimer vraiment, il faut combattre ces illusions stériles. La seule forme littéraire qui pourrait chasser le roman sentimental du marché, c'est une pornographie sans fard. Les niaiseries de Barbara Cartland et de ses émules satisfont un besoin de l'imagination mais leur hypocrisie limite la satisfaction à des allusions suggestives. Si l'on saute les allusions, il ne reste rien. Mes petites amies et moi échangions les exemplaires de *True Confessions* parce que nous étions sexuellement curieuses. Si on laisse *the Housewives' Handbook* à la portée des jeunes filles, il est probable qu'elles ne liront Barbara Cartland ou Georgette Heyer qu'avec une totale incrédulité (1).

(1) *Note de l'éditeur.* — La littérature féminine française possède elle aussi, bien sûr, ses héros romantiques et ses pures jeunes filles entraînées dans de folles aventures qui leur font connaître les émerveillements de la rencontre, les brutales déceptions, les tourments de la passion, le rachat et la rédemption...

Delly, la plus célèbre représentante de la littérature dite « à l'eau de rose » et qui berça l'imagination de nos mères et de nos grands-mères, se vend toujours... et à des jeunes. On réimprime également Max du Veuzit et Marie-Anne Desmarets.

Daniel Grey, Dominiqne Saint-Alban, Juliette Benzoni alimentent feuilletons et romans-fleuves.

Le grand triomphateur demeure Guy des Cars dont les tirages font pâlir d'envie un certain nombre de littérateurs...

(J. de G.)

21

L'OBJET DES FANTASMES MASCULINS

Les enfants des deux sexes lisent des histoires d'aventure. Les plus petits lisent des aventures unisexuelles où il y a indifféremment des héros et des héroïnes. Les plus âgés ont droit à une littérature spécifique où les exploits sont tous masculins ou tous féminins. La vraisemblance ne permet pas aux auteurs d'histoires pour filles d'exclure totalement les personnages masculins, mais ils évitent toute référence sexuelle ou sentimentale. Pour les garçons, l'exclusion de la sexualité entraîne l'exclusion de personnages féminins. A la puberté, la fille cesse de s'identifier à une héroïne telle que Pony qui sauve le colonel Buffalo Bill Cody en assommant avec un caillou un archer indien, archer qu'elle sauve des dents d'un alligator deux images plus loin. Désormais, la presse du cœur l'initie aux émotions passives de ses héroïnes infantilisées. Pour les adolescents, la fantasmagorie du récit d'aventures s'élargit en englobant les femmes comme occasion d'exploit. La sexualité est présentée comme risque ou prouesse. La nouveauté étant l'essence de l'aventure, il est normal que l'intérêt sexuel soit superficiellement diversifié, en faisant appel à la race, au physique, à la classe sociale. Mais la structure des satisfactions est fondamentalement simple. Elle tourne autour de deux catégories de femmes, celle de la Garce, et celle de la Vierge fatale.

La Garce est la femme dangereuse, digne adversaire du héros omnipotent. Elle est dépravée, âpre, habile, malhonnête et a une bonne avance sur ses victimes. Le héros peut l'avoir comme alliée et, à l'instar du dompteur, la lâcher comme une lionne sur ses ennemis. Ou encore, il peut devoir mener contre elle une lutte à mort.

« ... Deborah était une garce, une véritable lionne et n'acceptait qu'une reddition sans condition. Car une garce perd tout de même quelque chose quand le bonhomme s'en va. Son principe étant d'exterminer tout mâle assez courageux pour la connaître charnellement, elle *manque à son rôle*... (1) »

L'héroïne de Norman Mailer, Deborah Caughlin Mangaravidi Kelly a été conçue pour incarner en une seule personne le plus de traits possible de l'archétype. Norman Mailer ne la décrit pas d'une façon parfaitement détachée car le narrateur, tout en subissant l'envoûtement de ce rêve américain, murmure dans son sommeil. Le pouvoir de fascination du livre provient de la tension qui s'établit entre le chirurgien et sa blessure. Le héros se débat contre l'effort épuisant qu'exige une sexualité transformée en exploit, contre la nécessité de l'auto-affirmation incessante qui rend toute communication impossible, contre une bataille imaginaire mais mortelle des sexes. Stephen Rojack parvient enfin à y échapper, mais du coup, le roman s'arrête car il n'y a pas de suite possible. Dans la mythologie sexuelle contemporaine, il n'y a pas de solution de rechange à moins d'écouter la faible voix des hippies. Ce qu'il y a de plus important chez Deborah, c'est le trait de caractère que nous avons signalé en premier. Les descriptions de Spillane et de Fleming, dont les femmes sont chères, racées, riches, et

---

(1) Norman Mailer, *Un rêve américain*, traduction Pierre Alien, Grasset.

appartiennent au meilleur monde sont éclipsées par l'hyperbole démentielle de Norman Mailer. Le contexte et ce qui n'est pas dit mais implicite est révélateur du jeu qui se joue, bien que des féministes telles que Kate Millet, persistent à accuser Norman Mailer de crétinisme.

« Je rencontrai Jack Kennedy en novembre 1946. Héros de guerre tous les deux et nouveaux élus au Congrès. Nous sortîmes ensemble, un soir, chacun avec une fille. La nuit, pour moi, se termina en beauté. Je fis la conquête d'une femme qu'aurait laissée froide un diamant gros comme le *Ritz*. »

Ceci signifie que Rojack est le prototype du héros américain vivant dans la même sphère que Grace Kelly et Jacqueline Lee-Bouvier, avec une verge à tous points de vue plus intéressante qu'aucun phénomène décrit par Scott Fitzgerald. Guerre et sexualité y sont inextricablement enchevêtrées. L'ennemi est un pédéraste qu'il faut réduire en bouillie en dessous de la ceinture. La douleur est une douleur propre, bonne, indice d'une bonne et propre destruction et non pas de pourriture, car la pourriture engendre la vie. Le ventre a l'odeur de la pourriture car pour l'âme aride de Rojack la source de vie est source de désespoir. Son esprit est un véritable arsenal. Deborah, ce n'est pas seulement la guerre, mais un sport :

« Elle m'avait donné accès à la haute société, ayant eu elle-même son heure de gloire et choisi ses amants dans une brochette de célébrités : politiciens en vue, coureurs automobiles, roi de l'acier — et pris sa part des *play-boys* les plus célèbres d'Occident. »

Les attributs physiques de cette créature sont ceux des opulentes tigresses du feuilleton populaire. Barbara Cartland et Georgette Heyer ne reconnaîtraient pas leurs héroïnes dans cette amazone agile aux seins épanouis, grande, extraordinairement chevelue, qui foudroie les héros du premier coup.

Le style de Norman Mailer est moins ampoulé que celui des feuilletons mais les traits physiques sont caractéristiques : « Une belle femme, Deborah, une grande femme. Avec des hauts talons, elle me dépassait d'au moins trois centimètres. Elle avait une énorme masse de cheveux noirs et de remarquables yeux verts... un grand nez d'Irlandaise, une bouche large et mobile. Elle avait surtout un teint admirable, une peau d'un blanc crémeux qui rosissait délicatement sur les joues. »

Nous ne sommes pas loin de ces mythiques créatures aux yeux obliques, à la chevelure de Gorgone, qui rôdent sur la pointe des pieds dans les bandes dessinées pour se jeter subitement sur le héros, prêtes à le déchiqueter de leurs griffes. Leurs bouches sont énormes, recourbées et scintillantes comme des cimeterres. La musculature de leurs épaules et de leurs cuisses est grotesquement hypertrofiée, leurs seins sont gonflés comme des grenades et leur taille ceinte de cercles d'acier aussi étroits que ceux des figurines crétoises. Les femmes de Ian Fleming pilotent des voitures de course, sont des cavalières émérites et savent tirer. Deborah a une qualité plus excitante, c'est une tueuse. « Et elle chassait réellement d'une manière exceptionnelle. Elle était partie en safari avec son premier mari, avait tué, à trois mètres d'elle, un lion blessé qui allait bondir, elle avait tué un ours de l'Alaska de deux balles dans le cœur (Winchester 30/06... Elle tirait aussi bien de la hanche, un geste précis comme un doigt tendu). »

Quel est le sort des anti-héroïnes du type de Deborah ? Dans les formes moins lucides de mythologie, elles se soumettent à la verge d'acier du héros pour être subjuguées par sa vigueur animale jusqu'à devenir d'une soumission et d'une douceur enfantines, même si elles haïssent les hommes comme Pussy Galore. Voici comment Tiger Mann, héros de Mickey Spillane, soumit Sonia Wutko : « Sa bouche chaude et humide était d'une avidité si passionnée que c'était un fusible qui provoquait une explosion après l'autre. Sa bouche fondit contre la mienne, une torche qui eût crié si je ne l'avais étouffée. Tout son corps était transformé par l'émotion en un poulpe de désirs et d'exigences. Quand il était satisfait, il avait un bref moment de contentement, dans une détente qui semblait voisine de la mort.

« Mais je lui refusais cette détente. Je lui donnai ce qu'elle avait demandé. Elle avait voulu voir un tigre à l'œuvre. Elle l'avait cherché. Elle découvrit la profondeur de ses morsures et l'impression d'être dévorée car elle n'était qu'une femme en proie à la convoitise d'une horrible faim. Dans cette redoutable lumière, elle se rendit compte pour la première fois de ce qu'il en coûtait. »

L'aventure sexuelle est pleine de pyrotechnique, d'explosifs, d'animaux féroces, de plongées abyssales, de sauvages galopades. La partenaire sexuelle idéale est celle qui promet un bon corps à corps et plus elle a d'animosité, mieux cela vaut. Il ressort clairement de l'imagerie de Spillane que le seul destin convenant à la Garce est la mort, au sens métaphorique de la frénésie orgasmique ou au pied de la lettre. Le héros de Norman Mailer se débarrasse de sa femme en l'étranglant. Elle a eu ce qu'elle cherchait. « Elle sourit comme une fille de ferme, s'éloigna, disparut. Et au milieu de la splendeur de ce paysage oriental, je sentis le contact perdu de son doigt sur mon épaule qui envoyait une onde de haine, à peine perceptible, mais ineffaçable, dans la grâce nouvelle. J'ouvris les yeux. Mon corps était lourd d'une fatigue des plus honorables et ma chair me semblait neuve. Je ne m'étais pas senti aussi bien depuis l'âge de douze ans. Il semblait

Inconcevable à ce moment que la vie puisse contenir une seule chose déplaisante. »

Tuer sa femme, c'est comme tuer un ours ou un monstre légendaire. La masculinité échappe à la domination de la sexualité et à l'obsession. Le monde est de nouveau un monde d'hommes. Il est inévitable qu'on trouve une telle attitude dans une culture où il y a une ségrégation sexuelle dans l'enseignement et où les garçons subissent un régime spartiate fondé sur l'effort, le sport et un souci maniaque de la propreté. Mais on est effrayé à la pensée de ses répercussions sur les rapports ordinaires et quotidiens des sexes qui ne font pas l'objet de romans. La Velda de Mike Hammer est une autre version de la Garce, mais en chienne, docile bien que hargneuse, elle tue pour son maître et revient déposer la proie à ses pieds. Sa récompense est l'abstention sexuelle de Hammer. Manifestement, elle est promise à une récompense appropriée dans un royaume de l'au-delà où Hammer s'accommodera d'une vie domestique. Dans l'immédiat, des rapports sexuels avec Velda la détruiraient. Les spectateurs se sont amusés de l'extraordinaire collection d'armes phalliques que James Bond transporte avec lui, en saisissant l'intention satirique du metteur en scène. Ils auraient sans doute eu moins envie de rire s'ils s'étaient dit que l'inverse est également vrai, que le pénis est devenu une arme.

Cette arme est utilisée agressivement contre la Garce. Dans le cas de la Vierge fatale, c'est une arme défensive. Celle du roman de Norman Mailer s'appelle Cherry. Elle est pure et virtuellement vierge : « Avec toi, c'est arrivé. J'ai eu un orgasme... Jamais avant. De toutes les autres manières, oui. Mais jamais quand un homme était en moi, quand j'avais un homme au-dedans de moi. »

La première rencontre amoureuse avec la Vierge fatale rappelle la conquête de la Douloureuse Garde.

Cherry est entourée de créatures menaçantes, des noctambules réunis autour d'elle tandis qu'elle chante dans une boîte de Greenwich Village, des Noirs, des champions de boxe de mauvaise réputation, des détectives, des harpies, anéantis par les balles que Rojack tire sur eux en imagination. L'appartement de Cherry appartenait à sa sœur, qui a été tuée à cause d'un super mâle maléfique, Shago Martin. Les précieux moments que Rojack y passe en sa compagnie sont menacés par le retour imminent du magicien noir. C'est un chanteur, mais quel chanteur ! « à la fin vous étiez en joie, votre oreille était contente, vous aviez été vaincu par un champion. »

Les autres chevaliers qui avaient fréquenté la dame en question s'étaient ignominieusement enfuis. Seul Rojack fait front, armé de son seul pénis contre un nègre fou qui a un couteau à cran d'arrêt. Il gagne, bien entendu. La Vierge fatale est enceinte de lui et prête à entrer dans la catégorie divine des mères. Malheureusement, un dernier démon la frappe à mort. Le ressort ultime du romantisme masculin est que l'homme tue ce qu'il aime. Que ce soit l'héroïne de *Pour qui sonne le glas*, ou l'Urne grecque, l'exigence de la perfection veut qu'elle meure et que le statut d'amant irremplaçable du héros ne puisse lui être ravi. La cause en est banale : le héros ne peut se marier car l'exploit sexuel implique la conquête et non pas la cohabitation et la tolérance mutuelle.

On se rend compte de l'influence que cette fantasmagorie de l'aventure sexuelle exerce sur la vie réelle, dans laquelle elle se trouve injectée par les préoccupations de l'homme, au délire de ce Münchhausen de la sexualité, John Philip Lundin. L'authenticité autobiographique de son livre, *Women*, est attestée par une introduction signée R.E.L. Masters. Le premier chapitre illustre un des fantasmes préférés des hommes, la valeur financière des charmes féminins. Qu'elles soient mariées à des hommes riches, qu'elles travaillent en tant qu'hôtesses dans des clubs exclusifs, posent en tant que modèles ou fassent le trottoir, les hommes sont convaincus que les femmes font constamment le commerce de leurs charmes. L'exploit de Lundin est d'obtenir gratuitement ce que d'autres paient très cher. Bien entendu, ce n'est pas un souteneur qui transpire pour procurer du plaisir à une prostituée afin de conserver son gagne-pain. C'est un amant qui est à la hauteur des désirs des professionnelles. Les maris sont des clients payants ou, plus brutalement, des nigauds. En tant que resquilleur, Lundin est exposé à des dangers constants. Les femmes qu'il honore de son attention sont douées à la fois de la séduction de la Vierge fatale et des prouesses sportives de la Garce. Sa plus grande aventure, selon ses propres critères, est Florence, la femme du patron. On y retrouve le modèle classique de l'exploit sexuel tel que le définit la littérature masculine. Le coup de foudre est instantané et les symptômes typiques. « Aucune décharge électrique que j'aie jamais subie du fait d'un court-circuit n'a été aussi violente que le choc que j'ai éprouvé en voyant Florence. Mon cœur battait, le rythme de mon pouls s'accélérait comme si j'avais la fièvre et une boule se forma entre mon gosier et mon aorte. Mon estomac descendit comme un ascenseur, comme si j'avais peur pour ma vie. Et je sentis un frémissement dans mes testicules comme s'ils avaient compris d'eux-mêmes que cette femme les ferait entrer en action (1). »

Les risques de l'adultère sont délicieusement exacerbés par l'ardeur extraordinaire de Florence

(1) John Philip Lundin, *Women* (Londres, 1968), pp. 60-61.

et le fait que son mari grossièrement cocufié a certainement des hommes de main qui protègent ses intérêts. Lundin finit par être écarté. Du fait qu'elle est universellement désirable, d'autres hommes sont amoureux de Florence. C'est une des premières conditions de la fantasmagorie masculine, car l'exploit doit être reconnu par d'autres mâles. Florence persuade les hommes de main de son mari de la conduire jusqu'à Lundin et il y a des retrouvailles passionnées sur le siège arrière de la voiture. Lorsque les gorilles exigent des faveurs analogues et menacent de la faire chanter, Florence se sauve au Mexique, pour épouser une autre dupe, millionnaire naturellement. Elle le quitte pour se réfugier auprès d'un féroce gardien, sa mégère de mère. Elle devient définitivement l'amour unique et éternel de Lundin lorsqu'elle découvre qu'elle est atteinte d'un cancer et retourne auprès de son premier richard de mari. « Depuis qu'on m'a dit qu'elle était morte, j'ai toujours su que ma vie ne serait pas complète sans elle. »

L'amour, pour trop de nos contemporains, consiste à coucher avec une femme séduisante, c'est-à-dire pourvue des courbes et des appas appropriés, sur laquelle on a acquis un droit de propriété permanent grâce au mariage.

Ashley Montagu,
The Natural Superiority of Women,
1954, p. 54.

La notion tout à fait artificielle d'une vie complète est essentielle à la conception masculine de l'amour. L'homme n'espère pas trouver une fille à la façon dont la femme espère trouver un nouveau père, et il n'espère pas non plus trouver une mère. Il rêve d'une femme qui répondra à tout, qui satisfera son besoin de compréhension, de compagnie, d'excitation sexuelle. Il y a, à la base de cette exigence, une conception exagérée de l'aptitude de l'homme à désirer, à s'exciter, à tenir compagnie et à comprendre. L'homme est ce qui est donné. Sa partenaire doit être à égalité avec lui ou adaptable à lui. Dans la fantasmagorie, la femme excitante est celle qui engendre le désir et libère l'énergie sexuelle potentielle de l'homme dès qu'elle apparaît et que tous les autres hommes la regardent. L'homme prend plaisir à s'exhiber avec une femme que d'autres désirent. L'importance que peut prendre ce plaisir est illustrée par l'extravagance à laquelle James Jones a recours dans *Go to the Widowmaker* pour révéler la désirabilité superlative de Lucky Vivendi et la sécurité avec laquelle Grant la possède. Ayant refusé de se baigner nue en groupe, l'héroïne attend que les autres et son mari soient sortis de l'eau puis « Lucky se leva subitement et se dirigea vers l'eau. Elle s'y coucha et s'éloigna de la rive, mi-rampant, mi-nageant. Soudain, elle se leva, les bras au-dessus de sa tête, dans une pose classique de ballet. Elle avait enlevé son maillot de bain et elle était complètement nue. L'eau semblait glisser lentement sur elle comme un voile qui tombe, découvrant sa glorieuse sensualité, ses adorables seins blancs, ses hanches minces et arrondies. (...) Les bras toujours en l'air, l'eau au-dessous du genou, elle exécuta une succession de ballonnés fouettés classiques, un véritable pas de bourrée dans leur direction, accomplis à la perfection. C'était un mouvement qui... donnait l'impression que son sexe s'ouvrait et elle devait l'avoir choisi délibérément. Il y eut un silence sur la rive... Sa chevelure couleur de champagne n'avait pas été mouillée et scintillait autour d'elle à chaque mouvement comme de l'or blanc. »

Il n'y a pas à s'étonner que Grant soit fou d'une telle créature d'autant plus qu'elle possède le don acrobatique de mettre les deux pieds derrière sa tête lorsqu'elle fait l'amour. Il est à coup sûr extraordinaire d'avoir besoin d'une femme pareille. Pour l'expliquer, Lucky Vivendi se décrit comme une femme qui ne peut faire l'amour qu'avec des écrivains. L'homme dont elle est tombée amoureuse en est un et sa présence persistante à ses côtés augmente son prestige professionnel.

A-t-on jamais vu un mari comme le mien ! Je l'ai séduit parce que j'étais brune et avais des jambes longues. Après six ans de mariage, il a envie de changement et désire une blonde aux seins opulents. Il ne m'a ni quittée ni trompée. Au lieu de cela, j'ai aujourd'hui une perruque blonde, longue et soyeuse, et un appareil de gymnastique pour développer les seins.

V. Ladbrooke, Essex.

P.-S. — **Si j'obtiens une guinée pour cette lettre, je la consacrerai à lui acheter une perruque de chanteur pop.**

Petticoat, 15 novembre 1969.

Selon les termes de Norman Mailer, elle lui a ouvert les portes de la haute société. Tant que ce modèle de femme sera présenté comme désirable, nous nous trouverons devant une littérature subpornographique flattant un fantasme irréalisable, qui interfère avec le comportement sexuel en raison de la relation entre le fantasme et la virilité. Il arrive que les femmes soient frigides parce que leur besoin de romanesque n'est pas satisfait, mais les hommes aussi sont victimes du manque d'exaltation de la vie domestique.

I cannot live with you
It would be life,
And life is over there
Behind the shelf.

The Poems of Emily Dickinson, éd. M. D. Brainchi et A. L. Hampson (Londres, 1933), p. 131.

(Je ne peux pas vivre avec toi car ce serait la vie, et la vie est là-bas mise au rancart.)

22

LE MYTHE DE L'AMOUR
ET DU MARIAGE
DANS LES CLASSES MOYENNES

Notre culture condamne le mariage sans amour. Une vie sans amour est impensable. D'une célibataire, on suppose qu'elle a manqué le coche, perdu son fiancé pendant la guerre ou que, désemparée, elle a hésité. De l'homme, on dit simplement qu'il n'a jamais rencontré l'âme sœur. On tient pour acquis que tous les gens mariés s'aiment.

L'art de manœuvrer les hommes doit s'apprendre dès la naissance. Sa pratique devient plus facile avec l'expérience. Certaines femmes ont un flair instinctif mais la plupart sont obligées de faire leur apprentissage par l'essai et l'erreur. Certaines meurent déçues. Le succès dépend en partie de la séduction physique de la femme, de son intuition et, dans une large mesure, d'une ruse féline.

Mary Hyde,
How to Manage Men,
1955, p. 6.

On s'apitoie sur le sort de ceux, rois ou reines, qui ne peuvent s'en remettre à la flèche de Cupidon tout en supposant tacitement que même les couples royaux sont amoureux. Dans l'imagination populaire, les religieuses ont eu un amour malheureux et les femmes qui font des carrières professionnelles s'efforcent de compenser par la réussite sociale l'absence de bonheur conjugal, dont on pense qu'il est la plus grande satisfaction que l'être humain puisse trouver dans cette vallée de larmes. Mais on n'a pas toujours eu cette conviction qui nous semble aller de soi. L'allusion à la flèche de Cupidon devrait nous rappeler qu'il n'y a pas si longtemps, on avait une conception très différente de l'amour qui était non seulement étrangère à la cour prénuptiale mais au mariage lui-même. Le récent concept de l'amour nuptial a lui-même varié. Ceux qui

---

J'ai trente-neuf ans et j'ai accepté que mon mari m'inflige des châtiments corporels depuis le début de notre mariage, il y a quinze ans. Nous estimons l'un et l'autre que ce procédé est normal. Ce n'est que récemment, en lisant certaines lettres de Forum, que nous avons découvert que certains éprouvent un complexe de culpabilité lorsqu'ils donnent une fessée à leur partenaire.

Nos idées sont très simples. Mon mari est convaincu que dans le mariage, l'homme doit être le maître. Je suis d'accord avec lui et j'admets que les fautes doivent être punies. Nous pensons l'un et l'autre que le moyen le plus simple, le plus commode, le plus efficace et le plus naturel qu'ait un mari de punir sa femme est de la fesser ou de la fouetter, à condition qu'il ne le fasse pas trop durement et certainement pas brutalement.

Lettre de Forum, vol. II, n° 3.

---

défendaient le mariage d'amour au XVIᵉ siècle seraient horrifiés par le romantisme et la passion sexuelle dont leur idéal est investi aujourd'hui.

La modification progressive des concepts fondamentaux permet difficilement de suivre l'évolution du mythe de l'amour et du mariage. Il y a peu d'informations démographiques sur les premiers stades de cette évolution. Compte tenu de cette incertitude, nous pouvons risquer quelques spéculations à ce sujet.

C'est aujourd'hui un lieu commun que de le dire : dans la littérature féodale, l'amour était fondamentalement antisocial et n'existait que dans l'adultère. On connaît l'œuvre de Denis de Rougemont, ou du moins, ses thèmes essentiels (1). L'amour courtois est devenu un cliché de la critique historique. Les personnages de Guenièvre et d'Yseult sont le produit de la culture minoritaire de la classe dominante qui devait faire l'étonnement des paysans lorsqu'elle leur parvenait sous forme de chanson ou de légende populaire. Ces mythes résultaient d'une situation où la femme noble n'était épouse que dans les moments où son mari ne guerroyait pas, ce qui était rare. D'ordinaire, en son absence, elle commandait à une communauté d'hommes dont beaucoup étaient jeunes, animés d'appétits charnels. Il était normal que cette femme inaccessible, à laquelle ils ne pouvaient même pas faire d'avances, excite leur imagination. Elle exploitait leur servilité, principe fondamental de la chevalerie, en satisfaisant ou non ses propres désirs. Vis-à-vis de son mari, elle était soumise et lui offrait son corps comme un fief. Les lettrés victoriens se sont indignés devant la description de l'amour conjugal qu'on trouve dans des pamphlets tels que *Hail*

---

(1) Denis de Rougemont, *L'amour et l'Occident* et C. S. Lewis, *the Allegory of Love*.

Maidenhad (1) et ont félicité les réformateurs protestants d'avoir apporté un peu d'air pur dans « l'écurie des théories sur le mariage (2) ». L'auteur de *Hail Maidenhad*, un moine du XIVe siècle, affirmait aux vierges auxquelles il s'adressait que si elles aimaient lire le latin, enluminer des manuscrits, broder (non pas des têtières mais des vêtements précieux et des tapisseries qui font aujourd'hui la gloire des musées d'Europe), écrire de la poésie et de la musique, il valait mieux pour elles choisir la société purement féminine du couvent, où elles n'étaient pas entourées par l'agitation et la brutalité d'une caserne, condamnées à des accouchements dangereux et aux rudes caresses d'un mari habitué à satisfaire ses appétits sexuels avec des captives sarrasines ou des prostituées. Bien que l'auteur soit muet à ce sujet, nous pouvons inférer que les amours des clercs et des religieuses étaient plus satisfaisantes que l'adoration platonique du jeune écuyer et l'exacerbation continuelle du désir insatisfait, sources de la poésie courtoise. Rabelais a rassemblé les éléments du rêve humaniste médiéval d'harmonie sexuelle et intellectuelle dans son abbaye de Thélème (3). Rattray Taylor a qualifié l'époque de matriarcale et si contestable que soit en fin de compte sa classification, il est vrai que la femme a exercé une grande influence sur la civilisation médiévale (4) surtout si l'on considère que la seule culture qui ne fut pas éphémère était celle d'une toute petite minorité. Il est à remarquer que la plupart des femmes qui ont apporté une contribution à la culture médiévale étaient des religieuses ou des femmes

---

(1) *Hail Maidenhad,* éd. O. Cockayne, Early English Text Society Publications, n° 19 (1886).
(2) C. L. Powell, *English Domestic Relations, 1487-1653* (Columbia 1927), p. 126.
(3) Rabelais, chapitre LII-LVIII.
(4) Gordon Rattray Taylor, *Sex in History* (Londres, 1965), p. 138.

274

vivant en célibataires, qu'elles soient mariées ou qu'elles ne le fussent plus.

Dans le château féodal, l'amoureux était le jeune écuyer, qui n'était fait chevalier qu'à vingt et un ans. On a souvent décrit sa jeunesse et sa beauté imberbes comme efféminées car il avait les cheveux longs, des vêtements brodés, savait chanter et jouer d'instruments, danser, écrire de la poésie. Il était inévitable qu'un garçon arraché à sa mère pour servir d'abord de page puis d'écuyer désire l'affection de la femme de son seigneur lige. Les exigences sexuelles de l'adolescence devaient le tourmenter et être associées dans son esprit à l'image de sa Dame. Il avait une attitude soumise, éplorée, servile. Une fois arrivé à la majorité, il découvrait les mœurs libres des soldats. Au fur et à mesure qu'il devenait plus viril, que la sexualité l'obsédait moins, l'attachement compulsionnel s'intellectualisait et devenait moins immédiat. La situation était dangereuse. La femme du seigneur était souvent par l'âge et le caractère plus proche de son jeune vassal. Il était certainement plus séduisant à ses yeux qu'un mari rude qu'elle connaissait à peine. Si elle fautait, compromettant la légitimité de ses héritiers, il en résultait un désastre. Le divorce était impossible, l'adultère punissable de mort, que ce fût par le jugement d'un tribunal ou par l'action directe du mari. La communauté s'efforçait d'exorciser sa peur du drame passionnel en l'exprimant. Les histoires de passions fatales étaient autant de mises en garde. L'amour était un fléau entraînant la souffrance et la mort. La sexualité elle-même était mise hors la loi, excepté en vue de la procréation. La ceinture de chasteté et tout ce qu'elle implique d'horreurs illustre la tension que suscite une telle situation. La dichotomie de l'âme et du corps qui caractérise la pensée médiévale renforçait le *statu quo*. Les servantes et les filles de la campagne étaient des débauchées sans scrupule alors que la passion pour la Dame du château prenait la forme d'une ferveur religieuse. Les récits d'adultère, comme les récits d'obsession, de fétichisme et de perversion d'aujourd'hui, étaient de brefs coups d'œil jetés, par procuration, sur un domaine si dangereux qu'il fallait être fou pour s'y aventurer. Chaque clerc apprenait de ses maîtres ce qu'il fallait penser de l'amour. « Considérez comme il est contraire au bien, et la folie qu'il y a d'aimer, de pâlir, de maigrir, de pleurer, de flatter et de vous soumettre honteusement à une femme dévergondée puant la saleté et la pourriture, de fixer ses fenêtres toute la nuit en vous consumant, de lui obéir au doigt et à l'œil, de ne rien oser entreprendre sans son approbation, de permettre à une créature déraisonnable de vous dominer, de vous réprimander, de vous chercher de mauvaises querelles, de vous mettre délibérément en son pouvoir afin qu'elle vous tourne en ridicule, vous maltraite et vous pervertisse. Est-ce là un comportement qui soit digne d'un homme et d'un esprit noble créé pour concevoir de belles choses ? »

Mais plus le clerc s'efforçait de suivre les conseils de ses maîtres et de dédaigner l'amour, plus il s'exposait à être fasciné à l'improviste par le regard de la chaste épouse d'un autre. C'est ce qui est arrivé à Pétrarque. Pendant cinq siècles la littérature européenne en subit l'effet. Pétrarque, tout en ayant du génie, était très astucieux et comprenait fort bien la nature de sa passion. Il réussit à l'intégrer dans un système philosophique par un processus délibéré de sublimation. Laure devint la médiatrice de tout amour et de toute connaissance dont Dieu est le créateur unique. La mort de la femme aimée facilitait l'entreprise. L'amour de Laure était sa croix et sa bénédiction. En la portant consciencieusement toute sa vie, il en fit son salut. Dans presque chacun de ses sonnets, Pétrarque réussit à réconcilier la joie et la douleur, le corps et l'âme. Mais ses innombrables émules n'avaient pas son intelligence et son équilibre. En fait, seul Dante a réalisé le même équilibre dynamique avec sa Béatrice. Pour des esprits de moindre envergure, le pétrarquisme devint un raffinement de la sensualité dans l'adultère. L'un des facteurs qui a contribué à la survie du pétrarquisme tient à ce que Pétrarque ne se trouvait plus devant une situation féodale. Laure n'était pas la femme de son seigneur mais celle d'un pair, un citoyen d'une cité-État dont la structure était bureaucratique et non plus hiérarchique. Son exploit est d'avoir réussi à transplanter l'amour courtois du château dans une communauté urbaine sous une forme qui lui permit de se maintenir ensuite dans la communauté mercantile dirigée par un gouvernement centralisé.

Avec l'effondrement du système féodal, on assiste à la corrosion de la hiérarchie et du dogmatisme religieux. Le catholicisme médiéval avait fondé son autorité sur la dépendance filiale d'un clergé voué au célibat. Le célibat était constamment préconisé par les édits de l'Église qui recommandait l'abstinence sexuelle non seulement au clergé mais aux gens mariés. Il serait lassant d'énumérer les multiples interdits limitant les rapports sexuels dans le mariage, avant la communion, durant l'Avent, le Carême, les Rogations, les jours de jeûne, et les interrogatoires qui étaient de règle dans le confessionnal. Le mariage était considéré comme un état inférieur au vœu de célibat, à la virginité infantile et à l'abstention des veuves. Le second mariage n'était pas béni par l'Église. On considérait qu'il valait mieux pour un prêtre avoir une centaine de prostituées qu'une épouse. Les mystiques et les saints contraints par leur position sociale au mariage, tels qu'Édouard le Confesseur, faisaient vœu de chasteté dans le mariage. Cette dépréciation du mariage devint l'un des chevaux de bataille des partisans de la Réforme. Martin Luther, moine augustin, sitôt qu'il eut placardé ses trente-neuf articles sur la porte de l'église du Wurtemberg, prit femme.

La meilleure façon de comprendre la Réforme est peut-être de l'envisager à la lumière du déclin du système féodal dans les pays nordiques. En Angleterre, son histoire semble refléter très clairement l'influence des valeurs des classes sociales inférieures sur la culture de la classe supérieure. Les pauvres ne se mariaient pas pour des raisons dynastiques, ni en dehors de leur communauté en vue de contracter des alliances avec leurs pairs. Ce qui se passait dans les châteaux n'avait pas d'équivalent dans les chaumières. Un seigneur ne s'offrait qu'exceptionnellement une épouse doublement servile en épousant une paysanne, comme dans le cas de l'histoire de Grisélidis, racontée par Boccace au XIIIe siècle et reprise par la Renaissance (1). La fascination que l'histoire exerça dans toute l'Europe pendant la Renaissance trahissait peut-être une révision progressive et souterraine des idées sur le mariage. Grisélidis, sortie de sa chaumière, est élevée au rang d'épouse humble et soumise de son seigneur. Même lorsqu'il prend une nouvelle femme jeune, jolie et noble, Grisélidis ne se révolte pas. Elle lui souhaite la bienvenue et l'habille pour la noce, ce

_____

(1) L'histoire, rendue célèbre par le *Décaméron*, est devenue un thème courant repris par Pétrarque en latin puis dans plusieurs versions françaises. Au XVIe siècle, elle donna naissance à une multitude de ballades, de poèmes, de pièces. *The Antient True and admirable History of Patient Grissel* (1619). *The Pleasant and sweet History of Patient Grissel* (1630). *The Pleasant Comodie of Patient Grissel*, de H. Chettle, T. Deloney, and T. Haughton (1603), *The Most Pleasant Ballad of Patient Grissel... To the tune of the Brides goodmorrow* (T. Deloney ? 1600 et 1640).

qui lui vaut de regagner l'amour de son seigneur. Bien entendu, il prétend qu'il se contentait de la mettre à l'épreuve. L'histoire exprime l'impact des mœurs populaires sur la sexualité étiolée et névrotique de la classe dominante, même si elle en est un miroir déformant. Lorsque Adam labourait et que Ève filait, il n'y avait pas de place dans leurs occupations pour l'amour courtois. Les descriptions nostalgiques et probablement mythiques du mariage dans la joyeuse Angleterre sont unanimes à louer le jeune homme et la jeune fille qui grandissaient en travaillant côte à côte dans une communauté agricole étroitement unie. Le garçon choisissait sa fiancée parmi les filles à marier de son propre village, affectueusement guidé par ses parents et ceux de la fille qui les surveillaient avec indulgence pendant les réjouissances des fêtes saisonnières. Il faisait longuement sa cour en donnant des gages et en volant des baisers, jusqu'à ce qu'il y ait de la place dans sa maison pour la nouvelle épousée et nécessité d'une personne supplémentaire pour la fabrication du beurre et du fromage, la traite, le brassage, le soin des agneaux et de la volaille, le rouet et le métier à tisser. Les traités d'agronomie dressent la liste des qualités que l'homme doit rechercher dans son épouse. Elle doit être en bonne santé, robuste, féconde, avoir de la bonne volonté et de la bonne humeur, de même que les connaissances ménagères requises. L'homme respectait dans la femme sa camarade et, à condition d'être en bonne santé, ils se désiraient l'un l'autre. L'obsession de l'amour romanesque n'avait pas lieu d'être. Pourvu qu'ils fussent accordés en âge et en statut social, ce qui était garanti par la dot et le douaire, il n'y avait pas d'obstacle à leur union, n'étaient les lois complexes de l'Église sur les liens de parenté, qui exigeaient que l'on achète une dispense car, au XVIe siècle, tous les membres d'un même village avaient des liens de consanguinité, ou des liens spirituels de parrainage, ou des liens imaginaires nés de commérages.

Au XVIe siècle, ce tableau paisible, qui rappelle la situation qui existe encore en Calabre et en Sicile, a été bouleversé par les répercussions de l'instauration des clôtures, les exactions croissantes de l'Église et le développement des centres urbains. La mobilité sociale accrue, surtout pour les jeunes gens, rendait plus probable un mariage hors de la communauté. Du fait des modifications du droit de propriété, le jeune homme ne pouvait se marier que le jour où ses parents mouraient et où il devenait maître de son petit bien. Au XVIIe siècle, on vit apparaître de nouvelles mœurs. On se mariait tard, mais les fiançailles étaient suivies de cohabitation. Peter Laslett a constaté que dans les registres des paroisses les baptêmes suivaient de peu les mariages, alors que le mariage à trente ans était, à considérer l'espérance de vie, un mariage entre vieillards. L'Eglise avait depuis longtemps perdu le contrôle des paroisses et ses tribunaux n'étaient plus capables de faire face aux fruits de ses lois irréalistes sur la parenté. Beaucoup de paroisses étaient dépourvues de prêtre compétent, et les mariages de droit coutumier augmentaient en nombre. Les partisans de la Réforme conçurent une nouvelle idéologie du mariage qui devenait public et sacré, si sacré qu'il avait d'abord été célébré par Dieu dans le ciel. Il fut porté aux nues comme la forme de vie la plus haute, par laquelle on accédait au statut de citoyen et d'homme. Le nombre de gens sachant lire s'étant accru avec l'imprimerie, la nouvelle idéologie était diffusée sous forme de théorie ou de fiction littéraire. C'est alors qu'apparaissent les premiers récits sentimentaux écrits et imprimés. Ils étaient surtout didactiques et exposaient les raisons qui devaient fonder le mariage et la façon de le contracter. Certains ressemblaient à des mises en garde, d'autres à des idylles, d'autres encore à des polémiques. Des ballades célèbrent les qualités de la jeune fille à marier.

Toute jeune fille qui était agréable à regarder, douée d'une bonne santé et d'un bon caractère était courtisée avec conviction, mais l'amour demeurait soumis à des considérations de convenance et de profit. Il ne fallait pas que le mari fût vieux, défiguré, cruel ou coureur. On ne mariait pas la fille pour de l'argent. Les héros des ballades et leurs admirateurs condamnaient sévèrement les nobles qui traitaient leurs enfants comme des instruments de reproduction. Par ailleurs, une jeune fille ne quittait le toit de son père pour se marier que si un prétendant convenable s'était présenté dans les formes requises. Elle promettait de bien le traiter, de le respecter et de satisfaire joyeusement son désir au lit. Rien ne permet de penser, toutefois, qu'elle s'attendait que sa vie fût transfigurée par l'amour. Elle se voyait comme les autres la voyaient, c'est-à-dire comme un être sexué en âge de s'accoupler, et son mari était choisi en fonction des mêmes critères. Le jour de son mariage, elle était réveillée par les garçons et les filles servant d'escorte au fiancé, parée de sa plus belle robe, parfumée de romarin, peut-être couronnée d'épis de blé, puis conduite en procession jusqu'à l'église où son mari l'assurait de sa protection et d'une part de ses biens. La bénédiction leur promettait des enfants et exorcisait la peur et la jalousie. On festoyait toute la journée pendant que le jeune couple s'impatientait car les mariages se faisaient vers la Saint-Jean quand le soleil ne se couche qu'à 11 heures du soir. Puis on les escortait jusqu'à leur lit et on les laissait seuls.

C'est du moins ce qui se passait selon les amateurs de folklore du XVIIe siècle. Il est probable que la réalité, dans la plupart des cas, était moins belle, mais le mythe servait de fondement à l'affirmation des campagnards qu'ils avaient sur les courtisans l'avantage de connaître les secrets de « l'amour authentique » qui reposait sur la familiarité et le choix lucide des parents. Mais l'imprimerie contribuait aussi à la diffusion de la passion pétrarquienne, qui influençait la sensibilité des gens jeunes, dont les esprits étaient déjà enflammés par l'abstinence sexuelle qu'imposait le mariage tardif. Les maîtres d'école, les prédicateurs, les partisans de la réforme tempêtaient contre l'invasion des livres et des pièces de théâtre licencieuses. Les œuvres en prose racontaient d'interminables histoires de chevalerie dégradées en aventures. Les poètes chantaient l'adultère et les délices de l'excitation sexuelle, les pièces avaient pour sujet des passions juvéniles et des mariages clandestins. Le déferlement des maladies vénériennes au début du XVIe siècle incita les jeunes gens à chercher dans les campagnes des femmes non contaminées, et ils les courtisèrent en citant Serafino, Marino et Anacréon, au nom du grand Pétrarque que peu d'Anglais avaient lu. La presse élisabéthaine dénonçait avec indignation les infâmes séducteurs de naïves campagnardes. Elisabeth et Mary publièrent des édits sévères contre les hommes qui tournaient la tête aux filles de la campagne, les incitaient au mariage, dépensaient leur dot et les abandonnaient. L'Église exigea que les bans fussent lus dans les paroisses des deux fiancés, mais la plupart du temps les indications étaient fausses, les bans lus dans des endroits où personne ne connaissait les intéressés, ou ils n'étaient pas lus du tout. Les troubles religieux ajoutaient à la confusion. Des paroisses sans titulaires s'en remettaient à des prêtres ignorants pour légitimer les enfants. Les lois extraordinairement compliquées de l'annulation du mariage étaient inconnues du plus grand nombre jusqu'à ce qu'elles fussent invoquées par un intéressé mieux informé et rarement honnête. Nous ne saurons probablement jamais combien de gens ont été victimes de l'ignorance de la loi ecclésiastique qui régissait le mariage et le droit de succession, et des modifications de la religion d'État au XVIe siècle. Peut-être était-ce le clergé réformateur, persécuté par Mary et déçu par le refus d'Élisabeth de reconnaître le mariage des clercs, qui a créé le mythe du mariage parfait. Mais ce sont les minorités qui changent la culture de la majorité, et il est indéniable qu'un tel changement avait lieu.

Vers la fin du XVIe siècle, l'amour et le mariage étaient déjà un thème important de la littérature. La famille nucléaire était typique des foyers urbains et une plus grande partie de la population vivait dans les villes. Mais les cultivateurs évoluaient également vers la famille triadique. La ville imitait la campagne, où le mariage était fondé sur la tolérance et la survie mutuelle dans deux pièces, où l'hiver était plus long que l'été et la disette plus fréquente que l'abondance. On n'en était pas encore à considérer le mariage comme la fin automatiquement heureuse de l'histoire. Shakespeare a été l'un des meilleurs avocats du mariage en tant que mode de vie et de salut. Il reste à prouver combien nous lui devons pour ce qu'il y a de positif dans l'idéal d'un amour exclusif et de la cohabitation, mais une chose est certaine : dans ses comédies, il est plus préoccupé de délivrer l'esprit de son public des résidus du romanesque, des rites, de la perversité et de l'obsession, que d'aboutir à un dénouement heureux. Lorsqu'on a pris conscience de ce principe, les problèmes que posent ses intrigues se résolvent d'eux-mêmes. On parle souvent du travestisme dans l'œuvre de Shakespeare sans se rendre compte qu'il est à la fois mode de révélation et convention destinés à provoquer des frissons. Julia, dans *Les deux gentilshommes de Vérone* et Viola, dans *La nuit des rois*, sont des héroïnes en travesti, prenant le public à témoin, opposées aux idoles pétrarquiennes, Silvia et Olivia, qui se meuvent dans une imagerie cérémonieuse. Ces deux déesses se déshonorent aux cours de ces pièces par leurs stratégies trop humaines et, dans le cas de Silvia, il y a une tentative de viol. Les jeunes filles en tenue masculine gagnent l'amour de l'homme qu'elles aiment par des moyens plus laborieux car elles ne peuvent user d'artifices et de coquetterie. Elles offrent leurs services au lieu d'exiger ceux de l'homme, et en tant que valet, elles voient l'homme qu'elles aiment dans des situations qui n'ont rien d'héroïque. Rosalinde, dans *Comme il vous plaira*, réussit à détourner Orlando de sa futile manie italianisante de défigurer des arbres avec de la mauvaise poésie. Son coup de foudre pour une femme inconnue qui lui a parlé aimablement un jour de victoire se transforme en amour familier pour un adolescent asexué qui lui apprend à connaître les femmes et le temps. Rosalinde, à lui servir de mentor, découvre son propre rôle et se délivre des chaînes de la féminité. Dans *Roméo et Juliette*, Roméo surprend l'aveu d'amour de Juliette si bien qu'elle ne peut respecter les formes quoiqu'elle en ait le souci. Leur amour n'étant pas approuvé par une société malade, ils en mourront. Chez Shakespeare, l'amour est un phénomène social. Ce n'est pas un élan romantique qui cherche à s'isoler de la société, de la famille et des autorités constituées. Dans *Le songe d'une nuit d'été*, l'obsession est décrite comme une hallucination et une folie, exorcisée par un rite. Portia, dans le *Marchand de Venise*, réussit à faire comprendre à Bassanio la valeur de ce que contenait la cassette en plomb lorsqu'elle endosse une robe d'avocat et plaide la cause d'Antonio, l'ami et le bienfaiteur de son mari. Son amour contribue à unir les hommes au lieu de les séparer.

Quand le choix se situe entre la femme ultra-féminine et la virago, la sympathie de Shakespeare va à la virago. Les personnages féminins des tragédies sont tous des créatures féminines, même Lady Macbeth qu'on prend à tort pour une amazone, et particulièrement, Gertrude, qui n'a pas de sens moral, est désarmée, voluptueuse. Ophélie est sa version infantile. Les deux sœurs concupiscentes, Goneril et Regan, sont opposées à Cordelia, la princesse guerrière, qui refuse de minauder et de flatter les désirs irrationnels de son père. Desdémone est d'une féminité fatale, mais elle en prend conscience et meurt en comprenant en quoi elle a trahi Othello. Seule, Cléopâtre manifeste suffisamment d'initiative et de désir pour prétendre à la qualification d'héroïne.

L'opposition entre les femmes qui sont des personnes et celles qui ne le sont pas ne repose pas uniquement sur le contraste des personnages de comédie et des personnages de tragédie. Il y a des exemples plus explicites de femmes qui gagnent l'amour de l'homme. Hélène qui poursuit son mari dans les bordels militaires dans *Tout est bien qui finit bien*, et celles qui le perdent par inertie et manque de caractère comme Cressida. Dans *La mégère apprivoisée*, Shakespeare oppose deux types de femmes afin d'illustrer une théorie du mariage clairement exprimée par le jugement porté sur les deux formes de cour dans la dernière scène. Kate est une femme qui lutte pour le droit d'être dans une société où elle est un objet dédaigné, qui a moins de valeur marchande que sa sœur. Elle réagit en se révoltant et en devenant une mégère. Bianca a compris que la ruse et la feinte douceur sont plus rentables. Elle se fait valoir au moyen d'artifices en manœuvrant son père et ses soupirants dans un jeu périlleux qui pourrait aboutir à sa propre perte. Kate risque le désastre d'une façon différente, mais elle a la chance de tomber sur Petruchio qui est suffisamment viril pour savoir ce qu'il veut et comment l'obtenir. Il veut conquérir l'esprit et l'énergie de Kate parce qu'il désire une femme qui vaille d'être gardée. Il la dompte comme un faucon ou un cheval rétif, et elle l'en récompense par son ardeur sexuelle et une fidélité passionnée. Lucentio se trouve encombré d'une femme froide, déloyale, qui n'hésite pas à l'humilier en public. La soumission d'une femme comme Kate est authentique et stimulante parce qu'elle a quelque chose à sacrifier : son orgueil de vierge et son individualisme. Bianca est l'image même de la duplicité et se marie sans sincérité ni bonne volonté. Le discours de Kate, à la fin de la pièce, est le meilleur plaidoyer en faveur de la monogamie chrétienne. Il repose sur un mari conçu comme protecteur et ami, et il est valable parce que celui de Kate est l'un et l'autre. Petruchio est à la fois doux et fort. C'est déformer la pièce que de le présenter comme battant sa femme. Le message a deux sens. Seules les femmes comme Kate font de bonnes épouses et uniquement pour des hommes comme Petruchio.

Il n'y a aucun romantisme dans la conception shakespearienne du mariage. Shakespeare se rendait compte que c'était une épreuve exigeant de la discipline, de l'énergie sexuelle, le respect mutuel et beaucoup d'indulgence. Il savait qu'il n'y avait pas de réponses toutes faites aux problèmes conjugaux, et que la passion n'était pas un fondement pour une cohabitation permanente. Shakespeare se trouvait à cheval sur deux cultures. Le catholicisme s'effondrait et le protestantisme anglais se consolidait, entraînant une modification de la conception de la Création, de l'éthique, de la science et des arts que nous avons baptisés « Renaissance anglaise ».

La plupart des œuvres de Shakespeare ont trait à ces changements et mettent en balance les notions de légitimité et de légalité avec la coopération, la spontanéité, l'obligation morale. Elles opposent la nature et la compassion à l'autoritarisme et à la vengeance.

La nouvelle idéologie du mariage avait besoin d'une mythologie que Shakespeare lui a fournie. Les protestants s'efforçaient de démontrer que le mariage était autre chose qu'un remède contre la fornication, en sous-estimant le facteur sexuel et en faisant jouer au mari le rôle d'ami de l'épouse. S'il était impensable à leurs yeux que les enfants se marient sans le consentement de leurs parents, il était tout aussi impensable que les parents s'opposent à un mariage qui satisfasse aux convenances de statut social, de fortune, et d'âge. Les biens appelés à être transmis et fragmentés par le mariage n'étant plus immobiliers, les filles avaient plus de liberté de choix. Mais en même temps, les anciennes garanties de sécurité disparaissaient. Les parents voulaient connaître les antécédents du fiancé et redoutaient un mariage avec un inconnu qui risquait de se révéler bigame ou dépourvu de tout bien. La campagne continuait à opposer ironiquement ses mœurs à la ville, mais la communauté urbaine ne cessait de croître au détriment de la communauté rurale qui perdait sa cohésion.

Lorsque la femme contribue activement à la production et aide son mari aux travaux des champs en plus de ses propres tâches ménagères, elle n'a pas suffisamment de loisirs pour être le principal consommateur de la famille. Elle n'était pas choisie en premier lieu pour ses charmes physiques, elle n'avait pas appris à les exploiter à ses propres fins, elle n'avait pas le temps de se pavaner dans de beaux habits, en quête d'aventures. Ce sont les femmes des villes qui font l'objet des farces populaires à propos du mariage et du cocufiage. Elles n'aidaient pas leur mari à diriger ses affaires. Elles n'avaient d'autre occupation que de médire à longueur de journée, flirtant, buvant, lançant de nouvelles modes, donnant des rendez-vous, faisant courir des rumeurs, régalant le prêtre. Leur portrait détaillé par Antoine de la Sale dans *Les Quinze Joyes de mariage* connut plusieurs siècles de popularité et fut même traduit et adapté par Dekker à la fin du XVIe siècle. Il ne s'agissait pas de misogynie mais du cri du cœur d'un homme qui avait l'impression d'avoir été exploité par les femmes toute sa vie. Dans les communautés urbaines, il y avait plus de compétition sexuelle et les filles apprenaient de bonne heure à faire usage de cosmétiques et d'autres artifices, exhibant leurs seins et rembourrant leurs fesses. Leur mère les guidait et leur enseignait l'art du marchandage sexuel. Lorsque le pire se produisait et qu'à flirter avec un jeune homme entreprenant l'avenir de la jeune fille était menacé par une grossesse inopportune, la mère arrangeait un avortement ou un mariage hâtif avec quelque riche nigaud. La situation était aggravée par les lois qui interdisaient aux apprentis de se marier jusqu'à la fin de leur contrat. Passé maître et libre enfin de se marier, l'homme épousait une jeune fille appétissante pour découvrir qu'il héritait des restes d'un soldat ou d'un apprenti. Les femmes des villes étaient oisives et contrairement aux pays où les résidences urbaines étaient apparues plus tôt, elles n'avaient pas de chaperon. Elles étaient libres d'aller et de venir et de rendre visite à leurs connaissances. Le sujet classique de la farce française et anglaise est le mari surmené et tyrannisé que sa femme trompe à son insu, en refusant de tenir sa maison et de faire la cuisine. Le malheureux mari se plaint que le désir de sa femme s'enflamme pour tout homme excepté lui, qu'elle est querelleuse, quand elle ne cherche pas à l'enjôler pour obtenir une nouvelle robe avec laquelle séduire les étrangers. A la première grossesse, sa santé décline et elle se prétend définitivement infirme. C'est une charge, mais on y trouve déjà les caractéristiques du mariage dans les classes moyennes. La femme est le principal consommateur et le signe extérieur de la richesse de son mari. C'est une intrigante, paresseuse, improductive et narcissique. Elle a été choisie

---

These London Wenches are so stout,
They are not what they do;
They will not let you have a Bout,
Without a Crown or two
They double their Chops, and Curl their
[Locks,

Their Breaths perfume they do;
Their tails are pepper'd with the Pox,
And that you're welcome to.
But give me the Buxom Country Lass,
Hot piping from the Cow;
That will take a touch upon the Grass,
Ay, marry and thank you too.
Her Colour's as fresh as a Rose in June
Her temper as kind as a Dove;
She'll please the Swain with a wholesome
[Tune,

And freely give her Love.

Ballade anglaise, c. 1719.

(Les femmes de Londres sont vénales et vérolées alors que la fille de la campagne est fraîche comme une rose et fait l'amour pour le plaisir.)

---

en tant qu'objet sexuel, de préférence à d'autres, et l'imagerie de l'obsession devient plus appropriée à son cas. C'est la classe qui est la plus exposée au mythe du mariage-évasion qui a résulté de la rencontre du romanesque de l'adultère pratiqué dans la classe supérieure et des simples histoires de noces paysannes. Tant que les écrivains n'ont pas perdu de vue le caractère essentiel du mariage, leurs œuvres sont restées vibrantes, ambiguës et intelligentes. Mais l'expression « amour authentique » devient bientôt une attrape. Les campagnards l'avaient utilisée pour désigner leurs innocentes associations en vue d'une vie d'efforts et de tribulations. Les réformateurs religieux, s'appuyant sur l'Écriture, avaient sanctifié le plaisir sexuel dans le mariage. Néanmoins, le mariage devait également constituer un frein à la lubricité. Une bonne épouse restreignait la passion de son mari et pratiquait la pudeur et la continence dans le mariage, surtout quand elle avait des enfants. On pensait que les excès sexuels entraînaient la maladie, la stérilité, le dégoût, la difformité de la descendance. C'est pourquoi on trouvait particulièrement condamnable qu'une femme se marie contre son jugement (1). On considérait qu'il ne fallait pas épouser une femme dont on avait été passionnément amoureux, devant laquelle on s'était humilié et à laquelle on avait adressé des poèmes et des chansons pour la flatter. Shakespeare souligne la disparité entre ce que l'homme promet à la femme qu'il courtise et ce qu'elle peut espérer en tant qu'épouse dans sa description de Luciana et d'Adriana (dans *La comédie des erreurs*). En l'espace de quelques heures, la maîtresse divinisée se trouve réduite au rôle d'épouse, la déesse transformée en servante.

Malgré l'opposition des réformateurs religieux,

(1) Il y eut un grand scandale lorsque Lady Mary Gray, une femme frêle, qui avait des liens trop étroits avec la famille royale, épousa Keys, un sergent sans éducation, mais un géant capable d'assurer sa protection. (Strype, *Annals of the Reformation* (1735-1731), vol. II, p. 208).

des écrivains intelligents et des parents soucieux du patrimoine familial et désireux de choisir le conjoint, le mariage d'inclination l'emporta, trouvant son couronnement dans la niaiserie de la robe blanche et du voile. Le phénomène s'explique en partie par les avatars du pétrarquisme dans l'Angleterre protestante. Les sonnets publiés en Angleterre à la fin du XVIe siècle traitaient ouvertement de l'adultère, comme ceux de Sir Philip Sidney, ou étaient totalement honorifiques, comme la passion artificielle de Daniel pour la comtesse de Pembroke. Wyatt, qui avait donné une traduction à la fois dramatique et familière de l'œuvre de Pétrarque, n'avait pu éviter de lui conférer une tension physique, mais il n'avait cessé de lutter contre cette sensualité incongrue. Sidney n'a aucune préoccupation de ce genre. Sa poésie est la chronique de ses succès sexuels auprès de Penelope Rich. La réaction de la société qui défendait le mariage comme un état sacré et qui était profondément consciente de la différence de mœurs de la noblesse après un demi-siècle de scandales, se manifesta au même niveau littéraire. Certains dépravés en étant venus à considérer que se tenir debout à la porte de l'église dans un drap blanc était un signe de prouesse sexuelle plutôt qu'une marque d'opprobre, les puritains exigeaient des châtiments plus sévères pour la fornication. On réagit contre l'apologie de l'adultère dans la littérature aristocratique par des épithalames qui étaient une propagande délibérée en faveur du mariage. L'œuvre de Spenser en est la meilleure illustration. C'est aussi la première car les textes antérieurs sont surtout obscènes et latinisants. Spenser a combiné les réminiscences des noces paysannes avec l'imagerie du Cantique des Cantiques, et une vénération platonique pour la beauté intellectuelle. Le résultat est un triomphe poétique bien que la série de sonnets dont il est le couronnement soit un échec littéraire. L'adoption du style pétrarquien pour décrire la progression méthodique de la cour sincère et grave faite à l'aimée est une erreur. Mais on continua à la commettre. L'angoisse et l'obsession de l'amoureux pétrarquien sont artificiellement stimulées par les accès d'humeur et les caprices de sa fiancée. Le prétendant se met dans des états de frénésie factice lorsqu'il se heurte au déplaisir du père (1). William Habington écrivit sur le mode du mariage pétrarquien une œuvre d'un morne ennui appelée *Castara* qui aurait dû démontrer d'une façon incontestable que l'adultère était une meilleure source d'inspiration que le mariage. Les dramaturges réussissaient mieux que les poètes à présenter le mariage comme le couronnement de l'amour romantique. Mais la véritable source du mythe « ils furent heureux et eurent beaucoup d'enfants » est la forme littéraire inventée pour distraire les femmes durant leurs heures d'oisiveté solitaires, le roman.

Pamela, de Richardson, en est l'exemple originel. Mais son succès est dû à des circonstances diverses. L'invention de l'imprimerie faisait que la littérature n'était plus le privilège exclusif de la noblesse. Le développement de l'enseignement sous les Tudors, encouragé par les protestants qui voulaient que tous pussent lire la Bible, avait créé un marché pour toutes formes de littérature d'évasion qui décrivaient le mariage comme une aventure. Les filles de la bourgeoisie montante apprenaient le romanesque sentimental aux mêmes sources que les bonnes manières. Le mariage est présenté pour la première fois comme un exploit dans des récits tels que ceux qui sont destinés à la corporation des cordonniers, où d'humbles savetiers séduisent des princesses. Peu à peu le thème, illustré par *The Fair Maid of*

(1) Edmund Spenser, *Amoretti* et *Epithalamion*, publiés en 1595.

Fressingfield, de la vertueuse roturière qui fait la conquête d'un noble, se développa. Les romans de Nashe, de Defoe et d'autres auteurs picaresques, n'étaient pas une lecture convenant aux femmes. Moll Flanders et Fanny Hill n'étaient pas des héroïnes pour le sexe faible. Les épreuves de Pamela évoquent celles de la légende dorée où des vierges repoussaient toutes les machinations du démon et de ses représentants terrestres pour se présenter en épouses parfaitement pures au Christ dans le ciel (1). L'époux divin de Pamela est le *squire*, et le ciel c'est un revenu de plusieurs milliers de livres par an. Richardson a continué l'histoire, mais selon la fantasmagorie sexuelle, elle aurait dû s'arrêter au seuil du mariage conçu comme une félicité inexprimable. Les successeurs de Richardson n'ont pas cherché à la décrire. L'industrie du roman reposait pour l'essentiel sur les cabinets de lecture, qui diffusaient surtout de la littérature sentimentale voracement dévorée par les ménagères. Aujourd'hui, les livres de poche, le cinéma, les magazines féminins, les bandes dessinées, les romans-photos se disputent le marché. Un magazine féminin a offert à Gillian Freeman d'écrire un feuilleton répondant à ces stipulations : « La jeune fille de l'histoire doit être une secrétaire... son soupirant doit avoir un rang social plus élevé, il peut être le fils du patron, un cadre, un étudiant, un militaire ou un jeune médecin. Le dénouement doit être heureux, il ne doit pas être fait allusion à la religion ou la race, et les rapports sexuels doivent se limiter à un baiser. »

Le mythe est toujours aussi répandu bien qu'on prétende que la tolérance sexuelle y ait fait d'importantes incursions. Il n'a aucun rapport

(1) *La légende dorée* est une compilation de vies de saints faite dans l'ordre du calendrier par Jacob de Voragine, évêque de Gênes au XIIIᵉ siècle. Ce fut l'un des premiers livres à être imprimés et un succès international.

avec ce qui se passe dans la réalité, mais cela ne diminue en rien la fascination qu'il exerce. Il repose sur la fortune, la beauté, la générosité et la sollicitude d'un homme sur un million. Mais il y a suffisamment

---

Il est probable, lorsqu'un homme vous invite à dîner, que vous êtes quelqu'un d'important à ses yeux. Une invitation à dîner signifie qu'il n'hésite pas à vider son portefeuille pour vous et surtout à vous consacrer beaucoup de temps, assis en face de vous, à ne rien faire sinon manger et parler. Cela signifie aussi qu'il s'attend à être fier de vous tandis qu'il vous suit, vous et le maître d'hôtel, vers la table.

Datebook's Complete Guide to Dating,
1969, p. 115.

---

de femmes prêtes à affirmer qu'elles l'ont trouvé pour convaincre les autres que si elles n'ont pas déniché l'oiseau rare, c'est parce qu'elles avaient moins à offrir et manquaient de séduction. Plus de la moitié des ménagères, en Grande-Bretagne, exercent une activité en dehors du foyer parce que leur mari ne gagne pas suffisamment d'argent pour faire vivre sa famille. Un plus grand nombre de femmes encore savent que leur mari est ventripotent, chétif, qu'il ronfle ou qu'il est malodorant et qu'il laisse traîner ses affaires. Une très grande proportion ne trouve pas de satisfaction sexuelle dans les rapports conjugaux et presque toutes se plaignent que leur mari oublie les petites choses qui comptent. Pourtant le mythe n'est pas remis en question. Il y a toujours des circonstances atténuantes. C'est la faute du gouvernement, des impôts, d'un travail sédentaire, de la maladie ou d'erreurs et de défaillances individuelles. La plupart des femmes qui ont cru au mythe en font un acte de foi et affirment que malgré les difficultés de la vie quotidienne elles sont heureuses, même si c'est en contradiction totale avec les faits. Admettre qu'elles sont déçues reviendrait à reconnaître leur échec et à renoncer à tout effort. Il ne leur vient jamais à l'idée que la cause de leur insatisfaction est le mythe lui-même.

Les femmes des classes populaires ont toujours travaillé, que ce soit en tant que domestiques, ouvrières, couturières ou chez elles. On pourrait s'attendre que le mythe ait eu moins de pouvoir sur leur esprit. Mais la plupart des familles d'ouvriers adoptent un modèle de « promotion sociale » qui aboutit à leur embourgeoisement. Dans trop de cas, le travail de la femme n'est qu'un bouche-trou, une contribution en vue de l'achat d'une maison ou du mobilier, et le mari attend avec impatience le jour où elle pourra rester à la maison et avoir des enfants. Ils estiment, même quand ils n'en ont pas les moyens, que la place de la femme est au foyer et sa fonction de veiller au confort de son mari et de ses enfants. Dans des cas extrêmes, le mari se refusera à voir sa femme frotter le carrelage car c'est un affront à son romantisme masculin.

Le mariage représente la cérémonie principale de la mythologie des classes moyennes, et il marque l'entrée officielle des épouses dans la catégorie des bourgeoises. Le jeune couple lutte pour matérialiser l'image de la vie confortable à laquelle il sera condamné par la suite. La décision du coût de la cérémonie est probablement moins importante que le choix du magasin où il déposera sa liste de mariage. Plus la situation des familles est élevée dans l'échelle sociale, plus le couple peut exiger de cadeaux. Une liste déposée dans le magasin le plus cher de la ville range le couple et les deux familles dans la catégorie la plus privilégiée des consommateurs. Il en résulte un bénéfice commercial correspondant et une satisfaction mutuelle. *Harrods* assure à la jeune fille qu'il lui suffit de trouver le mari, la maison se chargeant du reste. Certains magasins bombardent d'offres de service les jeunes filles dont les fiançailles

---

... lorsque l'organisation sociale et économique créée par l'homme la rendit dépendante et quand, par voie de conséquence, il se montra difficile dans le choix de son épouse... les femmes furent obligées de séduire pour survivre. Elles utilisèrent non seulement les arts passifs innés de leur sexe, mais tout l'éclat que l'homme avait précédemment mis à faire sa cour et dont il s'était dispensé une fois qu'il eût acquis la supériorité que lui conférait sa profession. Incitée à se rendre désirable au moyen d'artifices ajoutés à ses appas, la femme a pris une attitude presque agressive dans la chasse au mari...

W. I. Thomas,
Sex and Society,
1907, p. 235.

---

sont annoncées dans le journal. Un magasin londonien réalise des affaires de deux ou trois millions de livres par an rien qu'en manœuvrant la mère de la fiancée. Les magasins les plus chers comptent qu'une liste de mariage leur rapportera cinq cents livres, tout en constatant avec regret que la moitié seulement des invités achètent leur cadeau chez eux. Le mécanisme économique apparaît du fait que c'est la jeune mariée qui provoque et dirige cette consommation spectaculaire de même que sa toilette et ses bijoux et l'accoutrement des invitées établira le degré d'élégance du clan. Les amies de la fiancée estimeront le succès social du mariage envisagé à la grosseur de la bague de fiançailles. L'incitation à la consommation est entretenue par l'imagerie des films, des pièces de théâtre et des livres dans lesquels chaque intérieur est luxueux, chaque épouse mince et élégante, et chaque mari pourvu d'un solide compte en banque.

Je ne suis pas étonné d'apprendre le nombre d'hommes dont les épouses n'arrivent pas à un orgasme satisfaisant. Comme il a été question de vibrateur, puis-je faire remarquer qu'il n'est pas nécessaire d'avoir recours à un modèle à batterie en forme de pénis, difficile à déguiser s'il est découvert par les enfants. Nous avons un Pifco standard qui est fantastique. Je défie quiconque de prétendre que sa femme ne parviendrait pas à un paroxysme sexuel magnifique si son clitoris était excité par un de ces instruments.

R. W. (Cheshire) *Forum*, vol. II, n° 8.

Le mythe agit comme l'espoir de gagner à la loterie. Toute femme mal fagotée et surmenée qui lit dans le *Sunday Times* un article sur une femme de millionnaire rêve qu'elle a trois enfants, une cuisinière, une bonne d'enfants, deux femmes de chambre, deux jardiniers, une Rolls-Royce, une Fiat, une estafette, un hélicoptère, une résidence campagnarde dans le Cheshire, un appartement dans le quartier le plus élégant de Londres. « Mon mari m'a acheté un sac en crocodile avec une chaîne qui va avec n'importe quoi. Bien entendu, je ne sais pas ce qu'il coûte. Il m'a donné un manteau de vison, marron foncé, qu'on peut porter en toute occasion... Naturellement, j'achète mes négligés et mes chemises de nuit chez Fortnum. Non, je ne sais pas ce qu'ils coûtent. Quelquefois, mon mari m'en fait cadeau, ce qui me fait plaisir... Mon mari sait admirablement choisir les bijoux. » Tout serait gâché si l'envieuse lectrice du *Sunday Times* imaginait que la secrétaire de l'industriel lui rappelle les anniversaires et s'en va à l'heure du déjeuner acheter un bijou qui est choisi par le vendeur principal du bijoutier. L'amour semble périr à l'épreuve

---

Nous savons tous que l'homme se tourne instinctivement vers la femme pour être puni. C'est une attitude naturelle née de la relation entre la mère et l'enfant. Je me prête volontiers au besoin qu'éprouve mon mari de recevoir la discipline non seulement pour sa valeur érotique mais en raison de tous les avantages que j'en retire par ailleurs.

J'ai constaté que mon mari a un désir insatiable de me plaire non seulement sexuellement mais dans toutes les questions domestiques. C'est lui qui se charge de faire le ménage, les courses, le lavage et le repassage. Il me suffit de dire que je désire une étagère, que le poêle doit être ramoné ou qu'une pièce a besoin d'être retapissée pour qu'il s'exécute aussitôt. Je l'encourage à apprendre à faire la cuisine.

Je suis convaincue non seulement par mon expérience mais par ce que je sais d'autres couples, que mon mari n'est pas anormal. Je suis sûre que neuf maris sur dix, si leurs femmes leur demandaient s'ils ont envie d'être fouettés, répondraient oui.

Mrs L. B. Essex, *Forum*, vol. II, n° 3.

---

du quodidien ou devenir invisible. L'épouse courageuse affirme : « Je sais qu'il m'aime. Il ne le dit pas et nous avons dépassé le stade des démonstrations d'affection. Mais il ne me ferait jamais de peine ni aux enfants. » Il est facile d'imaginer l'amour survivant dans une maison entourée de roses ou un château du Cheshire où la maîtresse de céans, servie par une nombreuse domesticité, est toujours élégante, parfumée, reposée et heureuse dans la tendre étreinte d'un mari triomphant.

Mais ce n'est pas vrai. Cela ne l'a jamais été et ne le sera certainement pas à l'avenir.

23

LA FAMILLE

Maman canard, papa canard et les petits canetons.
La famille, dirigée et matériellement entretenue
par le père, nourrie et soignée par la mère, semble
faire partie de l'ordre naturel. Pendant que maman
gorille allaite son petit, papa gorille monte la garde
et la protège contre les dangers de la jungle. Même
lorsque la jungle ne recélait aucun péril, Adam
labourait, Ève filait, et Dieu le Père leur tenait
compagnie lorsqu'ils avaient été sages. Après le
péché, on les chassa du jardin d'Éden et ils fondèrent
leur propre famille. Leurs fils se disputèrent comme
tous les enfants, et le meurtre fit irruption dans le
monde. Lilith était à l'affût dans les Apocryphes,
elle était la femme destructrice qui, en offrant
l'amour et la licence, menaçait la cohésion de la
famille. Les petits-fils d'Adam épousèrent les filles
de la chair. Le mythe de l'origine de la famille
patriarcale dans l'Ancien Testament est ambigu. Le
père est vindicatif, la mère est sa vassale, les frères
commettent le crime primordial, le meurtre par
amour du père, alors que la prostituée leur fait
signe à l'extérieur de leur prison domestique. Sur
ce fondement, le christianisme a construit son
propre concept de la famille, en y voyant le produit
d'une loi naturelle. La structure de l'État, qu'on
considérait naïvement comme un ensemble de

familles, reflétait le même principe naturel. Le roi président était le père bienveillant mais juste d'une énorme famille. L'Église aussi reconnaît un chef, représentant Dieu sur terre. L'homme était l'âme, la femme, le corps. L'homme était l'esprit, la femme, le cœur. L'homme était la volonté, la femme, la passion. Le père enseignait leur rôle masculin aux garçons, la mère leur rôle féminin aux filles. Tout paraissait clair, simple, immuable. Le père était responsable de ceux qui dépendaient de lui. Il était propriétaire du patrimoine familial, qu'il transférait à l'aîné de ses fils avec son nom. Il n'y avait pas de solution de continuité dans la chaîne de commandement qui allait des « anciens » jusqu'aux plus pauvres vassaux.

Pourtant, ce qui paraît fondamental et inévitable est contingent. La famille patrilinéaire n'est possible que lorsque la femme reconnaît à l'homme le droit

---

La famille moderne individuelle est fondée ouvertement ou implicitement sur l'esclavage de l'épouse... Dans la famille, l'homme est le bourgeois et la femme représente le prolétariat.

Friedrich Engels,
The Origin of the Family, 1943, p. 79.

---

de paternité. La paternité n'est pas une relation intrinsèque. Elle ne peut pas être prouvée, si ce n'est négativement. La surveillance la plus sévère ne garantira jamais totalement qu'un homme est bien le père de son fils.

Tant qu'il y a eu des biens à léguer, une légitimité à maintenir, on a entouré les femmes de gardiens, on les a cloîtrées, et on a entravé autant que possible leur curiosité naturelle, leur besoin d'action et d'expression. La ceinture de chasteté que le seigneur imposait à sa femme lorsqu'il partait guerroyer était l'indice de la vanité de cette lutte. Aujourd'hui, les femmes exigent qu'on leur fasse confiance et qu'on accepte leur affirmation concernant la filiation de leurs enfants. Elles honorent l'engagement qu'elles ont contracté d'assurer à leur mari l'immortalité en ses enfants en échange de sa protection et de leur entretien matériel.

Pourtant, la famille qui se crée lorsqu'un jeune mari installe son épouse dans un logement indépendant est mal conçue pour assurer la paternité légitime. L'épouse est seule à longueur de journée sans chaperon. L'homme doit avoir en elle une confiance plus grande. Dans un intérieur moderne, il n'y a ni domestiques ni parents pour veiller sur les intérêts du mari. Pourtant, on y voit l'aboutissement logique et approprié des formes de vie patriarcale qui l'ont précédé. En fait, cette famille nucléaire, réduite au couple, sera peut-être, de toutes les cellules sociales, la plus éphémère. A l'époque féodale, on vivait dans une famille-souche, dont le chef était l'homme le plus vieux, exerçant son autorité sur ses fils, leurs femmes et leurs enfants. Les tâches domestiques étaient réparties en fonction du statut des femmes. Les filles célibataires se chargeaient de la lessive, du filage et du tissage. Les mères s'occupaient de leurs nourrissons. Les femmes plus âgées prenaient soin des autres enfants et de la cuisine.

L'épouse la plus vieille veillait à l'harmonie et à la bonne marche de l'ensemble. L'isolement qui fait du petit pavillon familial un foyer de névrose n'existait pas. Les frictions n'avaient pas la possibilité de se transformer en angoisse passionnelle comme dans le tête-à-tête solitaire des époux. Les conflits familiaux pouvaient être discutés ouvertement et les décisions des anciens étaient respectées. C'était rarement l'amour romanesque qui entraînait la cohabitation. L'homme qui désirait procréer choisissait une femme susceptible de s'intégrer dans la maison familiale. La déception, le ressentiment, l'ennui avaient moins d'occasion de se manifester. Les enfants étaient les bénéficiaires de ce mode d'organisation et ils le sont encore dans certaines parties de la Grèce, de l'Espagne et du sud de l'Italie. Il y avait toujours quelqu'un, un grand-père, un oncle ou une tante célibataire, qui avait le loisir de répondre aux questions, de raconter des histoires, d'instruire, d'aller à la pêche. Sitôt que l'enfant savait marcher, il avait de petites responsabilités : nourrir la volaille, les pigeons, s'occuper d'un agneau ou d'un chevreau. On ne l'envoyait pas se coucher tandis que ses parents discutaient dans la cuisine. On lui permettait de suivre la conversation jusqu'à ce qu'il s'endorme dans les bras de quelqu'un. On le déshabillait et on le couchait sans le réveiller. Il n'y avait pas de fossé entre les générations car tous les groupes d'âges étaient représentés dans le cercle familial. J'ai vécu dans un minuscule hameau du sud de l'Italie et j'ai vu une famille de ce genre faire front à la plus grande pauvreté, en l'absence de la plupart des hommes, partis travailler en Allemagne. Les enfants étaient les plus heureux, les moins timides et irritables que j'aie pu observer. Toutes les familles du voisinage avaient des liens de parenté, et la communauté était étroitement unie. Les exigences de la vie en groupe avaient suscité des règles de bienséance qui étaient toujours respectées. Nous serions morts de faim si nous n'avions échangé avec nos voisins ce que chacun avait en excédent car les prix exorbitants des latifondistes dépassaient nos moyens.

La famille-souche est une source de cohésion immuable, qui échappe à l'autorité de l'État, et dont la solidarité est avant tout interne. Lorsqu'elle s'oppose à l'autorité constituée, elle peut devenir l'infâme *famiglia* de la Mafia. Les rites de l'honneur familial ont engendré des phénomènes antisociaux tels que la *vendetta*, l'*omertà*, mais ils ne se développent que lorsque la communauté locale est menacée par l'autorité politique. Les libérateurs américains se sont rapidement rendu compte de l'importance organisationnelle de la Mafia en Sicile. Ce qu'ils n'ont pas compris, c'est que la cohésion qu'ils cherchaient à exploiter était déjà anachronique parce qu'elle avait cessé d'être économiquement viable.

Les effets de l'industrialisation et de l'urbanisation sur la répartition de la population, la mobilité croissante de la main-d'œuvre ont entraîné le déclin de la famille-souche, qui a commencé en Europe occidentale vers le XVIe siècle. La modification de la propriété terrienne, la désintégration de l'autorité locale au profit d'un gouvernement centralisé, l'instauration des clôtures, le loyer de la terre payé en argent au propriétaire absent ont contribué au développement de la famille nucléaire. Pourtant, ce n'est que récemment qu'elle est devenue le moignon de vie communautaire que nous connaissons aujourd'hui. Du temps où la plus grande partie de la population active était employée dans de grandes maisons familiales, où les célibataires continuaient à habiter avec leurs parents, la famille restait organique et ouverte aux influences extérieures. Les époux n'avaient pas le loisir de ruminer leurs désaccords conjugaux, et leurs liens, légalement indissolubles en l'absence de divorce, étaient renforcés par la pression de l'opinion et des nombreuses personnes vivant au même foyer. Les parents âgés finissaient leurs jours auprès de leurs enfants. Mais il n'y avait plus d'entreprise familiale, plus de patrimoine à accroître et à servir. La densité de population des agglomérations urbaines empêchait l'établissement de liens de voisinage. La nécessité de trouver du travail entraînait les fils hors de l'orbite familiale. Le développement de l'enseignement minait la cohésion culturelle, surtout lorsque la scolarisation obligatoire suscita une génération plus instruite que ne l'étaient les parents. La prolongation constante de la scolarité continue d'ailleurs à creuser le fossé entre les générations. Lorsque Ibsen et Strindberg ont écrit leurs tragédies domestiques, la famille était devenue une prison où les enfants luttaient pour échapper à l'emprise paralysante des parents, et où la collectivité extérieure n'était plus représentée que par l'agent de police, le médecin, le pasteur. Les domestiques étaient des étrangers et des ennemis de classe. La moralité puritaine avait abouti à l'hypocrisie, à la frustration, à la pornographie. Mari et femme s'entre-tuaient au fil des jours. Le père-protecteur, qui n'avait plus d'autre champ où faire la preuve de sa supériorité, était l'arbitre moral bien qu'il ne fût pas préparé à ce rôle. La femme était une poupée, occupée d'intrigues mesquines, sans illusions sur son mari, désorientée, rendue amère par son désœuvrement et son insignifiance. Le syndrome du loisir par procuration que dénonce Veblen était arrivé à sa plénitude. Les occupations de la femme étaient plus dénuées de sens que jamais. Le ressentiment des conjoints est devenu si destructeur qu'on a commencé à autoriser le divorce dans les pays occidentaux. Les femmes ont réclamé le droit d'exercer des emplois autres que domestiques au moment où l'industrie en expansion avait besoin de main-d'œuvre, surtout pendant la Première Guerre mondiale et les années qui suivirent en raison de la pénurie d'hommes. Le nombre des femmes célibataires s'accrût, aggravant un problème qui existait depuis le début du siècle. Progressivement, les grandes maisons victoriennes furent subdivisées en logements plus petits. En réponse à la demande, les grands immeubles à petits appartements proliférèrent. Les fonctions familiales d'autrefois, le soin des vieillards, des malades, des infirmes, des débiles mentaux incombèrent à l'État.

La famille de la deuxième moitié du XXe siècle est réduite à sa plus simple expression, centrée et repliée sur elle-même, et son existence est brève. Le jeune homme quitte le toit familial sitôt qu'il le peut pour acquérir une formation professionnelle et un emploi. Les enfants passent l'essentiel de leur temps à l'école, le mari à son travail. La mère est le cœur mort de la famille et dépense l'argent que

---

Si la monogamie stricte est la vertu suprême, la palme en revient au ver solitaire qui a un ensemble complet d'organes sexuels mâles et femelles dans chacun de ses 50 à 200 proglottis, ou segments, et passe sa vie entière à s'accoupler avec lui-même dans chacune de ses sections.

Friedrich Engels,
The Origin of the Family, 1943, p. 31.

---

gagne son mari en biens de consommation destinés à orner le cadre dans lequel il mange, dort et regarde la télévision. Depuis la guerre, les enfants tendent de plus en plus à créer des groupes à eux, en assumant des caractéristiques tribales dans leur façon de se vêtir et de se comporter. Même les filles travaillent à l'extérieur et partagent avec d'autres jeunes filles des appartements dans les villes-dortoirs des grandes agglomérations. L'épouse n'a d'importance en tant qu'épouse que pendant ses maternités et les années où elle s'occupe de ses jeunes enfants. Mais les conditions dans lesquelles elle accomplit cette fonction et la confusion qui règne sur la façon dont elle doit le faire accroissent son isolement tout en renforçant la dépendance mutuelle de la mère et des enfants pendant les premières années.

La jeune fille qui travaille continue à le faire pendant un certain temps après son mariage puis se retire de la vie active pour enfanter alors qu'elle n'est pas préparée à la solitude du foyer nucléaire. Même si elle trouvait peu de satisfaction à exercer des activités subalternes telles que taper à la machine, vendre ou servir, elle avait au moins une certaine liberté de mouvements. Son horizon se trouve subitement réduit à son intérieur, au centre commercial et à la télévision. Elle couve trop son enfant pendant la journée, et le soir, lorsque son mari rentre, elle envoie l'enfant se coucher afin que le père puisse se détendre. La situation œdipienne qui se reproduisait dans chaque mariage est aujourd'hui intensifiée à un point que Freud eût jugé consternant. Le père devient effectivement un rival et un étranger. Pendant la journée, l'enfant est alternativement tyrannisé et cajolé. Dans un cas comme dans l'autre, il se voit accorder trop d'attention par une personne qui est à son entière disposition. L'intimité qui règne entre la mère et l'enfant n'est ni dynamique ni saine. L'enfant apprend à exploiter une mère

Le complexe bien connu des disciples de Freud, qu'ils supposent universel, je veux dire le complexe d'Œdipe correspond essen-

**tiellement à notre famille aryenne patri-
linéaire fondée sur la « patria potestas » de
la loi romaine et la morale chrétienne dont
le caractère est accentué par la situation
économique de la bourgeoisie fortunée.**

Bronislaw Malinowski,
Sex and Repression in Savage Society,
1927, p. 5.

trop accessible, la bombardant de questions et
d'exigences sans y prendre un intérêt véritable, la
mettant dans l'embarras en public, usant de chantage
pour qu'elle lui achète des sucreries ou le porte
dans ses bras. La dépendance n'est pas l'amour.
L'attitude de l'enfant envers l'école, qui l'enlève
à sa mère après cinq ans d'intimité forcée, est aussi
ambivalente que ses sentiments filiaux. Il l'apprécie
en tant que possibilité d'évasion, mais sitôt qu'on lui
demande un effort, il cherche à opposer ses professeurs et sa mère. La jalousie que la mère éprouve
à l'égard des professeurs et les tentatives des professeurs d'exercer une certaine autorité sur l'enfant
peuvent créer des situations conflictuelles graves.
Les enseignants se rendent parfaitement compte du
caractère antisocial de la relation mère-enfant,
surtout lorsqu'il s'agit de discipline ou de problèmes
résultant de troubles affectifs.

La malheureuse épouse-mère se voit reprocher
d'être antisociale pour d'autres raisons. Le foyer
est son royaume et elle y est seule. Elle voudrait
que son mari et ses enfants lui tiennent compagnie
car elle n'a d'existence sociale qu'en fonction de ce
groupe quasi fictif. Elle lutte pour garder ses enfants
près d'elle, leur impose des restrictions, attend leur
retour, se mêle indiscrètement de leurs affaires.
Eux s'efforcent de la tenir à distance avec un mépris
à peine voilé. Elle implore son mari de ne pas sortir
avec les copains et s'étonne qu'il assiste à un match

de football sous une pluie battante alors qu'il est trop fatigué pour réparer le toit ou tondre la pelouse par beau temps. Elle lui reproche de se désintéresser de ses enfants, se plaint d'être seule à maintenir la discipline. Personne ne lui parle, elle est ignorante, elle a consacré les meilleures années de sa vie à une bande d'ingrats. La politique est un mystère ennuyeux. Le sport est un jeu puéril d'hommes qui n'ont pas su devenir adultes. La meilleure chose qui puisse arriver à l'épouse déçue est qu'elle reprenne le travail qu'elle n'avait exercé qu'à titre de bouche-trou, dont elle ne peut espérer ni promotion, ni rémunération satisfaisante, ni élargissement de son horizon, car il lui faut continuer à faire face à ses obligations domestiques. Le travail devient un moyen d'hypnose. Elle nettoie, tricote, brode. Interminablement.

Les femmes qui s'efforcent de réagir contre l'isolement résultant de la famille nucléaire se heurtent à des problèmes particuliers. Anne Allen a rendu compte dans le *Sunday Mirror* d'un entretien à ce sujet. Son interlocutrice explique :

« Nous avons une douzaine de bons amis. Des gens qui me sont plus proches que les membres de ma famille. Des gens que j'aime mieux et que je connais mieux. Mais qu'arrive-t-il ? *Nous sommes obligés de nous organiser afin de nous voir*. Il faut trouver quelqu'un pour garder les enfants. Et l'autre couple se sent tenu de mettre les petits plats dans les grands. Et puis, au dernier moment, l'enfant est malade, ou quelqu'un se sent fatigué, et on voudrait n'avoir pas pris rendez-vous. Ou alors, nous nous amusons tellement que nous regrettons de devoir interrompre la soirée si tôt. Mais imaginez qu'un groupe d'amis vivent dans le même immeuble, ou simplement dans la même rue. Cela pourrait se faire. Il y a des architectes qui travaillent au projet d'un ou deux immeubles où chacun aurait son propre logement avec des installations pour la vie en commun. Personnellement, je ne pourrais pas supporter un partage sexuel. Et je ne suis pas plus capable que ma mère de partager ma cuisine. Je tiens trop à ma tranquillité. Mais il m'est arrivé souvent d'avoir envie de quelqu'un avec qui parler pendant la journée. Ou lorsque je me sens seule quand mon mari travaille le soir. Ou quand nous nous querellons et que j'ai envie d'échapper pendant une heure à l'atmosphère conjugale. Je n'imagine pas de façon plus agréable de vivre qu'avec mon mari et mes meilleurs amis. Après tout, des tas de gens se lient d'amitié avec leurs voisins. Nous ne ferions qu'inverser le processus. »

Il fut un temps où tous les êtres humains vivaient dans des maisons pleines d'amis, avec des installations collectives dans des communautés stables dont les membres se connaissaient les uns les autres. Le système avait des inconvénients. Le non-conformisme était impossible et l'attention constante que la collectivité portait au comportement individuel très gênante. Si une vieille dame n'était pas exposée à demeurer sans secours au pied de son escalier avec une hanche brisée, une femme plus jeune pouvait difficilement avoir une liaison clandestine. Aujourd'hui, dans les villes surpeuplées, l'individu est seul dans la foule. Les tours abritent des dizaines de familles qui ont beaucoup en commun mais qui ne se fréquentent pas. Chaque porte est hermétiquement close sur des mondes privés entre lesquels il ne s'établit aucune communication au long des couloirs et des ascenseurs anonymes, si ce n'est pour des récriminations à propos du bruit que font les voisins. Les femmes qui surveillent leurs enfants lorsqu'ils jouent sur les terrains de jeux communs ne font connaissance que lorsqu'une incartade de leurs rejetons exige leur intervention. L'esprit de rivalité fait que très fréquemment chaque famille est attachée à une supériorité imaginaire, raciale, morale, religieuse, économique ou sociale. Les urbanistes se lamentent de constater que les habitants des tours refusent de veiller à l'entretien des installations collectives, et les intéressés se plaignent de souffrir d'anxiété à cause de la hauteur des édifices et de l'impression de claustration qui en résulte. Ils se croisent sans se voir dans les ascenseurs, ne peuvent pas regarder les fenêtres du voisin, ni bavarder sur le seuil des portes. Les efforts tentés pour recréer artificiellement une vie collective échouent. Les femmes défendent jalousement l'indépendance de leur foyer, elles ont peur que leurs enfants et leur mode de vie ne soient corrompus par l'interférence d'étrangers. La ménagère d'Anne Allen rejette la possibilité d'un partage sexuel mais du moins elle en envisage franchement la possibilité. Le clan réglementait les relations sexuelles par l'interdiction de l'inceste qui n'est pas même justifiée à l'origine par la peur des conséquences génétiques, que l'on ignorait. Les femmes qui vivent dans les tours n'ont peut-être pas consciemment peur des effets que pourrait entraîner l'intimité avec d'autres femmes, mais elles n'en subissent pas moins la tension. Peut-être pourrait-on éviter l'échec de la vie collective en dotant chaque ensemble d'immeubles d'un café ou d'une laverie. Mais il semble qu'une interaction organique authentique entre les habitants de ces logements alvéolaires n'est possible que si les tâches domestiques que chacun effectue séparément étaient partagées.

On s'accorde à considérer que le résultat architectural des exigences de la famille nucléaire, la prolifération des pavillons individuels, est désastreux. L'entretien de ces zones résidentielles est d'un prix exorbitant, l'accès aux services difficile à établir. Les partisans des grands ensembles ont pour eux l'argument de l'efficacité fonctionnelle et du confort. Mais ils se heurtent à la résistance de la famille nucléaire. Aucune étude anthropométrique, ni l'attrait d'immeubles bien orientés jouissant d'air, de soleil, de vues dégagées, ne peut vaincre la méfiance qu'inspire à la cellule œdipienne d'autres cellules semblables. Les tensions d'une vie conjugale centrée sur l'introspection ne supportent pas un élargissement de l'horizon. Il existe une solution de rechange : la prise en charge de la famille nucléaire par un employeur faisant fonction de père, comme cela se passe dans certaines résidences américaines où tous les employés d'une entreprise sont logés selon leur revenu et leur poste et encouragés à se fréquenter. Les épouses font partie intégrante de l'université ou de la société qui emploie leur mari. La vie collective y est imposée de vive force. Mais les résultats à long terme de ce système me paraissent redoutables. Chaque aspect de la vie familiale finit par être dominé par l'entreprise. L'homme est engagé sur la foi d'un test de personnalité qui englobe sa femme et ses enfants et il doit jouer le rôle qui lui est assigné par l'entreprise dans les moindres détails de sa vie privée. Même son comportement sexuel devient un problème de rendement. Masters et Johnson en ont délimité la norme. Aucun serf, soumis à la loi du *jus primae noctis*, cédant ses fils à son seigneur lige, n'a été plus asservi. Son âme fait partie des biens de la société qui l'emploie. C'est le résultat logique de la régulation de l'emploi opposée à la mobilité des employés. La sécurité du titulaire de l'emploi dépend du comportement de tous les membres de sa famille. Le résultat souhaité est l'immobilisme garantissant la certitude de la prévision. C'est la raison pour laquelle les universitaires ont une libido plus réduite, parce qu'ils sont devenus des souris blanches suralimentées vivant dans une hygiène de laboratoire, et non pas par suite de la proximité constante de leurs femmes, comme le prétend

Lionel Tiger (1). Big Daddy, l'employeur, le spectre qui plane sur *Qui a peur de Virginia Woolf*, a châtré ses fils. La forme de la décadence américaine est l'alcoolisme collectif, seul moyen de se délivrer de la censure qui pèse sur le comportement, et finalement, le *wife-swapping*, l'échange des épouses, forme contemporaine de l'inceste.

« Pendant l'automne de 1962, les deux ménages furent liés d'une manière extatique et scandaleuse. Frank et Marcia étaient ravis d'être si souvent rapprochés sans l'avoir cherché. Dans l'intimité Janet et Harold plaisantaient des stratagèmes, transparents maintenant, des deux autres amants. Ces plaisanteries commencèrent à percer dans leurs conversations à quatre... Les autres ménages commencèrent à les appeler les Applesmith... Mais tu ne sens donc pas comme c'est mal ! Maintenant, nous sommes vraiment corrompus. Tous les quatre (2). »

L'échange des épouses est préconisé avec sérieux par les collaborateurs de journaux de « relations humaines » tels que *Forum* comme moyen de revitaliser des mariages menaçant de sombrer dans l'indifférence. Un comportement partagé tout en demeurant secret cimentera le groupe en une sorte de conspiration, mais les résultats risquent d'être difficiles à accepter. Échanger des partenaires est si peu spontané, si éloigné des vagabondages du désir sexuel authentique, que dans une telle transaction, c'est la sexualité qui est sacrifiée. La passion devient lubricité. Qualifier cela de recherche du plaisir masque l'ennui, mais ne restaure pas la vie. La sexualité, dans ces conditions, n'est plus communication mais diversion. Elle est ravalée à la fonction du bingo, des machines à sous, des *hula-hoops* et des

(1) Lionel Tiger, *Entre hommes,* éditions Robert Laffont.
(2) John Updike, *Couples,* traduction Anne-Marie Soulac, éditions Gallimard.

yoyos. C'est un amusement domestique inoffensif. Pas innocent, mais calculé. Quand Big Daddy approuvera ces incartades, même la sexualité aura passé sous son égide bienveillante. On permet à la souris blanche suralimentée et sous-sexuée de faire une incursion dans l'autre cage pour la revigorer. Et l'on pourrait aboutir à l'uniformité sexuelle : M. Jones appliquerait à Mme Jones ce qu'il a appris de Mme Smith, etc. Ce sera le triomphe de la vie domestique.

Anne Allen est une ménagère anglaise pleine de bon sens et relativement libérale. Après avoir considéré avec une condescendance bienveillante sa jeune interlocutrice, elle poursuit : « Je trouve l'idée séduisante en théorie. Mais en pratique, il n'y a pas une douzaine, ni même une demi-douzaine de couples avec lesquels j'aimerais vivre dans une telle intimité. Ou qui souhaiteraient avoir avec nous des rapports aussi étroits... Je n'aimerais pas la façon dont ils élèvent leurs enfants. Je donnerais plus ou moins d'argent de poche aux miens. Cela suffirait à provoquer des querelles. Je n'aimerais pas l'odeur des plats étrangers qu'ils mijotent dans leur cuisine. Ou je ne les trouverais pas assez propres. Ou encore, je me sentirais gênée de percevoir qu'ils critiquent la façon dont moi je tiens mon ménage. Mais par-dessus tout, je suis irrémédiablement possessive, et si je voyais mon mari s'en aller avec une séduisante voisine chaque fois que je me dispute avec lui, il pourrait en résulter un meurtre. »

Anne Allen ressemble davantage à la moyenne des Anglaises que sa jeune interlocutrice, et elle est plus « normale » que les femmes qui acceptent l'échange des partenaires. Elle n'a pas honte du caractère antisocial de sa famille, alors qu'elle aurait pu dire qu'il n'y avait pas un seul couple avec lequel elle eût toléré des rapports étroits, et peu de couples

En tant que cellule sociale, la famille est l'expression des instincts les plus agressivement individualistes. Elle n'est pas le fondement mais la négation de la société. La société n'est pas née et n'aurait jamais pu naître d'une agrégation d'intérêts individuels contradictoires. Elle s'est développée grâce à des instincts qui neutralisaient l'individualisme, et qui ont pétri, par des sentiments d'interdépendance, de fidélité, de solidarité, de dévouement, un groupe plus large que la famille patriarcale qui était capable, de par sa nature, d'une expansion indéfinie.

Robert Briffault,
Les Mères, 1931, p. 509.

---

avec lesquels elle est sur un pied d'intimité. Le terme de « couple » implique une relation exclusive entre un homme et une femme. Elle n'a pas parlé de « famille ». Et c'est ce que la famille nucléaire est devenue : un couple. Dans les magazines féminins, on fait observer avec tristesse que les enfants peuvent avoir un effet perturbateur sur les relations conjugales, que les obligations maternelles de la jeune épouse et sa fatigue l'empêchent parfois de satisfaire les exigences affectives de son mari. On ne s'aperçoit même pas de l'absurdité qu'est une famille dont l'harmonie est menacée par les enfants. La contraception a accru l'égotisme du couple. Les enfants planifiés s'intègrent à un certain modèle. Du moins les maternités imprévues avaient-elles quelques-uns des avantages de la contingence. Avant tout, les enfants existaient, que cela plût à leurs parents ou non. Dans la famille nucléaire, les parents sont ceux qui commandent et les enfants des instruments qu'ils manipulent à leur gré. Le fossé des générations est agrandi dans ces familles où les enfants ne doivent pas gêner leurs parents, où on les tient à l'écart dans leur propre chambre. La mère ne doit pas avoir plus d'enfants qu'elle n'en peut élever, c'est-à-dire surveiller à longueur de journée, pour les isoler le soir. Il en résulte que si les parents veulent sortir, il leur faut introduire clandestinement la personne qui gardera l'enfant, car sinon, il se mettra à hurler. Je repense à la minable maison de deux pièces que j'ai vue en Calabre, où les gens allaient et venaient librement, où je n'ai jamais entendu un enfant crier sinon lorsqu'il s'était fait mal, où la tante de douze ans chantait en lavant le linge à côté du puits pendant que le grand-père se promenait dans l'oliveraie, son petit-fils dans les bras. Les enfants anglais ont perdu leur innocence car la première chose qu'ils apprennent, c'est à exploiter leur esclave adulte. Un parent stérilisé est un eunuque dans un harem d'enfants. Je conviens qu'une contraception efficace est nécessaire au plaisir sexuel, mais lorsqu'il s'agit de contraception pour des motifs économiques, c'est une autre question. « Nous n'avons pas les moyens d'avoir plus de deux enfants, » est une objection sordide, mais plus acceptable dans notre société que la franchise brutale du « nous n'aimons pas les enfants ». Un parent stérilisé est lié à tout jamais aux enfants qu'il a, pris dans l'ornière des prévisions, et les enfants sont plus étroitement liés à lui. « Nous n'avons pas les moyens d'avoir plus de deux enfants » signifie : « Nous n'aimons que les enfants propres et bien disciplinés des classes moyennes, qui fréquentent de bonnes écoles et embrassent des professions libérales. » Les enfants usent tout l'argent qu'on leur consacre, quelle que soit la proportion du revenu qui leur est affecté, exactement comme les tâches ménagères remplissent tout le temps disponible. Le parent stérilisé est le type parfait de l'animal domestique. La culture masculine porte les hommes à se révolter contre cette domestication, bien qu'ils en aient moins d'expérience que les jeunes filles que toute leur éducation a préparées à cet effet. Dans l'esprit de l'adolescent, le fantasme de la parfaite partenaire interfère avec le souvenir qu'il a de sa propre famille : « Le mariage est la seule chose qui m'effraie. Je suppose qu'avec une fille avec laquelle on s'entend bien, ça va. Mais je ne me vois pas avec un foyer et une femme. J'aime me sentir libre, pouvoir aller où je veux, sans me faire de souci. C'est ce qui est agréable, quand on n'a pas de petite amie, on est libre de sortir et de s'amuser avec les copains. Une fille, ça vous empêche de faire ce qu'on veut. Plus vous sortez avec elle, plus vous êtes pris au piège. J'ai peur de me fiancer. Pour moi, ce serait la fin. Je n'aurais pas le courage de rompre les fiançailles, parce que ce n'est pas bien vis-à-vis de la fille. Trop de gens jeunes se marient trop tôt... La prochaine fois que je fréquenterai une fille, je lui dirai tout de suite que je veux avoir chaque semaine un jour à moi pour sortir avec les copains. Une fois que vous avez perdu tous vos amis, la fille vous tient. Vous êtes fait comme un rat. »

Pris au piège, fait comme un rat, fini ! Les relations sentimentales sont des liens qui ligotent. « La plupart des gens prennent le meilleur emploi qu'ils peuvent trouver, travaillent pour avoir de l'avancement, et une fois qu'ils ont un salaire suffisant, ils se lient avec une fille et l'épousent. A ce moment-là, il faut acheter une maison et une voiture, et vous vous retrouvez enchaîné à vie. A trente-cinq ans, vous n'osez plus changer de situation par peur de l'insécurité. Et vous vivez en regrettant tout ce que vous aviez envie de faire et que vous n'avez pas fait. »

Le désenchantement de ces adolescents révèle

la fonction de la famille patriarcale dans la société capitaliste. Elle immobilise le travailleur, le rend vulnérable en permanence, si bien qu'il recherche par-dessus tout la sécurité. Elle lui impose un niveau de consommation dont il est esclave. Son comportement est déterminé par ses obligations à l'égard de sa famille et de son employeur et non pas par l'intérêt collectif. Je ne crois pas qu'on ait analysé l'effet des pressions qu'exercent les épouses sur les grévistes. Ce sont souvent les soucis familiaux qui poussent le gréviste à l'extrémisme. Si l'employeur est en position de force, les mêmes préoccupations inciteront le travailleur à reprendre le travail. Les femmes n'aiment pas que leur mari soit désœuvré. Souvent, elles préféreraient qu'il gagne moins plutôt que de traîner dans la rue avec ses copains au risque de s'attirer des ennuis. Lorsque leurs maris ont été réduits au chômage par la fermeture de certains puits, les femmes de mineurs avec colère ont refusé la solution du salaire sans travail. Elles ne voulaient pas que leurs maris restent à la maison sans rien faire ou se livrent à des frasques avec les copains. Les jeunes filles assument très tôt cette fonction antisociale en empêchant le jeune homme d'aller rejoindre ses copains en échange de leurs faveurs sexuelles. Il ne faut pas l'imputer uniquement à l'égoïsme féminin. Les groupes masculins dont elles redoutent la solidarité ne l'admettent pas en leur sein, excepté dans des circonstances particulières avec une fonction strictement limitée. Elle ne peut pas jouer aux fléchettes, boire de la bière, donner des coups de pied dans un ballon de football. Elle ne craint pas que son compagnon aille courir les filles en compagnie de ses copains. Elle s'inquiète qu'il prenne à ces activités masculines un plaisir qu'il ne trouve pas auprès d'elle, et qu'il y attache plus d'importance qu'il ne lui en accorde à elle. Elle n'a pas peur d'être trompée physiquement mais souffre de n'inspirer qu'un intérêt sexuel ; elle est jalouse de la camaraderie qui lie les hommes. Chaque épouse doit se contenter de son foyer et de sa vie familiale alors que pour l'homme il ne s'agit que d'un lieu de refuge où il se retire en guerrier malmené, laissant libre cours à sa mauvaise humeur sans faire aucun effort pour plaire, et lèche ses blessures en attendant de pouvoir repartir, nourri et blanchi, pour une nouvelle équipée.

Il est évident que toute femme qui désire se libérer pour profiter de la vie et exprimer son énergie créatrice propre ne peut accepter un tel rôle. Pourtant, le mariage est fondé sur une relation filiale où la femme prend le nom du mari, où son revenu figure

---

La signature d'un contrat de mariage est la transaction la plus importante que vous êtes amenés à conclure... L'une ou l'autre des parties doit gérer les biens familiaux. De préférence le mari, bien que parfois il n'ait d'autre titre à ce rôle que la force physique... Les enfants, lorsqu'ils naissent, sont les nouveaux investissements de la société ainsi constituée. Et les directeurs doivent veiller à ce qu'ils soient profitables.

Cyrus Fullerton,
Happiness and Health in Womanhood,
1937, pp. 40-41.

---

sur sa déclaration d'impôts à lui. Elle habite un logement qui appartient à son mari. Elle est elle-même sa propriété aux yeux des autres comme en témoigne l'alliance qu'elle porte au doigt. Des modifications de détail ne changent rien au fond de la situation. Même si le mari accepte de porter lui aussi une alliance, d'avoir un compte en banque commun, de mettre le logement à leurs deux noms, cela ne satisfait pas les besoins personnels de la femme. Le caractère fondamental de l'institution transparaît quand même. Le seul fait que de telles concessions ne sont pas des droits que la femme peut exiger entraîne de sa part de la gratitude, donc plus de servilité. Pourtant, si l'on veut que les femmes aient des enfants, que l'humanité survive, quelle autre solution adopter?

D'abord, la survie de l'humanité n'est plus un problème de procréation mais de limitation des naissances. Ce qui menace l'humanité, c'est un anéantissement total dans une génération ou deux, et non pas l'insuffisance de la reproduction. Une femme qui désire un autre mode de vie n'est plus tenue de payer sa dette à la nature. Les familles où les parents se contentent d'assurer leur propre reproduction sous la forme de deux enfants ne sont pas les milieux les plus favorables à l'épanouissement des enfants car les névroses résultant du complexe d'Œdipe sont aggravées lorsque les relations filiales l'emportent sur le problème d'adaptation aux frères et sœurs. Il n'y a aucune raison, sinon un préjugé moral, que toutes les femmes se sentent obligées d'avoir des enfants. Et une femme qui a un enfant n'est pas automatiquement obligée de l'élever elle-même. La plupart des sociétés admettent que cette responsabilité soit déléguée à une autre personne lorsque la femme exerce des fonctions officielles. Le recours à des nourrices n'a pas produit une race de psychopathes. Un enfant a besoin qu'on s'occupe de lui, mais il n'est pas nécessaire que les soins et la sollicitude lui soient prodigués en permanence par le même individu. Les enfants sont plus perturbés par le changement de lieu que par le changement de personnel, et plus affectés par les mauvaises relations des adultes qui les entourent que par l'absence de contacts familiaux prolongés. Un groupe d'enfants peut être plus efficacement civilisé par une ou deux femmes qui se consacrent à cette tâche par vocation que lorsque chacun d'eux est tyrannisé par une femme unique qui s'ennuie et le considère comme un fardeau. Il ne s'agit pas de remplacer les parents par une organisation bureaucratique, et d'élever des enfants dans des institutions spécialisées, mais de fonder une famille organique où la société des enfants puisse fusionner au sein d'une société d'adultes avec lesquels elle entretient des relations d'affection et d'intérêt personnel. Une famille qui ne serait plus envisagée comme une condition nécessaire de l'existence individuelle dans un système social donné, mais comme une vocation librement choisie, exprimant l'énergie créatrice personnelle.

Si les femmes envisageaient la maternité non plus comme un devoir et un destin auxquels elles ne peuvent échapper mais comme un privilège qui vaut que l'on fasse des efforts, si l'homme travaillait librement pour le droit d'avoir une famille, les enfants auraient la possibilité de grandir sans se voir imposer le fardeau de la gratitude pour une vie qu'on leur a donnée sans qu'ils l'aient demandée. Les femmes qui entreprennent une carrière n'ont pas d'enfants car on estime qu'élever des enfants est en soi un travail à plein temps. Génétiquement, on pourrait les considérer comme stériles. Pourtant, s'il était possible, dans le cadre d'une organisation communautaire, d'avoir un enfant sans lui consacrer la totalité de son temps, en demeurant libre de fréquenter d'autres sphères d'influence, les femmes ayant une activité intellectuelle ou professionnelle seraient sans doute plus disposées à enfanter. J'ai réfléchi aux possibilités d'avoir un enfant qui ne souffrirait pas de ma névrose, de mes problèmes conjugaux et de mon asservissement domestique. Un projet s'est présenté à mon esprit, qui est devenu une sorte de rêve. J'estime qu'aucun enfant ne devrait grandir dans la claustrophobie qu'engendre un logement urbain où il n'a pas la possibilité de se dépenser physiquement. Mon travail m'oblige à résider en ville. Je ne pense pas davantage qu'il soit bon qu'un enfant grandisse dans la seule compagnie d'une mère célibataire obligée de lutter pour subvenir à leurs besoins. Je me suis souvenue des enfants que j'ai connus en Calabre et j'ai pensé que je pourrais acheter, conjointement avec des amis qui ont les mêmes problèmes, une ferme en Italie, où nous pourrions séjourner chaque fois que nous en aurions l'occasion, et où nous pourrions donner naissance à nos enfants. Leurs pères et des amis pourraient y venir aussi fréquemment qu'ils le désirent pour s'y reposer, profiter de la compagnie des enfants, éventuellement travailler. Certains d'entre nous pourraient y vivre pendant des périodes prolongées. La maison et le jardin seraient entretenus par une famille de paysans locaux. Les enfants disposeraient d'un espace à explorer et à dominer, et nous leurs transmettrions nos connaissances manuelles ou intellectuelles. Ce ne serait pas le paradis terrestre, mais une petite communauté qui aurait une chance de survie avec des parents des deux sexes, et une multitude de rôles entre lesquels les enfants pourraient choisir. Les pires aspects du kibboutz pourraient être évités. Les enfants ne seraient pas dissuadés de se livrer entre eux à l'expérimentation sexuelle, restriction contre nature qui a eu des conséquences psychologiques graves pour les enfants des kibboutzim. Jouir de la compagnie de mes amis et de mon enfant serait un plaisir pour lequel je pourrais travailler. L'enfant n'aurait même pas besoin de savoir qui est sa véritable mère et je pourrais avoir les mêmes relations d'affection avec les autres enfants. Si mon enfant manifestait le désir de vivre à Londres ou à New York ou de fréquenter un établissement scolaire de type traditionnel ailleurs, il pourrait le faire.

Toute solution de rechange à la famille nucléaire aurait l'inconvénient d'être originale. Les enfants n'auraient pas été élevés comme les autres en un siècle d'uniformité. Il y aurait des problèmes de légitimité et de nationalité. Notre société a créé le mythe de la famille dissociée, à laquelle on attribue tous les maux. Pourtant je peux témoigner pour en avoir fait l'amère expérience que le maintien du foyer en dépit de la mésentente conjugale engendre une tension plus grande encore. La structure spontanément organique que je propose comme substitut à la famille nucléaire aurait l'avantage de ne pas reposer sur les frêles épaules de deux individus désemparés s'efforçant de réaliser un idéal contradictoire. Cette petite société engendrerait ses propres normes et pourrait avoir des contacts avec le monde extérieur. Mais il serait possible que des enfants élevés de cette façon fussent incapables de s'intégrer à notre société et deviennent des marginaux ou des schizophrènes. Ils ne seraient pas différents en cela d'autres enfants que j'ai connus... La notion d'intégration à une société envisagée comme un tout homogène est en elle-même fallacieuse. Il y a suffisamment d'excentriques qui font leur chemin pour que des enfants ne se sentent pas plus isolés que tout autre groupe minoritaire dans une majorité fictive. Les esprits cyniques diront que de tels enfants s'empresseront de fonder un foyer « normal » par réaction naturelle. C'est possible. Dans l'incertitude, il faut s'en remettre à l'expérience. Je ne pourrais pas, matériellement, avoir d'enfant d'une autre façon, si ce n'est par accident, contre mon gré, en vivant au jour le jour et dans ce cas je ne pourrais assumer la responsabilité des conséquences. J'aimerais pouvoir me dire que j'ai agi pour le mieux.

La raison d'être d'une famille organique est d'éviter aux enfants d'être réduits à la condition d'appendices de leurs parents et de leur permettre d'être avant tout eux-mêmes. Ils seraient en mesure d'accepter les services que les adultes leur rendent naturellement, sans dépendance. Ils pourraient organiser leurs propres activités et déterminer eux-mêmes le mode et l'étendue de leur formation culturelle. Ils souffriront peut-être de leur originalité mais en d'autres circonstances, c'est contre la normalité qu'ils se révoltent. Sitôt que les enfants ont des difficultés d'adaptation, ils se retournent contre leurs parents en mettant en cause leur éducation. Les parents n'ont d'autre choix que de prendre plaisir à vivre en compagnie de leurs enfants s'ils veulent éviter le cycle de l'exploitation et de la récrimination. Et pour cela, il faut qu'ils créent une situation où l'harmonie soit possible.

Certains diront que l'instauration de familles organiques autorégulatrices est un retour au chaos. Mais le chaos authentique est plus fécond que celui de systèmes contradictoires qui se détruisent mutuellement. Aujourd'hui où la bureaucratie a remplacé l'hérédité, au point que les seules richesses sont la capacité de gagner de l'argent et la mobilité, il est absurde que la famille demeure patrilinéaire. Il est absurde, alors que la densité de la population atteint un taux sans précédent, que les gens s'obstinent à vivre comme ils le faisaient dans une maison avec jardin. Il est absurde que les conjoints s'engagent pour la vie alors que le divorce est possible. Il est absurde qu'on parle de normalité familiale alors que la confusion est telle que des enfants nés à dix ans de distance sont élevés d'une façon radicalement différente. Faut-il les nourrir au sein ou pas? Leur inculquer la propreté et comment?

Les punir? Les récompenser? Il est absurde que tant d'enfants grandissent dans un milieu qui leur est hostile. Il est absurde que les enfants redoutent les adultes étrangers à la famille. Beatniks, Mods, Rockers, Hippies, Yippies, Skinheads, Maoïstes, Fascistes, rebelles sans cause, de quelque nom condescendant que les adultes les affublent, les jeunes les accusent de masquer leur propre désarroi sous une autorité usurpée. Le vandalisme, la drogue, les désordres de toutes sortes sont le véritable chaos, et les efforts des autorités constituées pour y faire face sont plus chaotiques encore. Les jeunes délinquants défient l'ordre établi sans que ses partisans trouvent de riposte efficace. Les enfants se groupent en se donnant l'illusion de constituer des communautés organiques par le recours aux uniformes et au rituel, et tournent l'autorité de l'État en dérision. La police californienne n'ose pas interférer avec les *Hell's Angels*. Les *Black Panthers* expriment la même dérision. La famille est déjà morte. La technologie a eu raison du conservatisme. Le seul moyen que possède l'État paternaliste de venir à bout de ses enfants révoltés est de les matraquer ou de tirer sur eux dans les rues. A moins de les envoyer se faire tuer à la guerre, forme ultime du chaos.

Reich définit la famille autoritaire compulsive comme partie intégrante et en même temps, condition de l'État et de la société autoritaires (1). Comme la famille, l'État se renie lui-même à force d'incohérence, faisant alterner la tolérance avec des démonstrations chaotiques d'autorité. En Angleterre, les « excès » de la jeunesse sont contenus et on les laisse s'épuiser d'eux-mêmes jusqu'à ce que l'occasion se présente de les réprimer ou de sévir discrètement,

(1) Wilhelm Reich, *The Sexual Revolution* (New York, 1969), p. 71.

afin de ne pas enflammer les passions. Le résultat est un chaos social et politique, la « jungle sexuelle ». Le caractère informe, la non-existence légale de ma communauté de rêve est une sauvegarde contre le chaos des allégeances contradictoires, des systèmes d'éducation contradictoires, des jugements contradictoires. Mon enfant ne sera pas guidé car toute orientation qui lui est donnée dans notre société actuelle n'aboutit qu'à le pousser dans toutes les directions à la fois. Si nous voulons retrouver la sérénité et la joie de vivre, il nous faudra nous mettre à l'écoute de nos enfants et non pas leur imposer nos propres distorsions dans le cadre démentiel de nos familles.

LA HAINE

24

LA SÉCURITÉ

La sécurité n'existe pas et n'a jamais existé.
Pourtant nous en parlons comme d'un droit. Nous
affirmons que les névroses et les psychoses ont pour
origine l'absence de sécurité. Bien que la sécurité
ne soit pas dans la nature des choses, nous inventons
des stratégies pour déjouer le destin sous forme
d'assurances ou de sécurité sociale. Nous avons des
services de sécurité. Pourtant nous savons que
l'univers recèle des forces de destruction contre
lesquelles il n'y a pas d'indemnisation possible.
Les retraites et les rentes ne sont pas à l'abri des
fluctuations monétaires. L'argent n'est pas une
compensation pour une infirmité, mais nous pré-
voyons un dédommagement financier. Nous nous
rendons compte obscurément que les précautions
que nous prenons contre des malheurs imprévisibles
ne font qu'accroître notre vulnérabilité. Notre
compte en banque, notre maison, nos investissements sont tous exposés aux coups du sort. Plus
nous amassons, plus nous risquons de perdre. Plus
l'État protège l'individu contre la maladie et l'indi-
gence, plus il a le droit de le sacrifier au bien commun,
de démolir sa maison et de tuer ses animaux, d'hos-
pitaliser ses enfants ou de les mettre dans des

maisons de rééducation. Plus son nom apparaît sur les formulaires administratifs, plus il risque d'être calomnié en haut lieu. John Greenaway a été dupe du mythe de l'État-providence et s'est laissé séduire par cette chimère avant d'avoir dix-huit ans.

« Je ne me sens pas en sécurité et je voudrais me marier un jour. Je suppose que c'est par besoin de sécurité. La sécurité est le premier de nos besoins. Si on n'a pas d'argent en réserve à la banque, on a des soucis permanents... Ce n'est pas que je souffre d'insécurité chez moi. J'ai un bon foyer. Mais je ne me sens pas en sécurité en raison de l'état du monde... Je pense que si j'ai la chance de trouver un emploi sûr et bien rémunéré, je deviendrai comme les autres. C'est étonnant ce qu'un compte en banque et un intérieur confortable transforment l'existence. On pense à acheter une voiture, à entretenir le jardin, à prendre une assurance sur la vie, plus deux postes de télévision. On n'a plus le temps de se tourmenter à cause des gens qui meurent de faim en Afrique. La sécurité peut être mortelle et corrompre votre âme. Mais je voudrais en bénéficier. »

Il est probable que le seul lieu où l'être humain puisse se sentir en sécurité, c'est une prison à condition de n'être pas menacé de libération imminente. Le problème de la récidive aurait dû montrer à John Greenaway où mène l'obsession de la sécurité, mais il est probable qu'il ne le comprendrait pas. Il n'y a de sécurité que lorsque tout est réglé d'avance, qu'il ne peut rien vous arriver. La sécurité est le contraire de la vie. Les êtres humains sont mieux équipés pour faire face aux désastres et aux épreuves qu'ils ne le sont pour supporter la monotonie de la sécurité, mais tant qu'elle demeure socialement la valeur la plus haute, ils n'ont guère de possibilité de choisir. On s'accorde à dire que les Anglais se sont admirablement comportés pendant la guerre, qu'ils étaient plus gais, dynamiques et serviables sous les bombardements qu'ils ne le sont aujourd'hui, où nous sommes si loin de nous préoccuper des gens qui meurent de faim en Afrique que nous tolérons la politique britannique au Nigeria. John Greenaway ne se rend pas compte que ses bastions de sécurité ne sont que de nouvelles occasions de menace. Les élisabéthains parlaient de « mutabilité » et déploraient le caractère éphémère de la beauté et du bonheur avec une sorte d'exaltation mélancolique, voyant dans la danse héraclitéenne des éléments un but divin et une progression vers l'immuabilité platonique dans l'univers immatériel des idées. Greenaway n'est pas capable de ce détachement philosophique. Il n'a pas non plus le fatalisme des paysans exposés aux intempéries. Il croit à l'existence de la sécurité. Il est convaincu qu'il trouvera un employeur qui le paiera moins en échange d'une garantie d'emploi, qu'il aura l'assurance de vivre et de mourir dans la même maison s'il l'achète, qu'il peut acquérir une femme et des enfants qui le protégeront définitivement contre l'abandon et la solitude.

Le paradoxe de cette chimère du XXe siècle est qu'elle ait été forgée à un moment où des menaces sans précédent pèsent sur le monde. Jamais on n'a envisagé avant l'âge atomique une guerre susceptible de détruire l'humanité. Il semble que sitôt que l'homme réussit à triompher d'un péril, un autre prenne sa place. Les maladies deviennent plus compliquées. Les possibilités d'agression et de destruction actuelles excèdent tout ce qu'a pu imaginer Grégoire le Grand. Un accord international proscrit l'usage des gaz toxiques. On a inventé les armes bactériologiques. L'insécurité est un facteur constant de notre vie malgré les efforts continus que nous faisons pour l'éliminer.

Greenaway confond la sécurité matérielle et la sécurité affective, et il pourrait difficilement en être autrement. L'obsession provient en partie de ce que le sentiment d'insécurité est considéré comme pathologique et que l'individu se sent coupable de l'éprouver. On pense que les femmes ont particulièrement besoin d'être sécurisées par un mari et un intérieur confortable. De celles qui refusent de se marier, on pense qu'elles défient le sort, se préparent une vieillesse solitaire, s'exposent à la pauvreté et à la dégradation. Mais les maris sont mortels, les pensions insuffisantes, les enfants grandissent et s'en vont, les mères deviennent des belles-mères. La femme, mariée ou célibataire, ne trouve que des emplois subalternes, mal rémunérés. Son droit de propriété est limité par le mariage. Comment le mariage pourrait-il lui procurer la sécurité ? Son mari est un bien qu'elle risque de perdre, à moins qu'il ne lui soit volé. La femme abandonnée vers la trentaine avec deux enfants est en plus mauvaise posture que ne l'est la femme célibataire, avec ou sans enfants. Les lois facilitant le divorce accroissent cette insécurité. L'insécurité affective de la femme témoigne qu'elle a conscience du caractère précaire de sa situation. Il est difficile de s'en remettre à une relation incertaine, qui deviendra plus fragile encore si l'épouse exige d'être rassurée par son mari. Lors de la cérémonie religieuse, on lui promet la sécurité : pour la religion, le mariage est un sacrement qui garantit la sécurité dans l'au-delà où mari et femme sont une seule chair. Pour la femme qui voit dans le mariage un contrat à vie lui assurant la protection d'un homme, son certificat de mariage est un document insatisfaisant. Les sauvegardes et les indemnités devraient y figurer dès le départ, comme dans tous les autres contrats. Un sacrement, dans un siècle d'athéisme, n'a aucune valeur. Il vaudrait mieux pour les parties concernées que le caractère contractuel de l'engagement fût plus clair (1).

Même si le mariage consistait en un contrat prévoyant des sauvegardes et des indemnités, il n'en résulterait pas une sécurité affective. Sa seule valeur serait de faire apparaître l'absence de garantie si bien que la femme ne s'en remettrait pas à une situation qui n'est pas intrinsèquement permanente. La ménagère effectue un travail non rémunéré en échange de la sécurité d'être employée en permanence par son mari. C'est la *reductio ad absurdum* du cas de l'employé qui accepte un salaire réduit en échange de la sécurité d'emploi. Mais les employés les plus mal rémunérés peuvent être licenciés. Il en va de même des épouses. Elles n'ont pas d'économies, pas de compétence professionnelle qu'elles pourraient faire valoir ailleurs, et il faut qu'elles supportent l'humiliation d'avoir été congédiées. Le seul espoir de l'employé et de l'épouse est de refuser l'appât de la fausse sécurité et de négocier ouvertement. Pour cela, il faut que la femme jouisse d'une sécurité d'un autre ordre, l'assurance psychique qui lui permettra d'envisager l'insécurité comme la condition de sa liberté.

En fait, on demande aux femmes de posséder cette assurance psychique, même lorsqu'elles ne l'ont pas, puisqu'elles sont censées ne pas éprouver d'inquiétudes pour leur sécurité dans le mariage et ne pas prendre de mesures pour sauvegarder leurs intérêts, bien qu'elles fassent tout le contraire. Si l'indépendance est nécessaire même dans le mariage, il n'y a pas lieu d'accepter l'asservissement au nom d'une sécurité chimérique. Cette quête de sécurité trouve sa chance dans la partie la plus faible de la personnalité et naît de la peur, de

(1) Je pense qu'un contrat conclu entre un homme et une femme sur les conditions de leur cohabitation serait considéré comme légalement nul pour immoralité.

l'incompétence, de la fatigue, de l'anxiété. Les femmes sont encore moins disposées que les hommes à prendre des risques. Elles s'efforcent de restreindre l'esprit d'entreprise de leur mari, renonçant du même coup à toutes les possibilités de réussite, de satisfaction, de nouveauté.

« Le mariage, un foyer, une femme, des enfants, c'est très important dans la vie. L'homme ne s'accomplit pleinement que dans le mariage. Mais je ne crois pas qu'un homme doive se lier par des obligations conjugales avant d'avoir fait ce qu'il a envie de faire. » Voilà ce que Mike Russell, reporter de l'*Edinburgh Evening News*, pensait du mariage et de la sécurité en 1964. Il avait compris que la fonction de la femme est de visser l'homme à sa place dans la machine commerciale. L'État-providence justifie son existence par la promesse de la sécurité et oblige le travailleur à s'assurer contre sa propre inquiétude et tout accident éventuel en prélevant des cotisations sur son salaire. Tout en le garantissant contre la maladie et en lui promettant une retraite, il utilise une partie de son gain pour créer un arsenal qui lui fait courir le plus mortel des dangers, sous couvert de le défendre. L'épouse est son alliée dans cette opération. Les besoins du foyer, les hypothèques, les traites contribuent à immobiliser le travailleur dans son emploi et contre-carrent son désir de se rendre maître de son entreprise et de prendre l'initiative politique. Si la rémuné-ration demeure acceptable et si les anomalies de la situation ne sont pas trop apparentes, l'homme marié est un employé docile sur lequel on peut compter. En jouant habilement avec la peur que suscitent les immigrants, le mécontentement que provoque le blocage des salaires et les contrats de productivité, un conservateur adroit peut convertir la classe ouvrière au conservatisme le plus aberrant.

Si les femmes refusaient de jouer le rôle qu'on leur

a assigné, en reconnaissant que l'insécurité c'est la liberté, elles ne s'en porteraient pas plus mal. Des esprits cyniques ont fait remarquer que des couples non mariés paient moins d'impôts que ceux qui le sont. Spirituellement, la position de

---

Il est dans la nature de l'amour d'être transitoire. Chercher le secret qui le rendrait permanent est aussi fou que chercher la pierre philosophale ou la panacée. Et la découverte serait inutile ou plutôt, pernicieuse. Le lien social le plus sacré est l'amitié.

Mary Wollstonecraft,
A Vindication of the Rights of Women,
1792, pp. 56-57.

---

la femme est meilleure si l'homme ne peut pas la considérer comme un bien acquis. Il est certain que l'union libre peut être plus contraignante que le mariage en cas d'exploitation mutuelle, ce qui se produit couramment, mais si les femmes faisaient de l'association spontanée leur idéal, l'effet destructeur de la symbiose en serait réduit. La situation demeurerait ouverte, susceptible d'évoluer positivement. L'adultère ne constitue plus une menace si les relations de l'homme et de la femme sont satisfaisantes et non pas maintenues artificiellement par la censure morale. La solitude n'est jamais plus cruelle que lorsqu'elle est ressentie en présence d'un être avec lequel on a cessé de communiquer. Plus d'une épouse réduite à contempler le journal déployé de son mari ou à l'écouter respirer dans son lit, la nuit, est plus seule qu'une célibataire dans une chambre meublée. La solitude des célibataires provient de l'insociabilité et de l'égotisme et non pas de l'absence de liens conjugaux. Le mariage, si on le considère comme source de sécurité affective, est condamné à être un échec car la sécurité affective ne peut provenir que de l'individu lui-même. L'amour possessif, en dépit de sa séduction, détruit l'équilibre personnel et rend ses victimes plus vulnérables que jamais. Les femmes malheureuses qui accusent les hommes qui les ont abandonnées de leur souffrance et de leur isolement, répètent chaque jour l'erreur qu'elles ont commises initialement en renonçant à l'exercice de la responsabilité. Elles ne seraient pas plus heureuses si leur mariage avait duré. Lorsqu'un homme courtise une femme, il s'efforce de se rendre aussi indispensable que la femme à l'homme. Il peut même lui faire un enfant pour tenter de briser son esprit d'indépendance. La femme qui lutte pour rester une personne à part entière et aimer avec plénitude au lieu de le faire par faiblesse peut sembler dure. Elle sera éventuellement tentée par son conditionnement d'enfant et d'adolescente de céder, mais elle devrait se souvenir qu'elle a été initialement aimée pour elle-même. Elle doit défendre sa personnalité au lieu de risquer de devenir querelleuse, impuissante, irritable, prise au piège. Peut-être ne suis-je pas assez vieille pour pouvoir affirmer que la femme indépendante est toujours aimée, qu'elle ne peut pas être solitaire tant qu'il existe des gens qui ont besoin de sa joie et de sa force. Mais selon mon expérience il en a toujours été ainsi. L'homme qui se sent libre de partir quand il en a envie revient toujours. L'homme libre de changer reste intéressant. L'animosité et les griefs sordides du divorce ne peuvent exister si les partenaires ne sont pas devenus des jumeaux siamois. Un homme qui vient dans votre lit de son plein gré sera plus porté à vous tenir dans les bras toute la nuit que l'homme qui n'a pas d'autre lit où dormir.

25

LA RÉPULSION SEXUELLE

Les femmes ne se doutent pas à quel point les hommes les haïssent. Tout adolescent qui a grandi dans une ville industrielle anglaise a connu les soirs de bal où les jeunes gens traînent leur ennui jusqu'à ce que le plus primitif des besoins sexuels les incite à lever une fille. Plus la proie est consentante, plus ils la méprisent, transférant sur elle le sentiment de culpabilité que leur inspire cette satisfaction sordide. « La plupart du temps, déclarent-ils avec amertume, il suffit de proposer de raccompagner la fille jusqu'à l'autobus pour pouvoir se l'envoyer en cours de route. » Les filles se laissent faire avec une passivité indifférente en espérant probablement que le plaisir qu'elles s'imaginent procurer au garçon l'incitera à se montrer affectueux ou protecteur. Les plus irréfléchies se prêtent aux rapports sexuels appuyées contre un mur ou étendues sur la veste de cuir du garçon dans un hangar. Aucun lien affectif ne résulte de cette copulation hâtive. Sitôt satisfait, le jeune homme est brusque, pressé de se débarrasser de la fille afin d'aller raconter aux copains sa bonne fortune. Dans l'instant qui suit l'éjaculation, l'homme est si dégoûté qu'il se sent enclin au meurtre. « Quand j'en ai fini, c'est fini. J'avais envie de l'étrangler et de m'endormir. » Les jeunes gens sont fauchés en permanence et habitent chez leurs parents. Même s'ils ont des relations suivies avec une fille, elles sont acrimonieuses, fondées sur une morne routine entrecoupée de pleurnicheries et de querelles. Les adolescents se défoulent en se battant contre une autre bande. Ils attaquent hargneusement des ennemis pris au dépourvu, les mordent parfois et se sauvent avant que les autres, stupéfaits, n'aient pu riposter.

Pour ces adolescents haineux il n'y a que les femmes inaccessibles qui comptent. Ils n'ont pas meilleure opinion des autres. Leur exclusivisme ne fait qu'exciter leur ressentiment. Ce sont des garces alors que les autres sont des traînées. Un homme se retrouve inévitablement lié à une femme de l'un ou de l'autre type. Le mariage est envisagé avec fatalisme. Tôt ou tard, on est définitivement vissé dans le système et on exerce une activité professionnelle sans avenir pour entretenir une femme vieillissante et des enfants bruyants dans un logement inconfortable et une ville sans attraits. Bientôt, le goût de la lutte disparaît. Il n'y a que des évasions momentanées, une heure ou deux au bistrot, si la bonne femme le permet. En d'autres termes, la sexualité cause la perte de l'homme. Elle est une vile servitude que la femme lui impose inconsciemment.

On peut se demander si les guerres entre les babouins sont aussi cruelles et délétères pour les mâles et les femelles lorsqu'ils sont libres.

Paul Schilder,
Goals and Desires of Man, 1942, p. 41.

L'homme qui m'a fait cette description de ses relations avec la femme était convaincu que tous les hommes éprouvent du dégoût pour la sexualité, une fois satisfaits. Il était convaincu que la froideur qu'ils manifestent après les rapports sexuels est en réalité de la répulsion. Il ne se souvenait pas d'avoir eu des relations sexuelles sans dégoût, à une exception près. Il est trop facile de dire qu'il s'agit d'un cas unique. Cette réaction est engendrée par la perte de dignité qui résulte de l'ennui et des contraintes. Lorsque les gens ont suffisamment d'argent pour entourer les rapports sexuels d'un certain luxe, ce dégoût peut diminuer, mais tant que la sexualité est furtive et associée à l'obscénité, l'attitude à l'égard de l'objet sexuel est nécessairement ambivalente. Dans des cas extrêmes, elle peut provoquer l'impuissance dans le mariage car l'épouse ne doit pas être dégradée.

Lorsque Freewheelin' Frank, en 1967, déclara à Michael McClure que depuis qu'il prenait du LSD il ne pensait plus aux femmes en des termes obscènes, il ne disait pas toute la vérité. La rébellion des *Hell's Angels* a inversé les valeurs traditionnelles au point qu'ils s'imposent les rites sexuels les plus répugnants en guise de célébration du dégoût. « Quand nous parlons de manger la chatte, nous le faisons d'une façon aussi vulgaire et obscène que possible afin que quelqu'un se mette à dégueuler. Les *Angel mamas* sont des nymphomanes qui feront n'importe quoi sexuellement. La fille est au plus fort de ses règles et pisse le sang. Nous pensons que plus elle est dégoûtante, plus celui d'entre nous qui lui fait l'amour devant les autres montre de classe. Il y a au moins six témoins pour observer comment il s'y prend devant les yeux de tous... Quelquefois, des types se sont mis à dégueuler lorsqu'on les a défiés de le faire (1). »

Eldridge Cleaver, en sortant de la prison de Saint-

(1) Frank Reynolds, confidences recueillies par Michael McClure dans *Freewheelin' Frank* (Londres, 1967).

Quentin, a consciemment, délibérément et métho-diquement violé. « Beaucoup de Blancs se bercent de l'illusion que le désir du nègre pour la fille blanche, créature de rêve, est purement une atti-rance de nature esthétique; mais rien ne saurait être plus éloigné de la vérité. Cette attirance est souvent de nature maligne — sinistre, haineuse, agressive — et les Blancs, s'ils prenaient conscience de cela, n'auraient vraiment pas le front d'en éprouver de la vanité (1). » Il est absurde de se leurrer et de voir dans le viol l'expression d'un désir irré-pressible ou un comportement compulsionnel déter-miné par une attraction irrésistible. Toute femme qui a été violentée et violée et qui en a demandé la raison à son agresseur sait combien la réponse « parce que je vous aime » ou « parce que vous êtes belle », est ridicule. Il s'agit d'une agression meur-trière, accompagnée de dégoût de soi-même et née de la haine de l'autre. Les hommes n'ont pas conscience de la profondeur de cette haine. Elle est attisée par des articles incendiaires dans des maga-zines destinés à des faibles d'esprit obsédés par leurs problèmes sexuels. Alex Austin, dans *Male*, explique à quoi l'on reconnaît les femmes lascives, et énumère un certain nombre de manies inoffen-sives, comme ôter ses chaussures, manifester un solide appétit (pour la nourriture) qui, selon lui, sont l'indice d'une lubricité féminine cachée. Barry Jamieson, dans *Stag*, décrit la tactique à employer avec cette complice consentante, la femme du meilleur ami. Ces articles laissent entendre que le monde est plein de femmes dissolues qui, sous le masque de la respectabilité, ne demandent pas mieux que de répondre favorablement aux avances les plus grossières, même si elles font les mijaurées.

(1) Eldridge Cleaver, *Un Noir à l'ombre*, traduction Jean-Michel Jasienko, éditions du Seuil.

Quand elle eut de mes os sucé toute la moelle,
Et que languissamment je me tournai vers
[elle
Pour lui rendre un baiser d'amour, je ne vis
[plus
Qu'une outre aux flancs gluants, toute pleine
[de pus !

Baudelaire.

Si nous considérons attentivement la nature et les qualités de la majorité des femmes, à travers les siècles, de la chute de l'homme au temps présent, nous constatons qu'elles ne sont pas seulement perverties en elles-mêmes mais qu'elles ont été également les principaux instruments et les causes immédiates du meurtre, de l'idolâtrie et d'une multitude de péchés détestables commis par des hommes nobles et éminents.

A briefe Anatomie of Women, 1653, p. 1.

Ce sont des femmes faciles, des marie-couche-toi-là. Elles n'ont que ce qu'elles méritent. Sous l'empire de cette conviction arbitraire, certains hommes murmurent des obscénités aux femmes qu'ils croisent dans la rue et rient de leur humiliation et de leur confusion en y voyant l'indice qu'elles sont effectivement coupables du désir bestial qu'ils leur imputent. La plupart du temps, les femmes n'ont même pas compris les mots. Mais il n'y a pas à se tromper sur le sens du ton et du regard. Les hommes qui toisent insolemment les femmes dans les autobus et le métro en faisant cliqueter la menue monnaie dans leur poche émettent la même insinuation haineuse. L'illusion qui incite les hommes à suivre des femmes inconscientes de leur présence dans des rues surpeuplées provient toujours de la supposition que la femme, sous une apparence réservée, cache une ardeur animale et un désir pervers d'avilissement. Le désir qu'inspirent à l'homme les femmes dissolues est indifférencié, dénué de remords, jusqu'au moment où, étant satisfait, la femme n'est plus qu'un objet encombrant pour lequel il éprouve de la répulsion. Les articles que j'ai évoqués donnent en même temps des conseils pour éviter d'être pris aux rêts de ces chiennes en chaleur. Quel que soit le désir de la femme de nier cette image de son sexe et des rapports sexuels, il n'en reste pas moins vrai que les *Hell's Angels* ne manquent pas d'*Angel mamas*. Il en est question pendant tout un chapitre. Il y a des femmes qui recherchent la dégradation avec autant de passion que les hommes mettent à les humilier, bien que leurs motivations soient très différentes des fantasmes de *Male* et de *Stag*, et qu'elles soient beaucoup moins nombreuses que l'homme l'imagine. L'image publique de Freewheelin' Frank a eu un tel succès qu'il a eu plus que sa part de victimes consentantes avec le résultat auquel on pouvait s'attendre : « Je mis mon menton en travers de son cou et je la serrai violemment. Elle eut tellement peur qu'elle devint extatique. La radio diffusait la chanson « Everyone has gone to the Moon ». Je lui dis :

« — Te rends-tu compte de ce que nous faisons ?

« — Baise-moi, répondit-elle.

« Fou de rage, je la traitai de salope. Je n'avais plus envie d'elle et je m'écartai pour écouter la musique... Quelquefois, la nuit, en me retournant, je la voyais à ma gauche, couchée les yeux grand ouverts comme si elle était morte. Cela m'aidait à me rendormir. Elle voulait dormir aussi. Une fois, elle a dit qu'elle voulait faire une promenade. Je lui dis :

« — Vas-y et n'oublie pas de fermer la porte.

« Je n'aime pas les femmes, je les méprise. Je n'essaie plus de leur plaire. Si elles restent trop longtemps, j'en deviens fou. J'ai envie de leur dire d'entrer puis de les congédier. »

Les organes sexuels sont associés avec ceux de l'excrétion et tant que ces fonctions seront considérées comme intrinsèquement dégoûtantes, l'éjaculation le sera aussi. L'émission involontaire de sperme pendant le sommeil est qualifiée de *pollution* nocturne. La substance elle-même est visqueuse, fibreuse, blanchâtre, âcre et ressemble à une forme plus répugnante de morve. Les êtres humains parviennent, dans des moments de distraction, à échapper à leur conditionnement si bien qu'on peut voir dans le métro le spectacle extraordinaire d'un monsieur respectable, en chapeau melon, le doigt dans le nez, manger ce qu'il y trouve. Si on lui fait prendre conscience de son geste, il sera accablé de honte, d'humiliation, de dégoût. Il aura peut-être la nausée. Dans la jungle des mœurs sexuelles, il est possible d'échapper au dégoût en attribuant à l'autre la responsabilité d'un comportement compulsionnel honteux. « C'est la femme qui m'a tenté. » Lorsqu'un homme a honte de se masturber et se sert de la femme comme d'un instrument de satisfaction sexuelle, ce qui n'est pas très différent, à cela près que la friction résulte du contact avec l'organe féminin et que l'éjaculation se produit dans le vagin, il transfère sa honte sur la femme. L'homme la considère comme un réceptacle dans lequel il a vidé son sperme, une sorte de crachoir dont il se détourne avec horreur. Tant que l'homme n'aura pas accepté sa sexualité et qu'il traitera la femme en objet sexuel, il est condamné à la haïr, du moins une partie du temps. Plus cette haine est hystérique, plus son expression devient extravagante. Il n'est pas nécessaire de citer les restrictions qui, au Moyen Age, réglementaient l'admission des femmes dans les églises ; ces restrictions avaient pourtant l'avantage d'être particulièrement frappantes. Pendant la Renaissance, on a tenté de comprendre les émotions et les effets engendrés par l'instinct sexuel.

The expense of spirit in a waste of shame
Is lust in action ; and till inaction, lust
Is perjured, murderous, bloody, full of
[blame,
Savage, extreme, rude, cruel, not to trust ;
Enjoy'd no sooner but despised straight ;
Past reason hunted ; no sooner had,
Past reason hated, as a swallowed bait,
On purpose laid to make the taker mad :
Mad in pursuit, and in possession so,
Had, having, and in quest to have, extreme ;
A bliss in proof — and prov'd, a very woe ;
Before, a joy propos'd ; behind a dream.
All this the world well knows ; yet none knows
[well
To shun the heaven that leads men to this
[Hell.

William Shakespeare, sonnet CXXIX.

(Le désir porte à toutes les violences. Sa satisfaction est conçue comme une félicité, mais sitôt obtenue, elle le rend haïssable. Les hommes le savent, sans pouvoir s'en délivrer.)

Shakespeare avait raison de dire qu'il n'y a d'égal à la violence de l'instinct sexuel que le dégoût qui suit sa satisfaction. Les premières manifestations de la syphilis en Europe ont été beaucoup plus spectaculaires que l'incidence actuelle de la maladie. Comme on ne comprenait pas la nature de la contagion, elle influençait l'attitude envers la sexualité. Il n'est pas rare que les poètes du Moyen Age aient célébré la sexualité avec une innocence animale, comme l'illustre la fierté naïve de la femme de Bath devant les plaisirs qu'elle procurait à ses maris. Mais pour beaucoup d'humanistes, le plaisir est devenu douteux, et la poursuite de l'objet sexuel est apparu comme un leurre, même lorsque la femme était complaisante, car le plaisir obtenu n'était pas égal aux fantasmes de l'imagination. Plus les néo-platoniciens s'efforçaient de dévaloriser la sexualité, les sens et l'information sensuelle, plus l'empirisme prospérait, et plus le désir sexuel, déformé, sublimé ou perverti, devenait extravagant. La fin du poème de Shakespeare demeure troublée par le désir qui s'exprime dans l'impétuosité de la syntaxe. La maladie, l'idéalisme, le dégoût n'ont pu venir à bout de l'énergie libidineuse des élisabéthains, obligés de satisfaire leurs besoins naturels d'une façon semi-publique, mal lavés, se nourrissant d'aliments que nous qualificrions de putrides, si bien qu'ils n'eussent pas survécu s'ils avaient eu les délicatesses de l'homme du XXe siècle.

Post coïtum omnis animal tristis est. Les romantiques ont développé la suggestion qui a toujours été présente dans la littérature érotique, que le plaisir sexuel est nécessairement inférieur à celui que se promettait l'imagination attisée par le désir. Les grandes histoires d'amour étaient celles que la mort avait interrompues, ou qui étaient demeurées platoniques pour quelque autre raison. La dichotomie de l'esprit et du corps, que l'on faisait remonter à Platon, était en réalité inscrite dans la sensibilité des Européens, avant d'être justifiée par Descartes. Le goût des romantiques pour les héroïnes moribondes est en lui-même une manifestation de dégoût sexuel et de misogynie. Imaginer une femme mourante est un substitut de meurtre. Immolée sur l'autel de la mortalité, elle devient l'objet d'une jouissance exaltée et craintive. L'amant byronnien, consumé par les flammes d'un amour interdit qui torturait son esprit, donnait un pli amer à ses lèvres et un éclat fébrile à ses yeux ternes, viciait tous les plaisirs de la sexualité vécue au bénéfice d'un rêve irréalisable. L'adoration éternelle de la femme inaccessible n'était que le refus de la femme réelle. Même chez un poète aussi actuel que Dylan on retrouve deux catégories de femmes : la jeune fille aux yeux tristes des pays du Nord, inviolée et inviolable, et les autres qui sont humaines, désemparées, méprisables. Cette version grossière du romantisme est à l'origine d'une distinction presque générale dans notre société, particulièrement dans les milieux où la morale sexuelle d'avant-garde n'a pas réussi à masquer ou à bannir le dégoût en le qualifiant d'aberration névrotique. Toute femme qui couche pour la première fois avec un homme sait qu'elle court le risque d'être traitée avec mépris. Il peut la quitter, se détourner d'elle aussitôt après l'orgasme en s'endormant ou en feignant de le faire. Il risque de se montrer brusque et laconique le matin. Il peut refuser de la revoir. Elle espère qu'il ne la dénigrera pas en compagnie de ses amis. Les mots dont on qualifie les femmes qui sont disposées à avoir des rapports sexuels avec les hommes qui les désirent n'expriment plus que dégoût pour une sexualité qui n'est pas sublimée par l'esthétisme des fantasmes romantiques. Si l'amour se dissipe, l'aura disparaît avec lui, révélant la réalité sexuelle dans sa crudité.

Oh ! Caelia, Caelia, Caelia chie.

Dean Swift, Cassinus and Peter, *the Poems of Jonathan Swift*, éd. Harold Williams, Oxford, 1937, p. 597.

Les hommes cultivés se rendent compte que ce dégoût n'est que la projection de leur honte et ils refusent d'y céder mais ayant été formés à la propreté et à la civilisation selon la même méthode que les autres, ils subissent malgré eux les effets de ce conditionnement. « Va te faire foutre » reste la pire des injures et « con » le mot le plus grossier. Etre obligé de jouer le rôle d'une femme dans les rapports sexuels est la pire des humiliations, qui s'aggrave si la victime découvre avec horreur qu'elle y prend plaisir. Il est difficile de mesurer la profondeur d'un tel sentiment dans une société civilisée où les gens tendent à le minimiser par souci de leur dignité. Mais personne n'hésite à admettre que la promiscuité

Je suis tenté de croire que la supériorité morale que les hommes reconnaissent si volontiers aux femmes n'est qu'un compliment galant destiné à les circonvenir afin qu'elles acceptent d'être privées des privilèges plus substantiels qui les mettraient sur un pied d'égalité avec les hommes. J'ai toujours constaté que ce sont les hommes qui sont les plus polis avec les femmes et affirment qu'elles sont des anges, qui nourrissent en secret le plus grand mépris pour elles.

J. McGrigor Allen,
The Intellectual Severance of Men and Women,
1860, p. 23.

---

lui inspire du dégoût. Pourtant, si la sexualité est bonne, la fréquence des rapports sexuels ou le changement de partenaire ne devraient pas la rendre répugnante. On objecte que la promiscuité dévalorise la sexualité, la rend vulgaire, impersonnelle, etc., mais le sentiment de dépression qu'éprouvent les hommes que les circonstances obligent plus ou moins à la promiscuité, tels que les musiciens itinérants, n'est en réalité que la manifestation d'un dégoût fondamental. Peu d'hommes qui satisfont leur instinct sexuel au hasard des rencontres sont capables de s'entretenir humainement avec les femmes qui ont consenti à coucher avec eux. Plus d'une femme s'aperçoit avec consternation que le raffinement de sa technique sexuelle, son intuition des besoins de son partenaire polymorphe, en d'autres termes sa générosité même, finissent par engendrer chez son amant de la répulsion et de l'éloignement. Les agressions sexuelles et le meurtre n'ont souvent d'autre cause que l'incapacité des hommes à surmonter leur inhibition devant la femme convenable qu'ils épousent, et l'angoisse qui naît du désir refoulé mais irrépressible à la longue. Le pire aspect de la prostitution tient à ce que la prostituée doit se prêter aux rites pervers nécessaires à la satisfaction sexuelle de l'homme civilisé. Beaucoup de prostituées déclarent que c'est leur fonction sociale. Les malheureuses qui périssent étranglées avec leurs bas, ou violées avec des bouteilles, sont les victimes du fétichisme et de l'aversion sexuelle des hommes. Pourtant aucune femme, devant un comportement aussi outrageant pour son sexe, ne s'exclame : « Mais enfin, pourquoi nous haïr à ce point ? » Car c'est clairement de la haine.

Le choc et l'effroi qu'a produits un livre comme *Last Exit to Brooklyn* sont dus en partie au sentiment de culpabilité des lecteurs devant la brutalisation de Tralala et la vraisemblance de son horrible fin. Si les médecins révélaient les atrocités que l'on constate à la morgue, nous nous apercevrions mieux encore de la persistance de la haine du « con » dans notre société. « Ils rirent et braillèrent et le suivant lui monta dessus et elle eut les lèvres fendues et le sang lui coula sur le menton et quelqu'un lui épongea le menton avec un mouchoir imbibé de bière et on lui tendit une autre bière et elle but et brailla encore au sujet de ses nichons et elle eut une autre dent cassée et la blessure de ses lèvres s'agrandit et tout le monde rit et elle but encore et bientôt elle fut complètement K.O. (...) Bientôt, ils en eurent marre et les gamins qui regardaient et avaient attendu leur tour, déçus, se vengèrent sur Tralala, déchirèrent ses vêtements en petits morceaux, éteignirent quelques mégots sur le bout de ses seins, lui pissèrent dessus et lui enfoncèrent un vieux manche à balai dans le sexe, puis, lassés, ils la laissèrent au milieu des bouteilles cassées, des boîtes de conserve rouillées et des ordures (1). »

Punie, punie, punie d'être un objet de haine, de peur et de dégoût, par ses orifices magiques, la bouche et le con. Pauvre Tralala ! Ce ne sont jamais les femmes qui commettent les crimes sexuels, même lorsqu'ils sont perpétrés sur le corps de l'homme. Tous les mouvements de libération féminine ont fini par comprendre les implications de cet état de choses.

La haine du « con » s'est perpétuée dans notre civilisation en une multitude de manifestations mineures qui seraient niées par ceux qui l'expriment. L'aversion pour les poils pubiens ressort des poses choisies pour les *pin-ups* qui minimisent la région génitale et sont partiellement motivées par le dégoût pour l'organe lui-même. Les femmes d'expérience, comme l'auteur de *Groupie*, qui se glorifient de leur compétence pour le *fellatio*, pensent que le cunnilinguisme doit être moins excitant et ne le demanderaient pas à l'homme qui leur fait l'amour (2).

(1) Hubert Selby, *Last Exist to Brooklyn*, traduction J. Colza, éditions Albin Michel.
(2) Jenny Fabian et Johnny Byrne, *Groupie* (Londres, 1969).

D'autres femmes sont gênées par le cunnilinguisme parce qu'elles ont la conviction que l'homme doit le trouver dégoûtant. Je réagis souvent de même malgré moi et ce n'est pas parce qu'il s'agit d'une relation trop intime ou trop impersonnelle. Les sécrétions vaginales font l'objet d'une vaste mythologie. La campagne publicitaire pour les déodorants joue délibérément sur la crainte des femmes que les odeurs et le goût naturel des sécrétions corporelles soient inacceptables. Il existe un déodorant vaginal mentholé pour donner l'illusion de la fraîcheur et de l'inhumanité. Le vagin est présenté comme un « problème » qui interfère avec les plaisirs de l'intimité. L'utilisation excessive de désinfectants détruit l'équilibre organique du vagin, mais aucun médecin jusqu'à présent n'a osé le dire ouvertement. Les femmes qui souhaitent se libérer et comprendre à quel point elles en sont loin devraient envisager de goûter leurs sécrétions vaginales sur leur doigt ou sur les lèvres de leur amant. Malgré mon prosélytisme, j'avoue avoir éprouvé un .choc quand l'une des femmes auxquelles ce livre est dédié m'a dit qu'elle avait goûté son sang menstruel sur le pénis de son amant. Ce sang n'a rien d'horrible, il ne contient aucun poison. Je n'hésiterais pas à sucer mon doigt s'il saigne ni à embrasser des lèvres qui saignent et pourtant... La seule façon de guérir de telles superstitions est de faire avec innocence l'expérience de la réalité.

Ce dégoût secret pour les organes génitaux féminins est la raison pour laquelle les irritations et les inflammations de la vulve sont rarement soignées avec efficacité. Beaucoup de femmes combattent avec des remèdes domestiques aberrants des malaises qu'elles croient être d'origine nerveuse, jusqu'à ce qu'ils soient inguérissables. L'association du *prurigine vulvae* avec un désir sexuel excessif est une autre raison de ne pas prendre au sérieux les troubles génitaux féminins. Cette fiction du vagin enflammé parce que insatiable s'accompagne de préjugés concernant l'aspect des nymphes, qui influencent les médecins eux-mêmes. Le sexe d'une jeune femme vertueuse est censé être rose et doux au toucher, le clitoris à peine apparent, la membrane des lèvres lisse et mince. La teinte violacée du sexe des femmes à peau sombre est suspecte, on suppose qu'elle est le résultat d'une excitation excessive, voire de masturbation. Sur le fondement de cette supposition concernant l'aspect des nymphes, des médecins américains, au début du siècle, ont découvert des centaines de cas de masturbation habituelle et les ont traités de la façon la plus barbare, par la clitorectomie. Personne n'a jamais eu l'idée de soigner aussi radicalement la masturbation masculine. Pourtant, dans beaucoup de cas, on a castré des femmes. La pratique, à s'en tenir aux considérations physiologiques les plus élémentaires, était injustifiable car les nerfs qui déterminent la sensibilité du clitoris agissent également sur le vagin et l'anus, et à supposer qu'il y ait eu masturbation et que ses effets sur l'organisme aient été aussi délétères que les médecins l'imaginaient, lui imputant la neurasthénie, l'anorexie, la tension, l'anémie, etc., rien n'empêchait son transfert aux autres zones érogènes. Une telle thérapeutique ne pouvait avoir d'autre motivation que la haine du « con ». La pratique de l'infibulation dans certaines tribus primitives avait la même fonction punitive et défensive.

Ce manque général d'estime pour l'organe sexuel féminin affecte l'opinion que la femme a d'elle-même. Non seulement elle n'aime pas parler de ses organes et de leur fonction, mais il arrive qu'elle cherche à être avilie en fréquentant ses « inférieurs » et en invitant l'homme à l'humilier. Un film italien très amusant racontait l'histoire d'une femme riche qui, lorsqu'elle était ivre, courtisait son chauffeur en l'implorant « Chiamami la tua serva ! » C'est souvent à l'instigation des femmes que les hommes les maltraitent. La forme la plus consternante de la haine de l'organe sexuel est l'introduction d'objets dangereux dans le vagin et l'urètre par les femmes elles-mêmes. On trouve dans les annales les plus anciennes de la gynécologie des cas de femmes mortes avec des aiguilles dans la vessie. Même les premiers gynécologues n'ont pas cru à la version de l'accident stupide. Au début de la chirurgie, de telles violences étaient mortelles. Il en existe encore des exemples aujourd'hui. Beaucoup de désordres menstruels proviennent de l'incapacité de la femme à accepter sa féminité. La jeune femme qui ingurgite un mélange de sels d'Epsom et de gin et s'inflige un bain bouillant est moins préoccupée d'avorter que de se punir d'être une femme. La nymphomanie est en général un besoin compulsionnel de s'avilir par haine de soi-même.

Les femmes sont victimes d'un tel conditionnement concernant leur image physique qu'elles se déshabillent rarement avec panache. Elles se sentent souvent tenues de s'excuser de ne pas être conformes à l'objet plastique du désir masculin tel qu'il est défini par les mass media. Leurs seins et leurs fesses sont toujours trop ceci ou trop cela, leurs bras trop velus, trop musclés ou trop maigres, leurs jambes trop courtes ou trop grosses, etc. La femme ne cherche pas à provoquer des compliments, elle cherche sincèrement une excuse. Le compliment doit la rassurer en affirmant que les imperfections n'existent pas, et non pas qu'elles sont sans importance. La femme qui déplore avoir des fesses trop basses ne veut pas que l'homme réponde « je m'en moque, je t'aime », mais « tes fesses sont parfaites, tu ne les vois pas comme moi je les vois ». Les femmes qui ont les cheveux frisés s'efforcent de les aplatir, celles qui ont les cheveux raides, de les boucler, et ont recours à la teinture pour les éclaircir ou les foncer. Il ne s'agit pas seulement de suivre la mode. Les femmes sont mécontentes de leurs corps et souhaiteraient pouvoir le modifier à volonté. Les artifices utilisés par les femmes ne sont pas destinés à mettre en valeur la nature, mais à la déguiser, par peur et dégoût de la réalité. Une lumière tamisée, des dessous froufroutants, de l'alcool et de la musique leur donnent l'espoir de faire passer un produit de qualité inférieure qui, sous une lumière crue et complètement nu, risquerait d'être répugnant. L'empire qu'exerce le stéréotype est le facteur principal de cette haine de l'homme et de la femme pour le corps féminin. Tant que la femme réelle n'aura pas réussi à chasser ce spectre de son imagination et de celle de l'homme, elle continuera à chercher une excuse et à se déguiser tout en acceptant que l'homme soit ventripotent, chauve, qu'il ait des verrues ou mauvaise haleine. L'homme exige avec présomption qu'elle l'aime tel qu'il est, en refusant de faire l'effort de lutter contre les déformations physiques qui risquent d'offenser la sensibilité esthétique de son épouse. La femme, elle, ne parvient pas à se contenter d'être souple et en bonne santé. Elle s'épuise à se donner une apparence qui ne peut être obtenue que par une distorsion constante de la nature. Est-ce trop demander que d'épargner aux femmes d'avoir à lutter quotidiennement pour offrir une beauté surhumaine aux caresses d'un partenaire d'une laideur subhumaine? Les femmes ont la réputation de ne jamais être dégoûtées. Hélas ! elles le sont souvent. Non pas par l'homme mais, à son exemple, par elles-mêmes.

26

LES INJURES

Le 18 décembre 1969, au cours de l'affaire Régina contre Humphreys, Mᵉ Frisby, Q. C. accusa la défense d'essayer de démontrer que Miss Pamela Morrow, que le défendeur était accusé d'avoir violée, était une *flippertigibbit*, par allusion au démon qui mordit cruellement le pauvre Tom dans *Le Roi Lear*. Le terme a perdu beaucoup de sa force première pour avoir été utilisé à tort et à travers dans la chasse aux sorcières, mais cela ne change rien à son étymologie. Il y a toujours une suggestion de chasse aux sorcières dans les procès où de jeunes personnes qui ne sont plus tout à fait vierges sont amenées à déposer contre des membres du Parlement et il y avait peut-être plus de vérité dans le terme utilisé par Mᵉ Frisby qu'il n'en avait conscience. Une sorcière, de nos jours, n'est plus qu'une femme laide et acariâtre. Mais la misogynie séculaire transparaît dans des évolutions de type inverse : « garce » n'était à l'origine que le féminin de « gars ». Une catin était une femme du peuple. Ma bonne amie, expression de courtoisie, a dégénéré en « bobonne » et en « bonniche ». L'époque où les femmes du peuple étaient réduites à gagner leur vie en effectuant des travaux domestiques tout en se défendant contre l'exploitation sexuelle a donné naissance à toute une série de termes injurieux assimilant l'absence de propreté physique à la malpropreté morale : margoton, guenipe, guenillon, souillon, traînée, et l'horrible marie-salope. L'expression « fille de joie » perd toute ambivalence lorsqu'elle est amputée. « C'est une fille » est une condamnation sans appel. On ne pardonne pas à la femme d'être une « allumeuse ». La prostituée est une grue qui fait le ruisseau, évacuation des immondices avant le tout-à-l'égout. L'homme vide ses burettes. Il file un coup dans la sanguinolente. Lorsque la femme n'est pas une poule, elle peut être une oie, une dinde, une pouliche, une pie, une vipère, une chienne. Le Français est plus équitable que l'Anglais dans la répartition des injures. Un homme tout autant qu'une femme peut être une poire ou une vache. Néanmoins, le coureur de jupons bénéficie de l'indulgence et le mépris va paradoxalement à celles qui les portent.

Pourtant, les pires injures ne viennent pas des hommes mais des femmes elles-mêmes. La femme facile compromet le marchandage sexuel de celles qui ne le sont pas. Trop souvent la femme qui change de partenaire est portée à s'avilir elle-même en raison de la honte qu'elle éprouve et se dégrade davantage par la mauvaise opinion qu'elle a d'elle-même que par son comportement. La sexualité compulsionnelle est le résultat direct d'une éducation répressive. Les femmes sont fascinées par la licence sexuelle parce qu'elle est interdite et excitante, mais le prix dont elles paient leurs transgressions est trop élevé. C'est la nymphomanie telle que la décrit Nathan Shiff dans *Diary of a Nymph*. La femme refuse d'assumer la responsabilité de son comportement et l'attribue à une autre qui agirait à sa place. Elle est incapable de choisir un partenaire sexuel plutôt qu'un autre par suite d'une suspension de sa volonté et se détruit elle-même. L'héroïne de Shiff, Christine, qualifie la sexualité de sale et de vile et désire passionnément en être délivrée afin d'être « de nouveau propre ». Le même syndrome de dénigrement de soi apparaît dans les lettres que reçoivent les journaux féminins : « Je me sens si vile et honteuse... Je me dégoûtais tellement que je ne pouvais plus répondre à l'amour de mon mari. Désormais, c'est pire. J'ai entendu parler des maladies vénériennes et j'ai peur d'avoir été contaminée... J'ai toujours aimé mon mari, mais il y a trois ans, j'ai eu une aventure sordide qu'il m'a pardonnée... Je me sens de nouveau tentée par un autre homme. Je sais qu'il est impossible d'effacer le passé, mais j'ai appris ma leçon et je regrette ce qui est arrivé... » Aucune des matrones qui répondent à ces lettres ne songe à demander pourquoi l'aventure était sordide, ce qu'il y a à regretter, quelle leçon a été apprise, la raison de cette honte démesurée, ni la nature de la tentation incriminée. Elles conseillent sagement à la femme de supporter stoïquement sa culpabilité et d'expier sa faute par une abnégation renouvelée. Dans les « confessions authentiques » les femmes se reprochent impitoyablement des infractions mineures au code sexuel. « C'était tellement horrible que je ne me sentirai plus jamais propre. Jamais. Je ne suis pas digne de vivre. Je mourrai de honte. Je connaissais à peine cet homme. Comment ai-je pu me laisser aller à ce point ? »

Aux yeux des étudiantes, l'accusation la plus grave est celle de promiscuité, une notion si mal définie qu'on en est réduit à penser qu'une femme en est coupable quand elle croit l'être. Les entretiens de Gael Greene avec les étudiantes révèlent que tout en admettant les rapports sexuels entre gens qui s'aiment, elles considèrent toute autre forme de relation sexuelle comme de la promiscuité, maladie imaginaire dont les effets sont si graves, selon le Pr Graham B. Blaine, que c'est la raison la plus fréquente du recours au psychiatre. Les jeunes filles qui s'enorgueillissent d'avoir l'instinct monogame utilisent tout le répertoire des injures sexuelles pour accabler les autres, les traitant de cartes de pointage du campus ou de chaussures éculées, ce qui révèle leur conviction intime que la sexualité abîme et use la femme. Jim Moran, attaquant le *double standard*, la double norme, dans *Why Men Shouldn't Marry* déclare : « L'utilisation du terme « promiscuité » n'a qu'un seul aspect positif, celui de révéler que l'individu qui s'en sert est un puritain complexé, obsédé par le culte de la virginité. »

Moran s'adressait surtout aux hommes. Mais ce sont les femmes qui devraient méditer ses paroles. Si elles veulent que les hommes les estiment, il faut qu'elles commencent par avoir meilleure opinion d'elles-mêmes. Elles ne doivent pas se laisser séduire passivement après s'être elles-mêmes réduites à la paralysie morale en faisant confiance aux bonnes intentions du séducteur auquel elles cèdent à regret. Elles ne doivent pas se glisser furtivement d'un lit à l'autre en prétendant pitoyablement chercher l'amour. Il faut qu'elles agissent délibérément, sans fausse pudeur, sans honte, sans chantage sentimental. Tant que les femmes se considéreront comme des objets sexuels, elles continueront à souffrir du mépris qu'expriment les hommes et, chose pire, à se mépriser elles-mêmes.

Les femmes jeunes et jolies ne se rendent pas compte des injures dont leur sexe est l'objet, car tant que durera leur jeunesse et leur beauté, elles y échapperont. Il est facile de prétendre que les sifflements d'admiration et les galanteries expriment une appréciation flatteuse, mais je m'en abstiendrai. Les jolies femmes s'irritent parfois qu'on les croie sottes, mais il leur semble plus facile d'exploiter les illusions masculines que de les contester. La femme qui s'écarte physiquement du stéréotype se trouve en butte à toutes sortes de discriminations et d'insultes, qu'elle sera peut-être portée à minimiser par hygiène mentale. L'imagerie populaire ignore les demi-mesures. Une femme trop grasse est une grosse dondon, celle qui est maigre, un manche à balai. Si ses jambes ne sont pas jolies, elles sont horribles. Si elle est trop robuste, on déclare qu'elle est chevaline et qu'elle manque de féminité. Si elle a de la compétence ou de l'ambition, on suppose qu'elle n'a pas trouvé de satisfaction sentimentale normale, au point d'impliquer qu'il s'agit d'un désordre glandulaire ou de perversion sexuelle.

Le stéréotype de l'objet sexuel n'est qu'un des multiples préjugés qui masquent la nature réelle de la femme. Et les femmes qui s'y conforment ne sont pas pour autant à l'abri des suppositions injurieuses. Un certain type d'hommes s'imaginent que les femmes s'efforcent en permanence d'exciter leur désir tout en refusant de le satisfaire, par besoin de compenser leurs déficiences psychiques. Dans un livre d'éducation sexuelle, *Sane and Sensual Sex*, réimprimé récemment, j'ai trouvé les affirmations suivantes : « Contrairement à ce que la femme pense, l'homme n'aime pas toujours la voir complètement nue. Il n'est pas nécessairement obsédé par le désir de la contempler en petite culotte et soutien-gorge. Il ne perd pas la tête quand le vent soulève ses jupes et révèle ses dessous. Il n'apprécie pas nécessairement le spectacle de seins trop généreusement décolletés ou moulés. Il ne jouit pas du balancement de ses fesses ni de ses jupons froufroutants.

« Pourtant, les jeunes filles et les jeunes femmes sont convaincues que tous les hommes sont hypnotisés par ces attraits. Elles croient qu'elles sont la sexualité personnifiée et que chaque homme les désire. Qu'elles sont indispensables à la paix de son esprit et de son corps. Dans la plupart des pays, la loi dorlote et chouchoute la femme dès l'adolescence au point qu'elle est protégée contre tout regard lascif, tout pincement de fesses qu'elle juge indésirable. Il en résulte que la femme grandit avec le complexe de la vierge Marie et se croit intouchable tant qu'elle n'en a pas donné l'autorisation (1). »

On n'est pas surpris de voir l'auteur de cet extraordinaire mélange de désir et d'aversion s'attarder à faire l'éloge de dessous froufroutants et s'irriter de la dominance imaginaire de la femme dans les relations sexuelles. « La femme aura toujours le dessus parce qu'elle *donne* alors que l'homme prend. C'est pourquoi elle n'aura que mépris pour l'exhibitionnisme, prétendra ne pas s'intéresser aux charmes sexuels de l'homme, contestera son droit de s'habiller d'une façon seyante, qu'il s'agisse de vêtements de dessus ou de dessous. Elle pense que le sex-appeal, le charme, le mysticisme, le prestige sont les prérogatives de son sexe. » La dernière flèche de l'auteur se veut mortelle : « Le corps de l'homme se conserve mieux que celui de la femme s'il en prend soin. Il reste viril et efficace longtemps après que la femme a perdu tout attrait sexuel. »

La plupart des hommes tombent amoureux d'un joli minois et se trouvent liés pour la vie à une étrangère haïssable partageant leur temps entre le travail et la cuisine d'une sorcière.

Schopenhauer.

Les jolies femmes sont toujours conscientes de vieillir, même si le processus n'est qu'amorcé. Une

(1) Gilbert Oakley, *Sane and Sensual Sex* (Londres, 1963), p. 51.

ancienne beauté est peut-être plus tourmentée qu'aucune autre femme. Mais même celles qui n'ont jamais prétendu séduire ne peuvent échapper à des stéréotypes qui anéantissent leur prétention à l'individualité. La jeune fille studieuse est qualifiée de bûcheuse dénuée de tempérament. La ménagère est représentée la tête hérissée de bigoudis mais vide d'idées. Elle fait des embarras, elle est querelleuse, elle ne sait pas cuisiner, ni gérer son budget, ni choisir ses vêtements et elle esquinte la voiture. Au fur et à mesure qu'elle vieillit, l'image devient plus repoussante, elle est obèse, elle a des seins énormes et pendants, elle porte des bigoudis en permanence, sa voix est plus aigre, plus insistante. Finalement, elle devient l'image féminine la plus détestée, celle de la belle-mère. Même une femme-enfant doit grandir, cesser de susurrer et de renifler, et sitôt qu'elle renonce à son attitude d'adoration filiale pour diriger sa maison, elle devient la cible de la moquerie masculine : « La jolie fille banda les yeux de l'homme afin qu'il ne voit pas le papillon se transformer en chenille. »

La rhétorique frénétique de Philip Wylie était si bien accordée à la misogynie des Américains que l'absurdité de la thèse n'a pas empêché la naissance du « momisme », haine de la « mom », l'épouse-mère. Plus d'un homme intelligent renonce à toute lucidité pour s'offrir le luxe de vilipender les femmes. Par exemple, Wylie déclare que le suffrage féminin est la cause de la corruption politique de l'Amérique. « La première aimable apparition de Mom dans les bureaux de vote est à peu près concomitante avec le déferlement sans précédent de la bassesse politique, de la délinquance juvénile, du gangstérisme, des grèves, de la tyrannie des monopoles, de la dégradation morale, de la corruption civique, de la contrebande, du trafic d'influence, du vol, du meurtre, de l'homosexualité, de l'ivrognerie, de la dépression financière, du chaos et de la guerre. » Remarquez la coïncidence. Bien entendu, il plaisante. Mais les plaisanteries sont révélatrices. La misogynie y apparaît dans toute sa virulence : « La jeune femme, en rentrant, se trouva devant un spectacle extraordinaire. Sa mère était debout sur une chaise, les pieds dans un baquet d'eau. L'un de ses doigts était enfoncé dans la douille du plafonnier, et deux fils électriques fixés à ses tempes. Hubby se tenait à côté du compteur, la main sur le bouton. « Tu arrives juste à temps pour voir Henry guérir mes rhumatismes ! » s'exclama l'heureuse mère. »

S'il n'existe pas de plaisanteries équivalentes à propos du père, ce n'est pas parce que les femmes manquent d'humour, comme on le laisse entendre trop souvent. On ne voit pas comment elles pourraient survivre aux railleries dont elles sont l'objet si elles en étaient dépourvues ! Elles acceptent avec bonne humeur que des travestis les tournent en ridicule sur scène. Une partie du spectacle exprime le culte des travestis pour les oripeaux de la féminité, et devrait démontrer combien cette féminité a peu de rapports avec la sexualité, et à quel point son prestige est artificiel et arbitraire. Le reste est la caricature des ruses et de l'hypocrisie féminines faite par des individus qui prétendent rivaliser de charme avec les femmes. Les spectatrices acceptent l'un et l'autre en riant et en applaudissant chaque fois qu'on les y invite.

Toute femme peut poursuivre seule l'exploration de ces manifestations de mépris, mais il n'y aurait aucun sens à ce qu'elle s'expose à la névrose s'il n'y avait une solution de rechange. La condition essentielle pour lutter contre l'avilissement de la femme est que la femme elle-même s'abstienne de l'alimenter. Les femmes se caricaturent elles-mêmes par le choix de leurs vêtements et par leur affectation, en jouant les écervelées, en exagérant leur indécision

et leur faiblesse, en ayant recours à une feinte pué-
rilité à laquelle il leur faudra renoncer par la suite.
Elles devraient tirer parti des hommages authentiques qui se manifestent, bien qu'avec intermit-
tence, dans la culture contemporaine. Quand les
Troggs ont chanté les louanges de leur *Wild Thing*,
ou que le groupe *Family* a célébré sa *Second Generation Woman*

> **Last thing you gotta do**
> **Is talk her into loving you**
> **No need to**
> **She knows when the time is right**
> **Comes to you without a fight**
> **She wants to**

Second Generation Woman, RS 23315, édité
par Dukeslodge Enterprises.

*(Il n'est pas nécessaire de séduire la femme, elle
aime spontanément.)*

---

ils ouvraient une nouvelle perspective à la représentation de la femme, la délivrant de la prison
qu'était un cadre fait de cœurs, de fleurs et de
bijoux.

27

LA SOUFFRANCE

L'angoisse est plus facile à supporter que la souffrance chronique. La femme qui est mariée avec une brute, un ivrogne, un pervers, bénéficie de la sympathie des autres et peut y trouver une satisfaction masochiste. Les lamentations de la femme abandonnée qui se justifie d'avoir recours aux tranquillisants, à l'alcool, à la promiscuité sexuelle en invoquant le crime social dont elle est victime sont moins pitoyables que le morne désespoir des femmes qui n'ont pas de griefs précis à formuler. On le lit sur les traits tirés de toute femme qui vieillit. Ses rides sont celles de l'amertume, du tourment réprimé et non pas la manifestation d'une inquiétude dynamique. Sitôt que la femme se rend compte qu'on l'observe, elle se sent coupable de s'être laissée aller et affecte l'expression d'une sérénité qu'elle n'éprouve pas. On désapprouve la femme mariée qui se révolte ou se plaint de son sort. Exprimer publiquement de l'ennui ou de l'insatisfaction est déloyal, ingrat, immoral. On admet que le mariage est une entreprise difficile qui exige une adaptation constante à l'autre mais on est moins disposé à admettre que c'est la femme qui fait les concessions.

« Pendant la journée, tout va bien. Je suis occupée. Mais le soir, de 8 heures à minuit, entre le tricot et la télévision, j'ai l'impression d'être une prisonnière. Du fait que mon mari travaille au bar local, si je sors, c'est en compagnie de ma sœur ou pour assister à des cours du soir. Ne voir son mari qu'une heure par jour, c'est insuffisant. J'ai l'impression d'être une Cendrillon moderne et je ne peux pas envisager de supporter cette existence pendant une autre douzaine d'années. Je ne trouve personne pour garder les enfants et il est difficile d'organiser un service dans mon quartier parce que peu de mères sont dans ma situation. »

« Regardez la situation en face. Votre mari ne changera pas au bout de douze ans. Il ne voit pas de mal dans son comportement et plus vous vous en plaindrez, plus il sera porté à fuir vos reproches en se réfugiant dans son bar. Mais vous pouvez *changer vous-même*. Commencez par vous représenter les qualités de votre mari. Puis faites en sorte que le temps qu'il passe avec vous s'écoule si agréablement qu'il n'ait pas envie de vous quitter. Enfin, réorganisez votre vie sociale. Si vous invitiez des amies pour jouer aux cartes ou pour déjeuner deux fois par semaine, bien qu'elles ne puissent remplacer votre mari, vous y penseriez moins. Et dites-vous que s'il était marin, ses absences seraient beaucoup plus prolongées. Adaptez-vous à la situation. Si votre mari se rend compte qu'il vous manque moins, il sera peut-être plus disposé à rester à la maison. »

En d'autres termes, la seule fonction importante de la femme est de faire le bonheur de son mari, alors qu'on admet qu'il puisse avoir des intérêts plus importants que le bonheur de son épouse. Quand l'insatisfaction de la femme commence à incommoder le mari, il se dit qu'il devrait lui parler fréquemment, la sortir, lui offrir des roses ou du chocolat, penser à lui faire de temps à autre un compliment. Après tout, cela ne demande pas beaucoup d'efforts. Si la femme souffre déjà de l'apathie et de l'irritabilité qui sont le syndrome de la ménagère, elle n'est plus capable de conversation, trop fatiguée pour sortir, et les petits cadeaux lui apparaîtront comme une dérision.

On m'admire pour ma compétence. Je sais faire la cuisine, coudre, tricoter, parler, travailler, faire l'amour. Je suis un objet de valeur. Sans moi, il serait malheureux. Avec lui, je suis seule. Je suis aussi solitaire que l'éternité et parfois je me sens complètement abrutie. Ha, ha, ha ! Ne réfléchis pas ! Agis comme si toutes les factures étaient payées.

Christine   Billson,
you Can Touch Me,
1961, p. 9.

Les mauvaises querelles, l'obésité, le vieillissement prématuré sont les manifestations de cette souffrance. Ce sont des phénomènes si généralisés qu'on ne les remarque plus. Les femmes se sentent coupables du péché capital de « se laisser aller ». Elles se justifient d'être irritables et fatiguées en invoquant la mauvaise santé, se plaignent de maux imaginaires qui finissent par devenir réels : migraines, mal de reins, manque d'appétit, rhumatismes. Les ménagères qui souffrent de cette maladie professionnelle dénoncée par Betty Friedan, des mains et des avant-bras gercés, sont beaucoup moins nombreuses que celles dont le malaise ne se traduit par aucune manifestation extérieure (1). Le nombre des femmes qui ont recours au chirurgien pour des troubles abdominaux sans cause organique est consternant.

(1) Betty Friedan, *The Feminine Mystique* (New York, 1963), pp. 20-21.

Nous aurions un tableau plus précis de la situation si nous connaissions les résultats des études de marché des sociétés qui vendent des produits censés être revigorants, rendre dynamique, faire voir la vie en rose. On assure au consommateur que le produit « l'aidera à redevenir lui-même ». Ces produits sont réputés ne pas créer de dépendance. Mais les analgésiques étant présentés comme une psychothérapie qui permet de combattre la dépression et l'irritabilité en même temps que la douleur, le procédé est dangereux. Il n'existe pas de statistiques sur les gens qui se droguent avec de l'aspirine ou de la codéine parce que ces médicaments sont vendus librement. On ne fait pas campagne pour mettre les femmes en garde contre le danger des salicylates (1). Parfois, on trouve dans le courrier des journaux féminins la description typique du syndrome de la ménagère. « Je suis toujours fatiguée, donc paresseuse. Avec cinq enfants dont trois à l'école, j'ai pourtant beaucoup à faire. Lorsque je me réveille, je me sens si fatiguée que je suis débordée et que je n'ai pas le courage de me mettre à l'œuvre. Je ne fais que le strict nécessaire. Il m'arrive de n'habiller mon plus jeune enfant que le soir, juste avant que mon mari arrive, uniquement parce qu'il se met en colère si je ne le fais pas. Mon mari dit que je souffre de « fatiguite ». Comme j'envie les femmes qui se lèvent à 6 heures du matin, font tout leur ménage et se sentent pleines de vitalité ! Je voudrais pouvoir en faire moitié autant. Mais je suis complètement épuisée et je n'ai même pas envie d'essayer. Les idées qui me viennent ces derniers temps m'effraient. Ce n'est que la pensée

(1) D'après une enquête de *L'Observer* sur les spécialités pharmaceutiques (4-1-1970) sur 50 millions de livres, 15 sont dépensées pour des analgésiques, 6 pour des toniques et des vitamines, et 6,5 pour leur publicité.

des enfants qui m'empêche de les mettre à exécution car, même si je ne le montre pas, je les aime. »

Cela résume la situation. Il y a le sentiment de culpabilité parce que la littérature féminine est pleine de stakhanovistes familiales proclamant « voyez comme je réussis l'impossible, tout le monde m'aime ». Le sentiment de l'incompétence, transformé en maladie et en faiblesse au moment d'être formulé, la relation bizarre avec un mari vu comme un critique, l'incertitude concernant l'amour maternel, qui n'est pas dissipée par l'affirmation de son existence qu'il faudrait compléter par la précision : je les aime, mais je ne le sens pas.

La réponse d'Evelyn Home est caractéristique et aucun médecin ne lui en saura gré, bien qu'il soit difficile d'en concevoir une autre. « Vous avez raison, je suis sûre que vous avez besoin de soins médicaux. Allez consulter votre médecin, expliquez-lui votre fatigue, votre dépression, votre lassitude. Il vous aidera. Et reprenez courage. Beaucoup de femmes qui n'ont pas la charge de cinq enfants et d'un mari prompt à les critiquer se sentent plus accablées que vous et en font moins. Vous n'avez rien, si ce n'est que vous êtes malade (!). Occupez-vous de votre santé d'abord et les autres ennuis se résoudront d'eux-mêmes. »

Tout dépend du médecin. Mais supposons que la femme est forte comme un bœuf et ne souffre d'aucune déficience organique ? Supposons qu'il lui prescrive des toniques et des vitamines ? Ou encore qu'il lui dise de cesser de gémir et de faire son devoir, ce dont un médecin surmené est très capable ? Il peut aussi lui suggérer de prendre des vacances alors que le couple n'en a pas les moyens. Ou bien, ces vacances seront un échec et reprendre le collier sera encore plus dur qu'avant. Il n'y a pas de miracle. Il est probable que le médecin, si sa cliente insiste, lui prescrira des amphétamines. Les journaux anglais, périodiquement, publient de vagues rapports sur l'accroissement de la consommation de stimulants et de barbituriques par les ménagères. « Un récent programme de télévision estimait à plus d'un million les femmes qui, en Grande-Bretagne, se droguent avec des tranquillisants. C'est un chiffre inquiétant pour ceux qui n'en ont jamais pris mais pour celles d'entre nous qui en sont devenues esclaves, c'est terrifiant. Pendant un an j'ai pris une marque de pilule qui a un effet anti-dépressif et calmant. J'ai commencé à prendre des tranquillisants le jour où je suis allée consulter mon médecin à propos d'un problème conjugal. »

Cette lettre a paru dans *Forum* pour mettre en garde les femmes qui seraient tentées de combattre par des médicaments les symptômes d'une situation psychologiquement intolérable. « Lorsque ma nouvelle provision de pilules fut épuisée, je décidai de m'en passer désormais. Le premier soir, je me sentais nerveuse, mais après deux verres d'alcool, je me suis calmée. Le lendemain, c'était pire. J'étais terriblement irritable avec mon mari et mes enfants. J'avais des palpitations et les mains moites. Au fil des jours, j'ai dû me rendre compte que je m'étais habituée aux tranquillisants et qu'il ne me restait plus qu'à continuer. »

L'auteur de cette lettre alla consulter un autre médecin pour se faire désintoxiquer, mais il lui prescrivit d'autres pilules. Du moins, ce nouveau problème était-il plus pressant et moins compliqué que son intolérable situation conjugale. L'affaire est sans issue : « J'ai été obligée de continuer à prendre des tranquillisants afin de ne plus me soucier de mes nouveaux ennuis. Aujourd'hui je suis aussi incapable de me passer de mes pilules qu'une alcoolique d'alcool. La semaine dernière, j'ai parlé avec une amie qui se fait soigner par un psychiatre. Elle m'a dit que l'analyse était une chose merveilleuse et que son médecin lui avait fait beaucoup de bien. Nous avons passé plusieurs heures ensemble et j'ai remarqué que, par deux fois, elle a été prendre une pilule dans son sac à main. J'aurais pu jurer que c'étaient les mêmes que les miennes. Elle est convaincue qu'elles font des miracles. Je n'ai même pas tenté de lui expliquer leur futilité. »

M. Michael Ryman, qui travaille dans le département de la drogue de *All-Saints Hospital*, à Birmingham, a déclaré qu'il avait constaté au cours des onze dernières années qu'un nombre croissant de femmes (il ne donne pas de chiffres précis)

Puis Miss Simmons, qui est mariée avec le metteur en scène producteur hollywoodien Richard Brooks, a expliqué : « Je me sentais terriblement seule lorsque Richard s'absentait pour tourner ses films. C'était comme les histoires qu'on voit à l'écran. Je vivais de télévision et d'alcool. C'est une combinaison désastreuse. Quand les enfants étaient au lit, je regardais la télévision et je buvais. Soir après soir. J'aime être en compagnie de mes enfants. Tracy a treize ans et Kate en a huit. Mais bien entendu, ils ont leurs propres copains. Et on se sent terriblement seule dans une grande maison la nuit. C'est comme ça que l'alcoolisme est devenu mon grand problème. »

News of the World, 5 avril 1970.

---

arrivent à l'hôpital pour s'y faire désintoxiquer après des doses excessives de barbituriques, de tranquillisants et d'euphorisants. Il admet que les cures réussissent rarement. Son attitude était celle du moraliste, travers habituel des médecins. Les femmes utilisaient des somnifères parce qu'elles ne pouvaient pas dormir ou accepter les avances sexuelles d'un mari trop ardent. L'ambiguïté de la deuxième affirmation est remarquable. Elles avaient recours aux tranquillisants à la moindre difficulté domestique, et avalaient des euphorisants pour lutter contre la monotonie de leur vie. Il cite le cas de femmes qui prennent des pilules parce qu'elles ont laissé brûler les pommes de terre, cassé une ampoule électrique ou que la lessive hebdomadaire n'a pas été faite en temps voulu.

Il ne se demande pas pourquoi les femmes sont dans un état d'anxiété psychique tel que le moindre incident devient insupportable. Si l'analyse s'est limitée à une enquête aussi superficielle, il n'est pas étonnant qu'il y ait eu si peu de guérisons. Le *Glasgow Committee of the Royal Scottish Society for Prevention of Cruelty to Children* signale qu'un nombre croissant de mères se droguent avec des médicaments pour échapper à la réalité, autre activité moralement suspecte. C'est la vie de la ménagère qui est irréelle. Elle est un anachronisme qui ne peut engendrer que frustration. Les femmes ont eu trop de contacts avec le monde extérieur pour supporter d'être cloîtrées entre quatre murs avec des enfants. Le refus d'y voir une vie satisfaisante n'est pas le refus de la réalité. La fatigue, la lassitude, la nervosité sont des symptômes de neurasthénie et ont une origine psychosomatique comme le terme l'indique. Les médicaments resteront sans effet à moins que, par un lavage de cerveau, on arrive à convaincre les femmes que leur asservissement domestique a une utilité. Les travaux ménagers sont toujours à recommencer. Élever des enfants n'est pas une véritable occupation car ils s'élèvent d'eux-mêmes. La confusion qui règne sur ce que l'éducation doit leur apporter, les multiples erreurs que la mère est amenée à commettre involontairement selon les spécialistes, et qu'on lui reproche d'avoir commises si l'enfant se montre difficile, font que la femme, tout en étant chargée des plus lourdes responsabilités, manque des connaissances nécessaires pour les assumer.

... donnez un but à leur existence et procurez-leur une occupation, sinon la frustration les rendra maussades et l'apathie du désœuvrement dégradera leur caractère.

Extrait d'une lettre de Charlotte Brontë.

Les femmes s'imaginent souvent qu'elles seraient moins malheureuses si elles étaient plus riches. Elles pensent qu'elles auraient besoin d'une personne qui garde leurs enfants, ou d'une femme de chambre, ou de longues vacances, ou d'être débarrassées de leurs soucis financiers. En réalité, moins elles ont de problèmes matériels, plus elles prennent conscience que c'est leur situation conjugale qui est à l'origine de leur insatisfaction. La plus récente incarnation du héros, dans la société occidentale, est le cosmonaute. Sa femme jouit de sa fortune et du reflet de sa gloire. L'astronaute est l'aristocrate américain. Les présidents lui rendent visite, il prie pour le compte de la nation quand il arrive sur la Lune, son foyer est un chef-d'œuvre de planification et de confort. Pourtant, un psychiatre de la N.A.S.A. a déclaré que Cap Kennedy était une pépinière de divorces. Le taux y est deux fois plus élevé que la moyenne nationale. L'alcoolisme féminin y est plus répandu que dans le reste de l'Amérique, Washington excepté. « L'industrie spatiale semble priver les hommes de leur sensibilité. » L'entraînement des astronautes a ses inconvénients. Ils se dominent brillamment sur la Lune mais également sur terre et jusque dans le lit de leurs femmes. On s'accorde à reconnaître que l'activité sexuelle, à Cap Kennedy, est très réduite. La société d'ordinateurs de Cap Kennedy peut être considérée comme l'aboutissement logique de notre chaos organisé, même si en Angleterre le divorce est encore un luxe. Une femme de cosmonaute ne peut pas se permettre de devenir obèse et négligée, donc elle s'étourdit en s'adonnant à l'alcool mondain et à la promiscuité sexuelle, vices élégants. En Angleterre, la ménagère dédaignée, qui s'ennuie et se sent solitaire, se console en mangeant trop. La publicité pour la confiserie exploite ce besoin d'évasion par la gourmandise. On affirme que le goût de telle friandise est sensationnel, excitant, voire explosif, en l'associant à la vision de paradis lointains. La publicité télévisée pour les bonbons promet des hallucinations et des orgasmes. Les sucreries coûtent moins cher que le divorce.

La révolte féminine prend des formes tortueuses et paradoxales qui amènent la femme à contribuer à son malheur. Elle éloigne son mari par une agressivité destructrice et réagit négativement à ses avances sexuelles parce que, sans pouvoir en préciser la raison, elle a l'impression que tout, dans leurs relations, est faux et nocif. La frigidité reste le problème majeur mais la connaissance sexuelle de la femme et du mécanisme de l'orgasme féminin ne suffit pas à y remédier. Le conditionnement des

---

Je souffre que mon mari ne me désire pas plus souvent, mais les rares fois où nous avons des rapports sexuels, je souffre davantage encore et je me glace car j'ai l'impression qu'il tente à contrecœur de feindre qu'il

y a encore quelque chose entre nous et qu'il n'a pas de maîtresse. Je suis sûre qu'il en a plusieurs. Nous nous disputons souvent à ce sujet. Quelquefois, il nie, quelquefois il dit que c'est moi qui en suis responsable en raison de ma froideur. Mais comment témoigner de l'amour à un homme qui ne dit et ne fait jamais rien de romantique?

(Mrs) *C. T. Forum*, vol. II, nº 2.

---

femmes est contraire à l'acceptation de la réalité sexuelle et de l'orgasme. Les maris déclarent souvent que leur femme est devenue frigide après avoir paru prendre plaisir aux rapports sexuels au début de leur mariage. L'amour sexuel n'est pas un problème d'orgasme ou de romantisme. Mari et femme partent de pôles opposés et étreignent chacun le fantôme de l'autre dans l'aveuglement de leur nuit conjugale. La contraception n'arrange rien. Il est consternant de penser que le contraceptif le plus répandu en Grande-Bretagne est toujours le préservatif. Un couple sur cinq pratique le *coïtus interruptus*. Il n'y a qu'un million sept cent cinquante mille femmes qui utilisent la pilule, pas même 1/8 des femmes mariées. Même lorsque les femmes utilisent la pilule, le problème n'est pas résolu. Chaque semaine la presse publie un compte rendu horrifiant de ses méfaits, par exemple, le cas d'une jeune femme morte de thrombose une semaine après son mariage. *News of the World* affirme que la *Family Planning Association* a déclaré que les 400 000 femmes auxquelles elle a prescrit la pilule souffrent d'une cinquantaine d'effets secondaires. Le Pr Victor Wynn, du *St Mary's Hospital* de Paddington, dit que la pilule peut provoquer la thrombose, des maladies de foie, de l'obésité, de la dépression. S'il le dit, nous pouvons commencer à le croire bien que mon médecin, quand je me suis plainte de souffrir d'œdème et d'apathie après avoir utilisé la pilule, ait haussé les épaules. Dans l'été de 1969, la revue *Lancet* a publié des lettres traitant de la dépression engendrée par la pilule. Les auteurs admettaient que l'hormone qu'elle contient interfère avec la sécrétion du tryptophane, une substance chimique essentielle à la santé et qui agit sur l'humeur. Le retrait de seize marques du marché n'améliore pas la situation des femmes qui prennent les autres. Le stérilet se révèle inefficace dans 20 % des cas et apparaît comme un objet inquiétant. Mrs Monica Foot a décrit dans le *Sunday Times* un exemple horrifiant d'avortement spontané provoqué par un stérilet et a été vilipendée pour cette franchise. Le diaphragme est gênant pour la femme et les spermicides interfèrent avec les sécrétions et la sensibilité de la muqueuse environnante. En outre, le mari risque de le déloger s'il insiste sur l'imprégnation. Tant que la contraception restera le souci quotidien des femmes et qu'elles s'inquiéteront du moindre retard de leurs règles, leur comportement en sera nécessairement affecté. Le problème presque universel de la tension menstruelle est aggravé pour la femme d'aujourd'hui et rendu plus aigu par la neurasthénie.

Il y a plus de suicides féminins que masculins, plus de femmes que d'hommes dans les hôpitaux psychiatriques. Chaque année des centaines d'enfants sont maltraités par des parents exaspérés, et dans certains cas, des femmes atteintes de démence tuent sauvagement des nouveau-nés. La dépression post-natale est un syndrome officiellement reconnu, dont certaines femmes souffrent pendant une année entière. La minuscule minorité des femmes qui martyrisent leurs enfants ou assassinent leur mari a droit à des articles dans la presse. Mais la majorité des femmes traînent au jour le jour une existence crépusculaire en espérant qu'elles font pour le mieux et qu'elles en seront récompensées un jour. La femme qui travaille attend que ses enfants grandissent en souhaitant qu'ils auront une belle situation en compensation de son esclavage. Mais elle s'aperçoit qu'ils n'en font qu'à leur tête, quittent le domicile familial, adoptent des habitudes étranges, rejettent leurs parents. La femme oisive entreprend sur le tard des études désordonnées et inefficaces pour de mauvaises raisons. Ma mère, après m'avoir poussée à force de tyrannie et de récrimination, à fuir son toit — fait qu'elle a caché pendant des années en continuant à parler de moi alors qu'elle ignorait tout de ce que je faisais — a pris des cours de danse classique, malgré la futilité évidente de l'entreprise, étudié la comptabilité en échouant constamment à ses examens, essayé la religion, le ski, et finalement l'italien. En réalité, elle avait depuis longtemps perdu la capacité de concentration nécessaire à la lecture d'un roman ou du journal. Chaque activité, tant qu'elle durait, revêtait un caractère obsessionnel, mais la plupart d'entre elles ne duraient pas un mois. Elle était allergique à la télévision, à l'entretien de son intérieur, au tricot. Elle ne jouait pas au bingo, en partie par snobisme bourgeois. Et elle ne s'est pas éprise d'un chien ou d'une perruche. D'autres le font.

Il est évident que la célibataire n'échappe pas à cette souffrance en raison de la pression de l'opinion publique pour laquelle le mariage est la norme de la réussite féminine. Elle rêvasse en exerçant une activité subalterne et sans avenir, ouvertement malheureuse parce que les préjugés sociaux veulent qu'elle le soit. Le cas de femmes célibataires soignant avec dévouement des parents âgés (qui n'a pas de contrepartie masculine) est incompréhensible si l'on ne fait intervenir le processus d'autoclaustration.

Les railleries à propos de la vieille fille aigrie ne sont pas seulement l'expression d'un préjugé, car elle irradie effectivement l'insatisfaction, l'intolérance, l'apitoiement sur soi. Comme toujours, c'est un cercle vicieux.

Étant donné la difficulté de la vie conjugale, comme mode d'existence, et la difficulté plus grande encore du célibat, il faut que les femmes apprennent à considérer le bonheur comme une conquête. Le plus grand service qu'une femme peut rendre à la collectivité est d'être heureuse. L'ampleur de la révolte et de l'irresponsabilité dont elle doit faire preuve pour y parvenir est la seule indication certaine de la métamorphose sociale qu'il faut opérer si l'on veut qu'il y ait un sens à être femme.

28

LE RESSENTIMENT

Toute souffrance engendre le ressentiment. On admet couramment que les sexes se font la guerre, mais comme pour tous les problèmes graves que l'on a peur d'affronter, on en parle sur le mode de la plaisanterie. La bataille est universelle, et infiniment plus sérieuse que les escarmouches isolées des mouvements féministes avec l'autorité masculine. Qu'elle se passe sous le toit familial ou à l'extérieur, il s'agit d'un corps à corps qui ne respecte aucune règle et ne se termine qu'avec la mort. Nous en sommes les témoins constants, mais nous en prenons rarement conscience même lorsque

---

Bien qu'il ne le sache pas, j'ai assisté à ses funérailles plusieurs fois. Chaque fois j'avais l'air ADORABLE dans ma robe noire collante et ma mantille en dentelle. Et chaque fois, après un délai convenable, je me suis remariée avec un homme riche et je suis devenue célèbre pour l'expression éthérée de mon beau visage pâle.

Christine Billson,
You Can Touch Me, 1961, p. 20.

---

nous sommes nous-mêmes impliqués. Parce qu'ils ont la force pour eux, les hommes se comportent plus élégamment que les femmes. Les hommes ne se rendent pas compte qu'ils sont engagés dans une lutte à mort avant de l'avoir perdue et de mesurer le désastre au cours du procès de divorce où ils protestent avec véhémence que la société est organisée au profit de femmes rapaces et dénuées de scrupules. La femme sait que son triomphe est une victoire à la Pyrrhus.

L'expression publique du ressentiment féminin prend les formes les plus diverses. La situation qui s'y prête le mieux est une réception. Dans notre société, on se réunit rarement pour des festivités spontanées. Elles ont toujours un but : présenter un nouvel arrivant à un groupe, souligner l'importance d'un événement, se faire des relations. C'est une occasion où l'individu est en représentation et où il faut qu'il s'impose. Ce sont les hommes qui emmènent les femmes aux réceptions si bien qu'elles n'y tiennent qu'un second rôle dès le départ. La cohésion du groupe repose sur les relations des hommes et l'ordre y est maintenu en respectant les nuances des rangs sociaux. On attend des femmes qu'elles comprennent ces nuances et renforcent subtilement le personnage que joue leur mari. Chaque femme le sait et pourtant, en général, elle s'arrange pour miner, voire détruire la structure sociale du groupe par des stratégies aussi variées que ambiguës. La plus évidente, pratiquée par les femmes qui n'ont pas d'attachement sérieux, consiste à exciter la rivalité des hommes en flirtant plus ou moins ouvertement. On peut penser que la femme agit ainsi inconsciemment. Ce n'est jamais totalement du calcul, mais le procédé est efficace. La femme peut tirer parti des tensions qui existent déjà entre les hommes et les aggraver. Sa meilleure arme consiste à exploiter la vanité masculine qui a poussé son compagnon à l'exhiber devant ses pairs pour qu'ils apprécient la conquête qu'il croit avoir faite. Elle laissera entendre qu'il est un rustre (il ne pense pas à remplir son verre), qu'il est un amour (c'est-à-dire, un imbécile), elle applaudira les anecdotes qui le diminuent. S'il lui est vraiment indifférent, elle le laissera tomber pour un autre, de préférence son meilleur ami. Les femmes irrévocablement attachées n'usent de ces techniques qu'avec modération. Elles disposent d'une artillerie mineure qui inflige une mort lente par d'innombrables petites blessures. Si le mari raconte une bonne histoire, sa femme soupire, dit que tout le monde la connaît, ou que Untel la raconte tellement mieux. Quoi qu'il arrive, elle refuse de rire. Si son mari est le boute-en-train de la réunion, elle se plaindra de fatigue et demandera en geignant qu'il la ramène à la maison. Ou alors elle feindra d'avoir trop bu au point de se donner en spectacle. Si son mari s'amuse, elle lui chuchotera qu'il est ivre et se rend ridicule. Ou bien elle lui rappellera qu'il doit conduire. S'il résiste à ces attaques, elle l'accusera de lorgner toutes les femmes présentes. Ce besoin de détruire provient de ce qu'elle a confusément conscience de n'être là qu'à titre d'appendice de son mari. Elle est mal à l'aise en société. On ne lui a appris qu'une chose : se trouver un mari. Une fois que c'est fait, le peu de conversation et d'esprit qu'elle pouvait avoir disparaissent. Elle se sent stupide, dénuée d'attrait. Son seul plaisir était d'être un objet de rivalité et de flatterie. Elle ne sait pas s'amuser et méprise son compagnon de le faire. Elle se dit qu'il s'amuserait davantage encore si elle n'était pas là, ce qui est, hélas ! fréquemment vrai. Si elle ne l'extériorisait pas par une agressivité sournoise, son énergie ne pourrait en aucun cas se manifester. Elle est éteinte, étouffée, et ses amis remarquent entre eux combien elle est devenue terne depuis son mariage. Si elle renversait la situation et se mettait à briller aux dépens de son mari ou l'éclipsait, il ne manquerait pas de s'en venger par la suite, aussi férocement qu'elle le fait elle-même. Mieux vaut subir ou essayer un dernier chantage : rentrer sans le prévenir en le laissant s'inquiéter de sa disparition. La plupart des femmes adoptent l'expédient de la ségrégation afin de porter leurs coups à partir d'un territoire protégé.

J'ai vu des techniques plus spectaculaires qui exigent un public pour être efficaces. Je connais une femme qui, faute d'un autre moyen, s'enfermait dans les lavabos, cassait son verre et se roulait en criant dans les éclats jusqu'à ce qu'un homme enfonce la porte et la ramène dans le salon dans un pittoresque désordre. Une autre hurlait jusqu'à ce que quelqu'un se décide à la gifler. Après quoi elle tentait de se jeter au bas de l'escalier si bien que tous les hommes présents devaient aider à la maîtriser. Une troisième, réagissant avec une rapidité suspecte à la plus petite quantité d'alcool, arrachait ses vêtements pendant que son compagnon l'adjurait de se calmer et que les autres feignaient de contempler un comportement libéré. Cela fait partie de la stratégie plus générale qui consiste à insinuer que la virilité du mari ne suffit pas aux besoins de son épouse, une forme extrême du flirt.

L'ignorance et l'isolement de la plupart des femmes les rendent incapables de tenir une conversation. La plupart du temps, les entretiens conjugaux ne sont qu'un prolongement de l'épreuve de force. Il en résulte que lorsqu'on invite les épouses à dîner, elles font dégénérer toute discussion de problèmes réels en querelles de personnes. Quantité de maîtresses de maison souhaiteraient pouvoir se dispenser de convier les épouses et saisissent le prétexte de leur absence pour inviter le mari qui ne peut pas se débrouiller tout seul. Cela ne veut pas dire que les hommes n'interviennent pas dans cette bataille. Ils adoptent une attitude de condescendance bienveillante lorsque leur femme essaie de se mêler à la conversation, écartent ses remarques ou les ignorent, se montrent exagérément courtois envers les autres femmes, louent leurs talents culinaires comme si leur épouse les empoisonnait ou les laissait mourir de faim, raillent affectueusement l'enfant qu'elle est, etc. Le rapport des forces étant en leur faveur, ils n'ont pas besoin d'user de violence, d'obscénité, ni de se montrer antisociaux. Cela seul suffit à exaspérer la femme et à la pousser à faire un éclat. J'ai vu une de mes étudiantes, lors d'une réunion syndicale à l'université, perdre son sang-froid et jeter le contenu de son verre à la tête du président, s'apercevant trop tard qu'elle n'avait fait qu'aggraver la situation.

Le véritable théâtre de la guerre entre les sexes, malgré les agressions commises en public, demeure le foyer. Elle s'y poursuit sans répit. En raison de l'inégalité des forces et de l'impossibilité de toute action efficace, la femme se soulage avec des mots, en devenant au besoin extraordinairement vulgaire, parce que à l'exemple de Hamlet, elle n'a pas suffisamment d'énergie pour refuser l'oppression. L'agressivité verbale n'exprime pas l'envie du pénis. Elle est le résultat inévitable du conditionnement qui a réduit la femme à l'impuissance. Néanmoins, la vanité de ses reproches et de la répétition constante de récriminations futiles qui sont à côté de la véritable question qu'elle est incapable de formuler, aboutissent à une violence croissante et à un mépris total pour le sens des mots. Ses attaques deviennent de plus en plus destructrices et impardonnables jusqu'à ce qu'elle finisse par se rendre compte avec désarroi qu'elle est en train de détruire elle-même son foyer, sans plus pouvoir s'en empêcher. Elle s'entend dire « jamais tu ne... », « toujours tu... » et s'aperçoit qu'elle est, la plupart du temps, injuste et illogique. Mais elle sent aussi que sa situation est insupportable, et comment pourrait-elle l'exprimer autrement ? Son sentiment de culpabilité s'accroît, alors qu'elle est de moins en moins capable de mettre un terme à un état de choses qui la vieillit prématurément et dégrade sa personnalité jusqu'à la rendre méconnaissable. De temps à autre elle s'effondre et avoue qu'elle ne sait pas ce qu'elle a. Son mari suggère qu'elle prenne un cachet et la bataille recommence. Elle l'accuse d'être stupide et de manquer de cœur, de ne pas se rendre compte qu'il est en partie responsable de l'état lamentable dans lequel elle se trouve, etc.

La femme mariée accepte de vivre par procuration et croit qu'elle sera le soutien de son mari dans ses nobles efforts, mais peu à peu une jalousie inavouée la mine et la rend incapable d'apprécier ce qu'il lui confie de ses ambitions et des obstacles auxquels il se heurte. Elle le diminue, met en doute la sagesse de ses décisions, joue sur la peur qu'il a d'échouer, jusqu'à ce qu'il ne lui dise plus rien. Elle ne l'interroge plus que pour la forme sur ce qui s'est passé au bureau et il n'écoute pas davantage le compte rendu qu'elle fait de son morne emploi du temps. Un beau jour, ils renoncent à en parler. Cela n'en vaut pas la peine. Le mari ne comprend pas la frustration de sa femme. Sa vie paraît si facile. Et elle est convaincue qu'il est inutile de lui expliquer à quel point elle s'ennuie. La conversation devient une querelle dans laquelle il ne s'agit plus que d'avoir le dernier mot. La femme contredit son mari par la force de l'habitude. Pourquoi aurait-il toujours raison ? Les hommes ne se rendent pas compte que le sujet de la discussion n'est qu'un prétexte à l'affrontement. Je me souviens d'une controverse qui a fait rage entre mes parents à propos d'un arbre qui se développait mal devant notre maison. Mon père, après avoir pesé le pour et le contre, décida qu'il fallait lui donner sa chance, qu'il avait été endommagé au moment de la construction de la maison, qu'il reprendrait de la vigueur l'année suivante. Ma mère louvoyait, sans prendre nettement position. Mon père décréta qu'il ne voulait pas qu'on abatte l'arbre. Le lendemain, ma mère arracha l'écorce, si bien qu'il mourut et qu'il fallut le couper. Mon père avait acquis très vite la conviction que sa vie conjugale était insupportable. Il passait de plus en plus de temps à son club et ne rentrait que pour dormir. Ma mère ne protestait pas car cela lui donnait la possibilité de tyranniser ses enfants et de les détourner de leur père, mais beaucoup de femmes restreignent la liberté de leur mari par simple jalousie. Elles invoquent la nécessité d'économiser, leur solitude souvent réelle, la peur d'intrus, ou le besoin de son aide pour des travaux domestiques. Les femmes des ouvriers rationnent sévèrement les dépenses personnelles de leur mari, s'emparant de la paye sitôt qu'il rentre à la maison. Le jeu est un des rares défis lancé à l'État-providence, et la femme l'interdit sévèrement, ancrant l'homme dans le système. Elle s'oppose également à la libération par l'alcool, quelquefois pour de bonnes raisons, mais le plus souvent pour de mauvais prétextes. Elle fera les plus amers reproches à l'homme qui est à peine éméché. Si les alcooliques brutalisent leurs femmes, c'est surtout par exaspération devant leurs reproches exprimés ou tacites. Les femmes refusent à leur mari la possibilité de se défouler car elles estiment que, si dure que soit sa vie, elle l'est moins que la leur, et que les femmes ne se défoulent pas, du moins, ouvertement.

L'aspect le plus sinistre du corps à corps conjugal est l'utilisation des enfants comme armes et champ de bataille. Toutes les femmes n'en arrivent pas, comme ma mère, à dire à leur enfant : « Ton père est un vieux bouc sénile. » En général, leur tactique est plus subtile. Il est de l'intérêt de la femme que ses enfants restent des bébés le plus longtemps possible car ils ne peuvent pas la renier, même les garçons, parce qu'ils ont besoin de ses services. Elle affirme au père qu'il ne les comprend pas, proteste quand il les emmène assister à un match de football sous la pluie, attend leur retour chaque fois qu'ils sortent parce qu'elle est jalouse de leur liberté, qui est toujours plus grande que celle dont elle a bénéficié, et parce qu'elle veut prouver que sa sollicitude et sa surveillance sont nécessaires. Les cas extrêmes de femmes exploitant leurs enfants sont plus rares mais frappants. Elles enrôlent le fils pour déposer le père. Cela se produit assez couramment dans les familles pauvres où l'incompétence du père peut être impitoyablement soulignée. Le fils accepte la version que lui donne la mère des brutalités que lui fait subir le père et s'efforce, tout autant que Saturne, de le détrôner sous son propre toit. Dans une situation moins intensément œdipienne, le fils peut être attaqué par la mère qui vise en lui le père. Un jour, ma mère s'est accroupie sur la poitrine de mon petit frère et lui a martelé le visage à coups de poing en présence de mon père qui a menacé de la frapper. C'est la seule fois où je me souviens avoir vu mon père réagir à la provocation. Mon frère n'avait que trois ans.

La frigidité féminine est souvent une tentative de punir le mari, bien qu'on ne l'admette pas. De même l'exagération de la mauvaise santé jusqu'à l'infirmité et l'hypocondrie est souvent une forme déguisée de reproche qui n'a rien d'organique. Le reproche peut prendre une forme plus subtile si la frêle créature continue à remplir ses tâches malgré ses malaises. Tout le monde se sent coupable et encore davantage quand mari et enfants cèdent à l'exaspération devant ce martyre auquel on les oblige à assister. Le refus ou le rationnement des faveurs sexuelles est un facteur important de l'expression du ressentiment féminin. Il est vrai que, même dans des milieux cultivés de la société anglaise, par exemple, chez certains de mes collègues, les femmes considèrent les rapports sexuels comme une récompense accordée au mari ou une consolation lorsqu'il a subi un échec. La femme affirme qu'elle n'y prend aucun plaisir, et le mari se sent à la fois bestial et reconnaissant lorsqu'elle lui permet d'user de ses prérogatives conjugales. Aujourd'hui, ces discussions ont souvent lieu sous le masque de la régulation des naissances. La femme affirme qu'elle ne supporte aucun contraceptif, qu'elle ne trouve pas de plaisir dans les rapports sexuels sans l'espoir de la procréation, ou oblige son mari à pratiquer le *coïtus interruptus*. Si elle se trouve enceinte, elle déclare qu'il l'a trahie parce qu'il n'est qu'une brute égoïste. Les variantes du thème sont innombrables. Dans chaque cas, la femme est aussi perdante, mais comme elle ne conçoit pas ce qu'elle pourrait gagner par une attitude différente, cela n'intervient pas dans son calcul. Elle cherche à avoir la peau de son mari.

Si une femme prétend qu'elle ne fait qu'aiguillonner affectueusement l'ambition de son mari en attirant son attention sur le mode de vie plus luxueux des Untels, son but réel est de lui faire sentir son incompétence professionnelle. Elle le pousse vers la crise cardiaque et se prépare un long veuvage, sans l'avoir voulu, car elle n'a jamais eu la possibilité de comprendre les motifs qui l'ont incitée à précipiter la mort de son époux. Ce n'est qu'un autre aspect de la jalousie de la femme pour la vie que le mari mène en dehors de son foyer. Elle le harcèlera afin qu'il renonce à un travail qui lui plaît et qu'il fait bien en faveur d'une activité ennuyeuse et lucrative qui leur permettra de battre les Untels.

Le syndrome de Rosamund (1) décrit d'une façon exemplaire par George Eliot dans le cas du mariage désastreux de Lydgate est la forme la plus extrême de la jalousie féminine à l'égard de la vie masculine, donnant naissance à des reproches du genre : « Tu aimes ce ridicule stradivarius plus que moi. » Le pendant existe chez la femme qui a renoncé à son stradivarius pour se dévouer à son mari et à laquelle personne n'ose dire qu'elle eût été une violoniste détestable. Au niveau inférieur, il y a la liste de tous les hommes riches et célèbres qu'elle aurait pu épouser ou le reproche : « Je t'ai donné les meilleures années de ma vie. » Les hommes croient souvent que les femmes se comportent ainsi par suite d'une possessivité insatiable. Mais le motif est souvent le simple ressentiment, dont naît le besoin de prouver que le mari est incompétent, moralement inférieur, ou les deux à la fois. Tous les alliés sont bons dans cette lutte. Le médecin, l'analyste, les amies, la secrétaire du patron, les enfants, lancés comme une meute contre le mari. L'efficacité du procédé ne se traduit pas par une victoire de la femme mais n'est que le fruit amer d'une vengeance inconsciente.

Charles M. Schultz, dans *Peanuts*, décrit brillamment, en Lucy van Pelt, le phénomène de la destructivité féminine. L'angoisse querelleuse de Lucy, son insensibilité à toute souffrance autre que la sienne, la façon dont elle aggrave impitoyablement le manque d'assurance de Charlie Brown, son pharisaïsme, sa jalousie, son incompréhension de la musique de Schroeder et sa tentative grotesque de le séduire, son aigreur, le grossissement insensé de ses obligations domestiques, son incapacité de sourire autrement qu'en se moquant d'autrui, son attitude envers la malchanceuse équipe de base-

(1) George Eliot, *Middlemarch*.

ball de Charlie Brown sont exemplaires. Une femme qui ne reconnaît pas confusément sa propre image dans ce portrait n'a pas encore compris la gravité de sa situation. Néanmoins, cette description de la femme sur le pied de guerre est incomplète. Il faut y ajouter le témoignage de Strindberg sur la lutte mortelle des sexes dans la *Danse de Mort* et celui, plus indirect, d'Ibsen dans *Hedda Gabler* et la *Maison de poupée*.

Une bataille qui se déroule dans un climat d'inauthenticité et d'hypocrisie, à coup de traîtrise mutuelle, ressemble à un jeu et Eric Berne décrit les aspects les plus superficiels de la tactique féminine dans *Games People Play*. Toute femme qui lit son exposé sur les jeux conjugaux pourrait sans difficulté y ajouter d'autres exemples de corps à corps. Berne exprime admirablement le gigantesque enchevêtrement de manipulations qui caractérise nos relations et particulièrement celles des sexes, du père et de la fille, de la femme courtisée et de son soupirant, des conjoints, de la mère et du fils : « Beaucoup de jeux sont joués le plus intensément par des gens perturbés. D'une façon générale, plus ils sont perturbés, plus ils y mettent de passion. » La solution de rechange à cette guerre menée sous les apparences du jeu est l'autonomie de la femme.

« Pour certains individus privilégiés, il y a quelque chose qui transcende toutes les classifications du comportement, et c'est la lucidité. Quelque chose qui échappe au déterminisme du passé : la spontanéité. Quelque chose de plus satisfaisant que les jeux : l'intimité. Mais ces trois qualités risquent de paraître effrayantes à ceux qui n'y sont pas disposés, voire être périlleuses pour eux. Peut-être vaut-il mieux qu'ils restent dans leur ornière en cherchant la solution à leurs problèmes dans des techniques particulières, vulgarisées à leur intention, telles que l' « être ensemble ». On pourrait en déduire qu'il n'y a pas d'espoir de salut pour l'humanité en général, mais qu'il y a encore de l'espoir pour l'individu membre de cette humanité. »

29

LA RÉBELLION

Il y a toujours eu des femmes prêtes à se révolter contre le rôle que leur imposait la société. Les plus notoires ont été les sorcières, les femmes qui renonçaient aux relations humaines « normales » pour vivre en compagnie d'animaux ou de familiers, en exploitant la connaissance qu'elles avaient des plantes médicinales et la crédulité des paysans. Parfois, il s'y ajoutait de la magie noire ou blanche ou du satanisme. Lorsqu'on lit attentivement le compte rendu des procès de sorcellerie, on s'aperçoit que certaines femmes ont été poursuivies uniquement en raison d'activités subversives, parce qu'elles incitaient les villageois à la rébellion. L'une des punitions, la sellette, était une forme primitive de psychothérapie répressive correspondant à l'électrochoc actuel.

There was a woman known to be so bold
That she was noted for a common scold ;
And on a time, it seems, she wrong'd her
[Betters
Who sent her unto Prison, bound in Fetters :
The Day of her Arraignment being come,
Before grave elders, this then was her Doom :
She should be ducked over head and ears,
In a deep Pond, before her Overseers.

Thrice was she under Water, yet not fainted,
Nor yet for aught that I could see, was
[daunted ;
For, when with Water she was covered,
She clapped her hands together o'er her head,
To signify that then she could not talk,
But yet she would be sure her hands should
[walk ;
She had no power, but yet she had a will
That if she could, she would have scolded
[still :
For after that, when they did her up-hale
Fiercely against them all then did she rail
This proves some women void of reasonable
[Wit ;
Which if they had, then would they soon
[submit.

The Anatomy of a Woman's Tongue divided into Five Parts (Londres, 1963), épigramme III, p. 173.

(Une femme qui avait la langue trop bien pendue subit le supplice de la sellette sans pour autant mettre un terme à ses récriminations.)

C'est un cas typique d'arrogance masculine et le refus de prendre en considération les griefs des femmes persiste dans la façon dont les conservateurs rendent compte de leurs initiatives pour changer leur condition. Lorsqu'on les accuse de revendication du pénis, de frustration, de perversion, c'est aussi déshonorant que la supposition de l'auteur anonyme de ce poème qui ne voit dans son héroïne qu'une créature privée de raison. Nous en saurons plus sur l'histoire du féminisme lorsque nous aurons appris à lire entre les lignes des procès de sorcellerie et des autres formes de persécution féminine. Beaucoup de femmes hérétiques, par exemple les membres de la Famille d'Amour, ont adhéré à des sectes religieuses parce qu'elles leur offraient plus de liberté (1). Dans la complicité des commères en vue de duper de riches maris au profit de leurs épouses ou de faciliter l'adultère et l'avortement, il y avait certainement une part de féminisme. A travers les siècles, les femmes cultivées se sont toujours soumises à contrecœur à la souveraineté masculine. Autrefois comme aujourd'hui, c'était en général leur éducation qu'on mettait en cause et non pas la souveraineté masculine.

Une bonne part de l'homosexualité féminine, surtout lorsqu'elle s'accompagne de travestisme, peut être considérée comme une révolte contre le rôle imposé à la femme qui la condamne à la passivité, à l'hypocrisie, à l'intrigue, et comme un refus de la brutalité et du caractère mécanique de la passion sexuelle masculine. Toutes les formes d'homosexualité féminine trahissent une tentative de solution de rechange aux classiques rapports homme-femme, même si elles comportent une structure de dominance. Le fait que le tribadisme soit le mode le plus fréquent de relation tend à montrer que le fantasme du mâle n'y intervient guère. Toutefois, la curiosité obscène ou les commentaires injurieux du public à l'égard de ce genre de relations ne permettent pas aux homosexuelles d'en faire un geste politique. La culpabilisation et la honte qui en résultent incitent les lesbiennes à dissimuler leurs préférences, ou encore à s'en excuser en les attribuant à une disposition innée ou à une erreur de l'éducation. Il est probable en effet que si la femme n'est pas capable de jouer le rôle qui lui est traditionnellement imposé,

(1) La Famille d'Amour est une secte anglaise originaire de Hollande où elle était dirigée par Hendrick Niclaes. Elle s'efforçait de réunifier les êtres humains dans le corps mystique. Voir *A brief rehearsal of the belief of the good-willing in England* (1656) et *A Description of the sect called The Family of Love : with their Common Place of Residence*.

c'est que son conditionnement a échoué. Cela ne l'empêche pas de choisir lucidement l'homosexualité d'une façon parfaitement honorable en rejetant par principe tout sentiment de honte ou d'infériorité. L'homosexuelle pourrait fort bien déclarer qu'aucune autre solution n'était acceptable et faire l'apologie de son mode de vie. Malheureusement, la plupart du temps, elle est aveuglée par la même conception fallacieuse de la normalité que ceux qui la critiquent.

Ce sont les femmes qui ont bénéficié d'un enseignement supérieur et qui possèdent les mêmes diplômes que les hommes qui ont la conscience la plus aiguë des incapacités qui frappent leur sexe. Dans les établissements d'enseignement supérieur qui pratiquent la ségrégation, il règne une curieuse atmosphère de révolte sourde. La plupart des femmes professeurs sont des célibataires qui n'ont que peu de rapports avec le sexe opposé. Les étudiantes les soupçonnent souvent d'homosexualité et il y a indéniablement une intensité dans leurs relations qui semble indiquer de l'attirance et de l'affection. Mais je crois que les contraintes que ces femmes s'imposent dans d'autres domaines impliquent l'inhibition sexuelle. Les étudiantes d'un collège universitaire dans lequel j'ai été cloîtrée pendant un an avant de pouvoir m'en évader ont un jour présenté à la directrice une liste de doléances exprimées d'une façon plutôt brutale. La directrice et les professeurs ont refusé de prendre la pétition en considération, se plaignant en outre qu'elles faisaient tout pour nous rendre heureuses et que nous les avions blessées. On peut penser que le refus d'avoir recours à des produits de beauté et de séduire est une forme de rébellion féministe. Certains de ces respectables professeurs poussaient l'indifférence pour leur apparence physique jusqu'à un degré extraordinaire. Les bonnes manières passaient également par-dessus bord. Une de ces matrones, qui avait fait blêmir de saisissement un collègue masculin en étalant son obésité dans un maillot de bain rouge vif, lâchait des vents et rotait à table. Je l'ai vue remettre dans son assiette une meringue qu'elle avait fait tomber par terre et continuer paisiblement à la manger. Plutôt que de supposer que ces héroïques créatures souffraient d'un déséquilibre génétique, je pense que leur voix de stentor et la lourdeur de leur démarche étaient des réactions délibérées contre la grâce féminine. Leur non-conformisme était facilité par l'existence, en Grande-Bretagne, du stéréotype de l'aristocrate campagnarde qui chasse, monte à cheval et manie les machines agricoles aussi bien que n'importe quel homme. Mais peu de leurs élèves suivaient leur exemple car la plupart d'entre elles en étaient encore à surmonter les effets de la puberté et évoluaient selon les normes conventionnelles de la féminité malgré les efforts de leurs professeurs pour les inciter à jouer au hockey et à obtenir de meilleures notes que les garçons à la fin de l'année.

Cette forme implicite et inconsciente de révolte féminine est démodée et inefficace. Si nous la comparions à la fréquence de l'homosexualité et de la féminisation des hommes dans les établissements universitaires masculins, nous pourrions interpréter celle-ci comme une réaction contre le stéréotype de l'homme dur et musclé. Mais tant que ces comportements ne seront pas systématiquement rationalisés, ils ne seront que des phénomènes individuels, éventuellement des facteurs de névrose, sans influence sociale. Il y a toutefois un début de rationalisation chez les intellectuelles, qui sont les plus privilégiées. Il ne m'est pas possible ici de retracer l'histoire des suffragettes. Mais plus d'une militante actuelle se souvient de quelque extraordinaire vieille dame qui s'était vainement efforcée d'implanter les germes de la rébellion dans son esprit. De temps à autre, on voit apparaître une de ces vieilles dames à la télévision ou on lit sa notice nécrologique dans le *Times*. Elles nous rappellent non seulement la continuité du mouvement, mais l'habileté tactique et le dynamisme joyeux de ces femmes qui portaient des jupons, des corsets et des chapeaux. Le progrès, depuis cette époque, n'a pas été uniforme. La mode a considérablement varié, de la tenue garçonnière à l'extrême féminité, les héroïnes de roman, après avoir été gaies et pleines de cran, sont redevenues sexy et languissantes. La seconde vague du féminisme, dont ce livre fait partie, a commencé avec les recherches de Betty Friedan sur la réaction sexuelle d'après-guerre qui a chassé les femmes américaines des usines pour les renvoyer dans leurs foyers. Mrs Friedan est une diplômée *summa cum laude* de Smith College et obtint une bourse de recherches au département de psychologie de Berkeley. C'est une femme réputée pour sa compétence et ses qualités intellectuelles. Ce qu'elle découvrit pendant les cinq ans qu'elle consacra à son livre l'incita à fonder la plus influente des organisations aux États-Unis, la *National Organization of Women*, qui a plus de trois mille membres et des bureaux dans beaucoup de villes. Entre-temps, elle s'était séparée du mari auquel elle avait dédié son livre. Son mouvement est le seul qui ait été reconnu par les autorités politiques. Il fournit le programme et les membres des groupes et comités féminins qui participent aux travaux de diverses commissions du Congrès. Il est évident que ce que propose Betty Friedan n'a rien de révolutionnaire. Sa théorie repose sur la frustration subie par la femme cultivée qui tombe dans le piège des théories freudiennes selon lesquelles la physiologie détermine la destinée. Pour Betty Friedan, la sexualité signifie maternité, confusion qui semble aussi influencer les autres mouvements féministes si bien qu'en rejetant le rôle sexuel traditionnel de la femme, ils sont amenés à valoriser les activités non sexuelles de la femme au détriment de sa libido, erreur qui aura de graves conséquences. Betty Friedan représente l'élite des femmes américaines de la classe moyenne et elle veut obtenir l'égalité des chances dans le *statu quo*, c'est-à-dire la liberté pour les femmes d'attraper des ulcères et des maladies coronaires. Elle a repris la campagne en faveur de l'adoption de l'*Equal Rights Amendement* commencée en 1923, et de l'abrogation des lois contre l'avortement. Son argumentation est subtile. Elle affirme que l'interdiction de l'avortement est une violation de la vie privée contraire à la Constitution, une atteinte à la liberté d'expression, etc. Elle est convaincue que les névroses des ménagères disparaîtront une fois que les femmes seront intégrées à la société et que leur horizon sera celui de la collectivité et non plus de leur intérieur. Elle a réussi à forcer le *New York Times* à faire honneur à sa réputation d'équité et d'objectivité en supprimant la discrimination dans les offres d'emploi. Malheureusement, cela ne la supprimait pas dans les faits. Le seul résultat a été qu'un plus grand nombre de femmes ont perdu leur temps à poser leur candidature à des postes qu'elles n'avaient aucune chance d'obtenir. Tant que même les employeurs-femmes continueront à préférer des employés masculins, de telles mesures resteront purement formelles. La N.O.W. a également boycotté Colgate-Palmolive pour protester contre la discrimination dans l'emploi, mais sans lancer d'attaque générale contre l'industrie des cosmétiques dont les ingrédients inefficaces, des produits les moins coûteux aux plus chers, se vendent mieux que jamais, grâce à une publicité dégradante qui entretient l'insécurité de la femme. La N.O.W. a également fait une descente dans un bar de l'hôtel Plaza où les femmes n'étaient admises qu'à certaines heures et uniquement en compagnie d'un homme.

Les membres intelligents de la N.O.W. ne tardèrent pas à se rendre compte que leurs buts étaient limités et leur tactique trop courtoise. Une des personnalités les plus intéressantes qui ait émergé de ce mouvement est Ti-Grace Atkinson. Elle dirige aujourd'hui le groupe le plus radical de l'élite féministe, une organisation pour annihiler les rôles sexuels. Il s'agit d'un groupe fermé de propagandistes qui s'efforcent de lancer l'idée d'une société sans *leader* dans laquelle la convention de l'amour (réaction de la victime au viol), la possessivité conjugale et même la grossesse utérine disparaîtront. Leurs affirmations ont une rigueur dogmatique et doivent paraître terrifiantes à la moyenne des femmes. L'homme est à leurs yeux l'ennemi, et tant que les hommes n'auront pas modifié la conception de leur rôle, elles ont raison. Néanmoins, il n'est pas vrai que pour faire une révolution il faille une théorie révolutionnaire. Une théorie conçue en fonction du système social actuel risque de ne pas s'accorder avec la réalité d'une situation en évolution. Il est dangereux de condamner la sexualité par tactique révolutionnaire sous prétexte qu'elle est faussée et qu'elle aboutit actuellement à la servitude. La sexualité est une confrontation qui peut donner naissance à des valeurs nouvelles. L'homme est l'ennemi à la façon dont un jeune homme endoctriné en uniforme est l'ennemi d'un autre jeune homme qui lui ressemble en tous points, excepté par l'uniforme. On peut essayer de les réconcilier en leur arrachant leur uniforme.

La plupart des jeunes groupes de libération féminine sont nés au sein de la gauche universitaire. Dans la *New Left Review* de novembre-décembre 1966, Juliet Mitchell a publié la déclaration la plus cohérente du socialisme féminin. Depuis, cette déclaration, sous des formes diverses, est devenue le fondement des théories socialistes sur ce sujet, bien qu'elle manque d'efficacité tactique. *Women-The Longest Revolution* est fondé sur les principes de Marx, de Bebel et d'Engels. Contrairement aux autres théoriciens, l'auteur n'adopte pas l'anthropologie douteuse d'Engels mais s'en tient à un examen serré des faits démontrables. « La faiblesse physique des femmes ne les a pas écartées du travail productif. Au contraire, leur faiblesse sociale, dans les cas envisagés, en a fait les principales esclaves. »

Il en résulte que l'industrialisation croissante ne garantit pas à la femme un emploi productif parce que ce n'était pas sa faiblesse physique qui l'en excluait. C'est le développement de la propriété privée, surtout celle des moyens de production, qui a entraîné la relégation des femmes dans un statut servile où elles figurent le loisir par procuration. Ce rôle est déterminé par la supposition que la famille est nécessairement patriarcale, par la déformation de la procréation en une parodie de production, de la sexualité en exploitation sadique. L'unique fonction de la femme est la socialisation de l'enfant. Si l'on veut que la condition des femmes change il faudra repenser ces quatre structures : la production, la reproduction, la sexualité et la socialisation. Prévoyant peut-être les conséquences de l'activité des femmes dans les mouvements socialistes, l'auteur s'efforce d'intégrer le féminisme à la révolution prolétarienne, tout en sachant que rien, dans les groupes politiques ou les régimes socialistes existants, n'indique qu'un tel contrat serait respecté : « Le socialisme ne doit pas abolir la famille, mais diversifier les relations socialement reconnues qui sont aujourd'hui comprimées de force dans ce cadre rigide. Il faudrait une pluralité d'institutions dont la famille ne serait qu'un aspect possible. On ne peut la supprimer sans solution de rechange. Il pourrait y avoir des couples sans cohabitation, des unions durables avec des enfants, des célibataires élevant des enfants, des enfants socialisés par des parents adoptifs plutôt que par leurs parents naturels, des communautés fondées sur des liens de parenté élargis, etc. Tous ces modes de vie pourraient être institutionalisés et laissés au libre choix des individus. Il serait illusoire d'essayer de définir à l'avance de telles institutions. Déterminer en détail ce que l'avenir doit être est de l'idéalisme, et ce qui est pire, de l'idéalisme statique. Le socialisme est évolution, devenir. Toute définition de l'avenir est historique dans le pire sens du terme. La forme que prendra le socialisme dépend de la forme qu'aura le capitalisme au moment de son effondrement... L'émancipation des femmes sous le socialisme ne sera pas le produit du rationalisme mais une conquête humaine dans le long passage de la nature à la culture qui est la définition de l'histoire et de la société. »

En 1954, Evelyn Read, dans *The October Discussion Bulletin of the Socialist Workers' Party*, avait tenté beaucoup plus naïvement de démontrer que la lutte des femmes contre l'oppression faisait partie de la lutte des classes. Elle tente de prouver que la rivalité sexuelle et la transformation des femmes en objet résultaient uniquement du capitalisme bourgeois. Elle évoque l'image d'une société primitive où il n'y avait ni exploitation sexuelle, ni propriété, ni rivalité, et où les cosmétiques n'étaient que des moyens d'identification. Elle voit dans la mythologie de l'éternel féminin la propagande délibérée des capitalistes assoiffés d'argent du XIXe siècle, portée à l'extrême au XXe. L'idée est probablement juste mais repose sur les convictions de l'auteur, sans preuves à l'appui, si bien que le lecteur le plus bienveillant est découragé, à moins de n'avoir aucun esprit critique. En 1969, ses articles ont été réunis dans un pamphlet intitulé *Problems of Women's Liberation: A Marxist Approach* (1). L'exposé est typiquement doctrinaire, accompagné d'une anthropologie fantaisiste et manifeste un manque regrettable de culture. La couverture représente une figurine de vase attique, qualifiée de déesse symbolisant le matriarcat. Evelyn Reed serait horrifiée si elle s'était rendu compte qu'il s'agissait d'une gracieuse bacchante avec thyrse symbolisant l'équivalent des hippies et de la culture de la drogue. Et il y a certainement plus d'espoir pour les femmes en Marcuse qu'en Marx. Le livre est très bien diffusé et peut avoir de l'influence, ce qui est en un sens regrettable car on perdra du temps à discuter des conclusions indéfendables. L'article de Juliet Mitchell est beaucoup plus rigoureux.

Les femmes qui militaient dans les groupes socialistes n'étaient pas sûres que la libération de la classe ouvrière entraînerait la leur. Staline a abrogé les premières lois soviétiques qui permettaient le divorce automatique et l'avortement. Les avantages récompensant la maternité étaient une trahison manifeste. L'augmentation du nombre des femmes médecins en Union soviétique n'est qu'une extension de l'emploi des femmes dans les services. Les femmes qui travaillent dans le bâtiment n'ont ni formation professionnelle ni machines-outils. En Chine, l'enrôlement des femmes dans l'armée, l'interdiction des cosmétiques et de la frivolité vestimentaire n'ont en rien amélioré leur condition de servante de la famille, bien que les maux les plus évidents du concubinage aient été supprimés. En été 1967, lors de la convention nationale de la S.D.S., les femmes ont rédigé un manifeste qui exprimait leurs sentiments. Susan Surtheim, qui a décrit la

(1) (New York, 1969.)

session dans le *National Guardian* préconisait l'idée d'une coopération entre les groupes masculins et féminins, et pensait qu'il fallait inviter les hommes à assister aux réunions des femmes, en supposant que le problème se limitait à une mauvaise conception des rôles sexuels. Le manifeste reflétait les opinions de femmes comme elle. Sa conclusion était :

« 1. ... nos frères de la S.D.S. doivent reconnaître qu'il leur faut résoudre leurs problèmes de chauvinisme masculin dans leurs relations privées, sociales et politiques.

« 2. Il ressort de cette réunion de la S.D.S. qu'on ne tire pas pleinement partie des compétences et de la contribution potentielle des femmes. Nous invitons les femmes à exiger une pleine participation à tous les aspects du mouvement, du collage des timbres à des postes directeurs.

« 3. Les responsables doivent tenir compte de la dynamique qui crée le *leadership* et cultiver toutes les ressources que les femmes apportent au mouvement.

« 4. Toutes les administrations universitaires doivent prendre conscience que les règlements des campus sont une discrimination contre les femmes et prendre des mesures pour protéger leurs droits...

« Nous cherchons la libération de tous les êtres humains. La lutte pour l'émancipation des femmes doit faire partie de la lutte générale pour la liberté. Nous reconnaissons la difficulté qu'auront nos frères à venir à bout des réflexes de chauvinisme masculin et en tant que femmes nous sommes prêtes à assumer pleinement nos responsabilités et à les aider à résoudre cette contradiction.

« La liberté maintenant ! Nous vous aimons. »

Par une ironie du hasard, le numéro suivant de

New Left Notes reproduisait un discours de Fidel Castro à la fédération des femmes de Cuba qui aurait dû mettre en évidence les faiblesses de cette politique. Après avoir reconnu la contribution des femmes à la lutte révolutionnaire et les avoir remerciées d'avoir porté les armes aux côtés des hommes, il les suppliait de retourner à leurs tâches domestiques. « Qui fera la cuisine pour l'enfant qui rentre déjeuner ? Qui soignera les bébés et l'enfant qui n'a pas atteint l'âge scolaire ? Qui préparera le repas de l'homme quand il revient de son travail ? Qui fera la lessive et prendra soin de la maison ? »

En automne 1967, il était évident que les femmes reconsidéraient leur situation. Quatre jeunes filles de la *Student Union for Peace Action*, la principale organisation de la nouvelle gauche canadienne, rédigèrent un rapport intitulé *Sisters, Brothers, Lovers... Listen...* fondé sur l'affirmation de Marx que le progrès social peut se mesurer à la condition sociale des femmes. Il témoignait d'une vague incertitude sur la différence effective des sexes car les auteurs ignoraient si les femmes n'étaient pas génétiquement désavantagées, mais elles espéraient éliminer cet obstacle sur la foi de l'idée marxiste que le progrès consiste à surmonter de telles distinctions, qui n'ont pas de rapport avec la fonction sociale. Elles réaffirmèrent les quatre points de l'argumentation de Juliet Mitchell et sa théorie sur l'origine culturelle de la condition féminine. Une fois de plus, nous nous trouvons devant une définition amère du rôle des femmes dans les mouvements de l'extrême gauche, défini par Stokeley Carmichael : « La seule attitude des femmes dans la S.N.C.C. est une absolue soumission. »

« Certaines femmes du mouvement sont prêtes à faire la révolution. Nous pensons par nous-mêmes. Nous lisons, nous écrivons, nous discutons afin de produire l'analyse et la théorie nécessaires à cette tâche. Nous avons le soutien de l'expérience. Nous sommes animées par la frustration d'être exclues, qui nous force à prendre l'initiative... »

On a d'autant plus l'impression que dans leur esprit ce radicalisme ne saurait être qu'un processus intellectuel que le manifeste comporte une liste de livres à lire, la première d'une série qui allait s'allonger sans cesse. Dans la mesure où il s'agit d'un mouvement d'universitaires, il n'est pas étonnant que pour le très grand nombre de femmes qui n'ont jamais appris à assimiler des idées abstraites et pour lesquelles l'argumentation logique n'a pas de valeur parce qu'elles ne la comprennent pas et ne sont pas capables de la pratiquer, une telle méthode n'a aucun intérêt. Le caractère le plus critiquable de ce mouvement de libération universitaire est sa prétention à assumer le *leadership* d'un vaste prolétariat féminin et l'adoption de structures organisationnelles empruntées aux hommes qui conviennent mal aux femmes. En outre, il ne semble pas que les militantes aient pris la véritable mesure de la polarisation homme-femme, et qu'elles aient lu dans le *Soviet Weekly* que les membres de l'institut d'État de pédagogie s'inquiétaient que l'insuffisance pédagogique des femmes ne produise des garçons auxquels manquerait le sens nécessaire de l'autorité masculine.

On retrouve cet académisme dans la plupart des groupes de libération féminine des universités. Ti-Grace Atkinson, qui a fondé le groupe d'élite des *Féministes*, travaille aussi pour *Human Rights for Women*, organisation qui patronne les recherches historiques sur la condition de la femme. Il est bon de se souvenir que des suffragettes mortes depuis longtemps finançaient déjà des entreprises de ce genre, et distribuaient des bourses aux femmes qui voulaient devenir ingénieurs. La plupart des collèges universitaires féminins ont des fondations de ce genre, et leur contribution à l'émancipation féminine a été dans l'ensemble négligeable.

La première attaque contre le manifeste de 1967 provient d'un auteur masculin et fut publiée dans le *New Left Notes* de décembre. Il suggère qu'il est dangereux de confier un poste de *leader* à une femme insuffisamment préparée, parce qu'elle ira au-devant d'un échec et que son sentiment d'infériorité en sera accru. En outre, les femmes, selon lui, ne peuvent pas se séparer des hommes parce qu'elles en ont besoin. Leur rôle est d'être plus humbles, plus tolérantes, plus charitables. Il pensait que les femmes devaient d'abord acquérir une formation suffisante avant de prétendre exercer des responsabilités dans le mouvement, et qu'elles pourraient garder leur nom de jeune fille une fois mariées. Les femmes dociles de la S.D.S. commencèrent à protester et lors de la convention nationale suivante, la protestation était devenue menace. Dans le *New Left Notes* du 10 juin 1968, Marilyn Webb publie une description acerbe de la situation des membres féminins de la S.D.S., dont l'exactitude attisa le mécontentement. Elle ne préconisait pas la sécession mais un effort de travail supplémentaire pendant le temps qui n'était pas accaparé par la dactylographie et la distribution des tracts, les bagarres avec la police, et l'entretien domestique de l'homme révolutionnaire. Pendant la convention de 1968, l'agitation féminine provoqua la colère des hommes. Les femmes commencèrent à se rendre compte qu'elles n'obtiendraient pas la liberté en se battant pour les autres. Les hommes leur opposèrent les arguments traditionnels contre les femmes dominatrices, et les femmes, comprenant le caractère insidieux de la polarisation, décidèrent d'élaborer une stratégie nouvelle.

Deux anciens membres des mouvements universitaires préparaient un rapport sur une telle stratégie.

Leur journal, *Voice of the Women's Liberation Movement*, avait commencé à paraître et leur manifeste, *Towards a Women's Liberation Movement*, était annoncé. L'arrestation, pour la seconde fois, de Carol Thomas et sa condamnation à une détention prolongée, lui conféraient un caractère particulièrement dramatique.

L'auteur commençait par attaquer le manifeste précédent. Elle dénonçait les défauts d'un réformisme trop mièvre en le rapprochant des prises de position des conseils municipaux sur le traitement des Noirs. Par analogie avec le *Black Power* qui avait été la première réaction efficace contre une législation paternaliste, elle préconisait un Pouvoir des Femmes qui aurait pour première mission de développer l'assurance des femmes et une stratégie authentiquement féminine. Beverly Jones faisait remarquer que les étudiantes membres de la S.D.S. étaient des privilégiées qui ignoraient encore les incapacités qui frappaient les femmes au fur et à mesure qu'elles progressent sur la voie qui les mène au *Kinder und Küche* (1). Elle soulignait la nécessité, pour les femmes, de mener leurs propres batailles pour mettre les véritables problèmes en lumière suivant le principe de la S.D.S. : « La confrontation est la source de la lucidité politique. » Les femmes qui avaient réussi à s'imposer dans les mouvements dominés par les hommes n'y étaient parvenues qu'en usant de leur position privilégiée et en sacrifiant aux valeurs masculines. Elles n'avaient pas plus le droit de parler pour leurs sœurs que le financier noir pour Harlem. Néanmoins, même ces célibataires encore relativement dynamiques, dépendaient tellement des hommes, sources de prestige et de satisfaction sociale, que leur vie était devenue un cauchemar qu'elles n'avaient plus ni la lucidité

(1) Les enfants et la cuisine.

ni la fierté de rejeter. L'auteur, en tant que femme mariée, traçait une image horrible de ce qui les attendait. Elle définissait une tactique politique en neuf points qui est devenue l'idéologie fondamentale des jeunes groupes de libération féminine.

« 1. Les femmes doivent refuser d'adhérer à des mouvements autres que les leurs. Elles ne peuvent espérer restructurer la société avant que les relations des sexes ne soient restructurées. Il se peut que l'inégalité des relations domestiques soit la source de tout le mal. Les hommes commettent n'importe quelle horreur, souffrent lâchement n'importe quelle mutilation spirituelle et se réfugient dans leur foyer en s'attendant que leur épouse les y traite avec admiration, respect et peut-être amour. Dans ces conditions les hommes ne regarderont jamais en face leur véritable identité et leurs véritables problèmes. Nous non plus...

« 2. Les femmes, souvent influencées par la peur de la force physique, doivent apprendre à se protéger...

« 3. Nous devons contraindre les moyens de communication de masse à être réalistes...

« 4. Les femmes doivent mettre leur expérience en commun jusqu'à ce qu'elles comprennent, définissent et dénoncent explicitement les multiples techniques de domination qu'utilisent les hommes dans la vie privée et la vie sociale. Il faut qu'elles soient publiées et diffusées jusqu'à devenir connaissance commune. Aucune femme ne doit plus être désemparée et désarmée lorsqu'elle discute avec son mari...

« 5. Il faut organiser des collectivités dans lesquelles les femmes puissent être déchargées de leur fardeau le temps qu'elles s'épanouissent psychologiquement...

« 6. Les femmes doivent apprendre leur histoire car elles ont une histoire dont elles peuvent être fières et qui donnera de la fierté à leurs filles... Des femmes courageuses nous ont délivrées de l'esclavage total et nous ont permis d'accéder à une condition améliorée. Nous ne devons pas abandonner leur effort mais nous inspirer d'elles et leur permettre de se battre pour leur cause une fois de plus. Il y a un marché pour la littérature féministe, historique ou autre. Il faut l'alimenter...

« 7. Les femmes qui ont une compétence scientifique devraient effectuer des recherches sur les différences effectives des facultés et des tempéraments des deux sexes...

« 8. La revendication d'un salaire égal à travail égal a été écartée avec dédain par les extrémistes mais il faut la prendre en considération car l'inégalité est un moyen d'asservissement...

« 9. Dans cette liste qui ne prétend pas être complète, je mentionne les lois sur l'avortement. »

On pourrait critiquer l'ignorance du point 7 puisque les recherches sont effectuées depuis cinquante ans. Le point 2 est facile à réaliser puisqu'on peut acheter des armes et que le karaté figure dans le programme des *finishing schools* pour débutantes. La difficulté consiste à rendre le recours à la violence absurde, car c'est le seul espoir de l'être civilisé. Mais il n'en est pas question jusqu'à présent dans la stratégie des mouvements féministes. La deuxième partie de *Towards a Woman's Liberation Movement* a été rédigée par Judith Brown, assistante de recherches en psychiatrie de l'université de Floride. Elle décrit également la situation de la femme des classes moyennes dans la S.D.S. et soutient la thèse selon laquelle le mariage est pour la femme l'équivalent de l'intégration pour les Noirs, en utilisant l'analogie nègre-femme qui est devenue si populaire tout en étant fallacieuse. Elle propose la création de collectivités purement féminines pour les femmes révolutionnaires sans se rendre compte que ce n'est guère différent des monastères du Moyen Age où les femmes pouvaient trouver un épanouissement intellectuel et moral, sans pour autant exercer la moindre pression sur le *statu quo*. Le célibat qu'elle préconise comme une tactique accentue l'analogie. L'homosexualité et la masturbation comme solutions de rechange à l'intégration ne modifient guère le parallèle. Le manifeste se termine par une lamentation anonyme sur le sort de Carol Thomas sans qu'il soit précisé si elle a été visée en tant que femme. L'accusation qui a motivé son arrestation n'est pas spécifiée. Mais on peut considérer que cette solidarité entre femmes révolutionnaires a une certaine valeur.

« Nous ne nous sommes pas réduites à la paralysie politique pour justifier l'inaction, nous sommes une caste opprimée. Il nous faut impérativement créer un mouvement féminin, parce que nous devons combattre l'ordre établi avec toutes nos facultés, en tirant parti de toutes nos ressources. Il nous faut nous libérer afin d'échapper à la désespérance de notre situation familiale, notre propre apocalypse des damnés, afin d'exercer notre colère sociale chaque fois qu'une lumière s'éteint. Il nous faut unir nos efforts pour démanteler les jouets socialement et militairement mortels de ce système social et nous opposer aux chiens enragés qui nous gouvernent en toutes circonstances et en tous lieux. »

Les femmes à la recherche d'elles-mêmes ont subitement découvert un nouvel arsenal dans l'œuvre de Masters et Johnson publiée en 1966 sous le titre *Human Sexual Response*. Mette Eiljerson a été la première à commenter passionnément ses implications pour la libération de la femme. L'original danois a été repris par une adhérente du groupe des féministes, Anne Koedt. La thèse qu'elle développe dans *The Myth of Vaginal Orgasm* (1), selon laquelle

(1) (New England Free Press.)

— par suite de l'ignorance physiologique de Freud et de Reich —, les femmes avaient été réduites à la frigidité et leur comportement sexuel entaché de honte et de mensonge, est indiscutablement juste. Mais les déductions qu'elle en tire, que l'erreur était un calcul délibéré destiné à consolider la supériorité de l'homme, que le vagin n'intervient pas dans le plaisir sexuel de la femme et que les hommes n'insistent sur la pénétration que parce qu'elle est agréable pour leur pénis (argument qui est une contrepartie féminine de l'égoïsme masculin) sont pour le moins contestables ! « Les hommes craignent, si le clitoris est substitué au vagin comme fondement du plaisir de la femme, de devenir sexuellement superflus... »

On se demande quel genre d'homme Anne Koedt a fréquenté. La plupart des hommes connaissent l'importance du clitoris et ont horreur de n'être désirés que comme instruments sexuels. L'homme dont la femme s'attend qu'il soit en érection en permanence n'est pas plus libre que la femme dont le vagin est censé répondre par un orgasme cosmique à la première pénétration d'un tel pénis. L'angoisse de l'impuissance qu'engendrent ces mythologies vaut l'angoisse de la frigidité. Les suppositions d'Anne Koedt montrent qu'elle se rend compte de la mystification dont elle a été victime mais pas de celle qui affecte les hommes. Sa conclusion est particulièrement étrange : « *Saphisme* — En dehors des raisons strictement anatomiques qui pourraient inciter les femmes à rechercher des partenaires de leur propre sexe, les hommes craignent que les femmes recherchent la compagnie des femmes en vue de leur épanouissement humain. Reconnaître la réalité de l'orgasme clitoridien revient à mettre en péril l'hétérosexualité institutionnelle. L'oppresseur redoute toujours que les opprimés s'unissent, et dans ce cas particulier, que les femmes échappent à l'emprise psychologique de l'homme. Plutôt que d'imaginer qu'il puisse y avoir à l'avenir des relations libres entre individus, les hommes réagissent avec une peur paranoïde d'une vengeance féminine, comme le montre l'affaire V. Solanas. »

On se demande, à lire cette dernière phrase, qui a tiré sur qui. Dans la plupart des cas, la cohésion des groupes d'hommes est maintenue en excluant tout rapport sexuel entre leurs membres. La sexualité n'est pas une force de cohésion. Les groupes homosexuels, dans notre société actuelle, ne manifestent ni cohésion ni coopération bien qu'on ne puisse pas préjuger de ce que seraient les rapports homosexuels dans une situation où ils ne seraient pas accompagnés de culpabilité et de mauvaise foi. La supposition la plus dangereuse qu'implique cet exposé est que l'insensibilité vaginale de la femme américaine des classes moyennes au début de la deuxième moitié du XXe siècle est un trait permanent du tempérament féminin. La théorie d'Anne Koedt condamne toutes les femmes à une telle condition. Tant qu'on n'aura pas réalisé des expériences à Tahiti ou dans un autre lieu étranger à notre culture et à notre société, s'il en existe encore, on ne saura pas jusqu'à quel point cette insensibilité est anatomiquement déterminée. Selon mon expérience, un orgasme clitoridien accompagné d'excitations vaginales est plus satisfaisant qu'un orgasme provoqué par la seule excitation du clitoris. De toute façon, un homme est plus qu'un instrument sexuel. Nancy Mann a écrit une réfutation de l'article d'Anne Koedt, aujourd'hui publiée par la *New England Free Press*. Elle tente d'expliquer l'absence d'orgasme chez la femme en affirmant que nous nous y prenons mal, sans tenir compte de la nature fondamentale du phénomène. Sa conclusion devrait inspirer de l'espoir aux femmes qui n'ont pas envie de recourir à la masturbation ou d'apprendre le tribadisme.

« Je suis sûre que ce n'est pas en raison d'une coïncidence fortuite que tant de gens, dans notre pays, ont des expériences sexuelles insatisfaisantes. Cela résulte du mépris que l'on a en général pour le plaisir humain, sacrifié à la logique du profit. Il est évident que l'être humain a la possibilité de maîtriser ses réactions sexuelles et d'en assumer la responsabilité. Mais il est futile que la femme rejette les torts sur l'homme et *vice versa*... La sexualité, le travail, l'amour, la moralité, la solidarité collective, tout ce qui est de nature à nous procurer le plus de satisfactions affectives, est miné et exploité par notre organisation sociale. C'est cela qu'il nous faut combattre. Lorsqu'on ne s'entend pas avec un partenaire sexuel, on peut le quitter. Mais que peut-on faire lorsque c'est tout un pays qui abuse de vous ? »

Cette modération opposée à la sinistre satisfaction avec laquelle Anne Koedt met le pénis au rebut n'a pas protégé Nancy Mann contre l'ironie hargneuse des journalistes féminines. Julie Baumgold, dans *New York*, l'accuse de revendication du pénis. En fait, malgré l'attitude de dérision adoptée par la presse, les mouvements de libération féminine doivent jusqu'à présent leur retentissement aux moyens de communication de masse. L'appétit dévorant des journaux pour la nouveauté a abouti à l'anomalie qu'est la publication de comptes rendus d'initiatives féministes à côté de publicité pour les crèmes de beauté, les déodorants pour le vagin, et tous les autres produits dont le stéréotype assure la commercialisation. Les mouvements de libération féminine sont une bonne source d'articles à sensation en raison de leur réputation de perversion, de dépravation féminine et de solennelle absurdité.

L'été de 1968 leur a valu la notoriété non seulement parce que les femmes se sont constituées en groupe cohérent à l'intérieur de la nouvelle gauche, mais parce que Valérie Solanas a tiré sur Andy Warhol. Subitement, la S.C.U.M., *Society for Cutting Up Men* (société pour « éliminer l'homme »), a disputé la première page des journaux à l'assassinat de Robert Kennedy. Rien, en dehors du comportement de Valérie Solanas elle-même, ne permet de penser que cette société ait jamais fonctionné. Il était trop facile de la qualifier d'exhibitionniste névrosée et pervertie et l'incident était trop caractéristique de l'entourage de Warhol, pour que son message ne fût pas déformé. Les gens lisent ses livres par goût de la sensation mais y trouvent des vérités désagréables. Plus qu'aucune autre étudiante, elle a compris le problème de la polarisation, de l'abîme qui sépare l'homme et la femme et empêche qu'ils aient des relations humaines normales, en les condamnant aux limbes d'une guerre sans issue. Elle préconise la plus choquante des stratégies pour permettre aux femmes de redevenir des êtres humains à part entière : exterminer l'homme. Il est probable que c'est son énergie féroce et l'intransigeance avec laquelle elle dénonce la volonté de l'homme de maintenir sa conception de l'éternel féminin alors qu'il lutte désespérément pour soutenir les prétentions qui résultent de sa fixation au pénis qui ont amené Ti-Grace Atkinson à rompre avec la N.O.W. pour fonder un mouvement plus radical, tandis que les réformistes donnaient une tournure plus agressive à leurs slogans. On peut également lui imputer la création de W.I.T.C.H., « conspiration terroriste féminine internationale de l'enfer », dont le but était la propagande par le scandale. Les autodafés de soutien-gorge, l'envoûtement de la Chase Manhattan Bank, l'invasion de la *Bride Fair* de *Madison Square Garden* par des femmes habillées en sorcières et chevauchant des manches à balai, eurent suffisamment d'efficacité dans un système vulnérable à ses propres méthodes de matraquage pour que la Bourse tombe de cinq points. Mais aujourd'hui, la peur de la *Tactical Police Force* et d'autres formes de représailles a obligé ce mouvement publicitaire à se serrer dans l'anonymat.

Après la publicité ironique qui leur avait été accordée par la presse, les mouvements de libération féminine ont adopté une attitude de méfiance à l'égard de la presse, ce qui n'a pas amélioré leur image aux yeux du public et ne leur a pas évité de figurer dans la presse dominicale ou les magazines à sensation. En fait, l'absence de publicité est de la mauvaise publicité, surtout dans une situation où les femmes sont tellement habituées à lire les journaux superficiellement que la plus grande partie des railleries leur échappe. Les gens qui avaient conscience de la dérision implicite étaient souvent portés à éprouver une certaine sympathie pour les victimes si abusivement maltraitées par une presse qui les exploitait. Les femmes étaient soulagées d'apprendre que quelque chose était en train de se passer, même si la nature de l'événement n'était pas claire. Chaque fois que les journaux publient la protestation d'une femme contre le système d'imposition qui l'empêche de pratiquer sa profession en tant que femme mariée ou contre la tyrannie sexuelle et les mensonges qui en résultent, la réaction est considérable et la polémique s'étend sur plusieurs numéros. Il suffit de prendre pour exemple l'article de Vivian Gornick dans *Village Voice*. Pour chaque femme qui adresse une lettre à la rédaction, il y en a des centaines qui en sont incapables. Alors que chaque fois qu'un homme exprime de la dérision et de la peur, il s'en trouve une centaine pour soutenir son point de vue. Il faut espérer que les femmes se décideront en nombre croissant à faire connaître leur opinion dans la presse plutôt que de permettre à d'autres d'écrire à leur sujet. Cette influence pourrait s'étendre à la télévision, dont les besoins sont insatiables.

Si les programmes féministes sont financés par les producteurs de cosmétiques, tant mieux. Qu'ils paient les frais de leur enterrement. En tout cas, insulter les journalistes et les tenir à l'écart n'est pas un bon moyen de défense. La censure est l'arme de l'oppresseur, pas la nôtre.

Il y a beaucoup d'autres mouvements de libération féminine aux États-Unis, des chapitres d'université, au nombre de vingt-cinq, qui restent des organisations locales ne s'occupant que de leurs propres problèmes, à un groupe tel que les *Red Stockings*, qui s'est constitué après que les femmes avaient été tournées en dérision par les hommes lors de la manifestation anti-inaugurale de Washington. Ce groupe s'efforce de favoriser la prise de conscience dans le sens marcusien du terme. Il y a également le mouvement du 17 octobre, dont font partie Anne Koedt et Shulamith Firestone, la cellule 55, le mouvement bostonien de libération féminine d'Abby Rockefeller qui a donné l'été dernier une conférence à laquelle ont assisté cinq cents femmes qui s'étaient levées à 10 heures du matin, un dimanche, pour assister à une démonstration de karaté. Abby Rockefeller et Roxanne Dunbar sont ceinture verte. Il y a également le *Congress to Unite Women* qui n'a hélas uni que cinq cents membres. Le mouvement féministe ne cesse de se subdiviser en sectes ennemies, mais on peut y voir un indice de dynamisme à défaut de puissance.

En Grande-Bretagne, des *Women's Liberation workshops* se créent dans les banlieues bourgeoises à l'instigation des ménagères cultivées, et dans les universités. Il n'y a guère de cohérence dans les idéologies de ces associations et peu d'imagination et d'efficacité dans leurs méthodes. Le *Tufnell Park Liberation workshop* publiait un journal, *Shrew*, qui est très mal diffusé. Après avoir téléphoné cinq fois pour obtenir d'anciens numéros, j'y ai renoncé.

Quand ces dignes matrones ont fait leur apparition pendant l'élection de miss Monde avec des banderoles proclamant « nous ne sommes pas des objets sexuels », affirmation que personne ne paraissait enclin à contester, elles furent horrifiées de voir les étudiantes de l'université de Warwick chanter et danser autour de la police. Elles les supplièrent de ne pas se donner en spectacle. C'était contraire à la bonne éducation et l'image de la femme était déjà tellement avilie ! Le numéro suivant de *Shrew* déplorait le comportement de ces énergumènes, supposant charitablement qu'il s'agissait de ménagères de Coventry, mères de familles nombreuses, c'est-à-dire les personnes que le mouvement avait la prétention de libérer. En fait, le chapitre de Coventry est l'un des rares qui soient fréquentés par des femmes d'ouvriers qui expliquent leur situation à des jeunes filles privilégiées, exemple à suivre par d'autres femmes privilégiées qui n'ont pas encore appris à exiger autre chose que cette abstraction qu'est « l'égalité des chances ».

Néanmoins, malgré le chaos et les idées erronées, le nouveau féminisme est en train de prendre de l'ampleur. Le nouveau Théâtre féministe, patronné par les *Red Stockings* remplit le *Village Gate* à New York. Bien que peu de femmes soient séduites par l'idée d'apprendre la violence masculine en guise de tactique révolutionnaire ou de pratiquer le célibat, les épouses et les mères ont manifesté autour de la prison de Hudson Street en proclamant qu'elles ne voulaient pas de pension alimentaire. Comme l'a fait remarquer Gloria Steinem, l'extension du mouvement de libération s'est effectuée moins par l'organisation que par la contagion. Il est actuellement plus vaste et plus profond que l'organisation clandestine dont les publications sont diffusées par le N.E.F.P. et Agitprop, et même que l'organisation féminine de Betty Friedan. Lors d'un débat universitaire au cours duquel j'ai eu l'occasion de prendre la parole récemment, une motion antiféministe a été rejetée par un auditoire en majorité masculin alors que dans un débat sur le même sujet, cinq ans plus tôt, avec des arguments plus brillants, le féminisme avait été battu. La semaine précédente, j'avais pris la parole dans un centre d'éducation pour adultes à Teesside, devant un auditoire mixte et rassis. Des femmes timides et nerveuses ont exprimé en présence de leur mari leur opinion sur les sujets les plus subversifs. Les infirmières se révoltent, les enseignantes font grève, les jupes ont toutes les longueurs, les femmes n'achètent plus de soutien-gorge, elles exigent le droit à l'avortement... La rébellion est en train de prendre de la force et peut devenir une révolution.

LA RÉVOLUTION

30

LA RÉVOLUTION

La réaction n'est pas la révolution. Lorsque les opprimés adoptent les méthodes de l'oppresseur en les utilisant à leur profit, on ne peut parler de révolution. Pas plus que lorsque les femmes singent les hommes et *vice versa*, ni même lorsque les lois contre l'homosexualité se relâchent, que les distinctions vestimentaires s'atténuent, que les comportements se rapprochent. La tentative de réduire la polarisation au niveau de la législation n'a pas d'incidence sur l'empire qu'exerce sur les esprits et les cœurs la mythologie sexuelle. Le manque de séduction du visage ridé de Barbara Castle et son rôle rébarbatif de chien de garde du gouvernement Wilson ont incité plus de femmes à se cantonner dans leur impuissante féminité qu'ils n'en ont encouragé à briguer des honneurs masculins dans une société d'hommes. Nous savons que les femmes comme Barbara Castle ne se comportent pas en championnes de leur sexe une fois qu'elles sont parvenues au pouvoir. En tant qu'employeurs, elles ne font pas appel à des personnes de leur propre sexe, même quand il n'y a pas d'autre critère de discrimination. Elles s'entendent mieux avec les hommes parce qu'elles sont habituées à ruser avec leurs susceptibilités, leurs complexes de culpabilité, leurs désirs cachés. Ces femmes sont le « bon Noir » de l'homme blanc, des femmes exceptionnelles qui valent les hommes tout en étant plus décoratives. Les hommes capitulent.

Le fait que les femmes tentent de modifier leur condition en s'entraînant au combat est un des exemples les plus éclatants de la confusion entre réaction ou rébellion et révolution. Aujourd'hui où la guerre, de même que l'industrie, n'est plus une question de force physique, elle n'a plus de sens en tant que moyen d'action dans la lutte que mènent les femmes pour devenir des êtres humains à part entière. La violence, désormais, est inhumaine et asexuée. Elle est associée avec la richesse, que ce soit sous la forme de production d'un armement compliqué, ou de l'entretien d'armées et de forces de police, ou de l'édification de systèmes de défense gigantesques dont l'existence ne peut que nous précipiter plus sûrement dans le chaos de la guerre. La guerre est l'aveu de la défaite devant un conflit d'intérêts. Par la guerre, on s'en remet à la décision du destin, en supposant que le meilleur gagnera. On peut aussi bien objecter que c'est le moins scrupuleux qui l'emportera. Mais l'Histoire continuera à découvrir en lui des vertus que son adversaire n'avait pas. Il suffit de penser à la tentative de Hochnuth de condamner le rôle de la Grande-Bretagne dans l'écrasement de l'Allemagne et à l'aveuglement judicieux avec lequel Winston Churchill s'est refusé à admettre ce processus inévitable. On ne gagne jamais une guerre, comme le constate confusément tout Anglais en comparant sa situation matérielle avec celle de l'Europe coupable de nazisme. Les femmes qui adoptent une attitude belliciste dans leur quête de libération se condamnent à embrasser l'ultime perversion de la virilité déshumanisée, qui ne peut avoir qu'une issue, cette fin spécifiquement masculine qu'est le suicide.

Le mouvement de libération féminine de Boston

justifie son intérêt pour le karaté sous le prétexte que les femmes ont individuellement peur de l'agression physique et doivent être débarrassées de cette crainte afin d'être capables d'agir avec assurance. Il est vrai que les hommes ont recours à la menace physique, d'une façon théâtrale, pour réduire au silence des femmes acrimonieuses. Mais il est rare qu'ils passent aux actes. Ce n'est qu'un chantage qu'il est facile d'écarter. J'ai vécu à plusieurs reprises avec des hommes réputés brutaux dont deux avaient été condamnés pour coups et blessures, sans qu'ils m'aient jamais menacée physiquement, tellement il était évident que je ne me laisserais pas impressionner. La plupart des femmes sont fascinées par la violence. Elles constituent la majorité du public des combats et vibrent aux scènes de violence dans les films. Ce sont elles qui provoquent les bagarres dans les bistrots et les bals. Les hommes sont incités à la violence par le désir que la femme en a. La plupart des bagarres sont dégradantes, sans but défini. En général les hommes ne frappent pas le véritable objet de leur colère et finissent par s'exposer aux coups en raison de leur propre masochisme. L'homme véritablement violent ne pratique ni le karaté ni la boxe. Il s'empare d'une bouteille, d'une barre de fer, d'une hache, et ne se mesure pas à l'adversaire. Il fait le plus de mal possible le plus rapidement possible.

Le jour où les femmes cesseront d'aimer les vainqueurs d'affrontements violents, la véritable révolution commencera. Pourquoi admirent-elles la brute ? Mieux vaudrait qu'elles voient sous le masque de la fanfaronnade le désespoir et la souffrance de l'homme poussé à faire usage de ses poings. Ce sont toujours les hommes d'apparence robuste et aguerrie qui sont provoqués par des hommes dont la virilité est moins évidente et qui ont besoin de s'affirmer. Pourquoi ne comprennent-elles pas que la divinisation de l'homme fort, que ce soit le guerrier, le lutteur, le footballeur ou l'athlète-mannequin réduit l'homme à une condition très voisine de la leur? Si les femmes proposaient une solution de rechange à cet engrenage de violence, le monde aurait plus de chance de survivre, et avec moins de souffrance. Si elles refusaient d'assister aux combats de boxe ou de catch, ils cesseraient d'être financièrement rentables. Si les militaires étaient assurés d'être exclus du lit des femmes, comme Lysistrata l'avait proposé, la guerre aurait

---

The Woman's Fight
(*sur l'air de Juanita*)

**Soft may she slumber on the breast of mother
[earth,
One who worked nobly for the world's
[rebirth.
In the heart of woman, dwells a wish to heal
[all pain,
Let her learn to help man to cast off each
[chain.
Woman, oh woman, leave your fetters in the
[past:
Rise and claim your birthright and be free at
[last.
Mother, wife and maiden, in your hands great
[power lies:
Give it all the freedom, strength and sacrifice.
Far across the hilltop breaks the light of
[coming day,
Still the fight is waiting, then be up and away.**

I. W. W. Songs.

(*Chant révolutionnaire à la gloire de la femme qui aide l'homme à se débarrasser de ses chaînes tout en se libérant elle-même.*)

beaucoup moins de prestige. Nous ne sommes pas des houris. Nous nous refusons à être la récompense du guerrier. Pourtant, dans les magazines masculins, on lit que les prostituées des villes américaines accordent gratuitement leurs faveurs aux jeunes gens sur le point de s'embarquer pour le Viêt-nam.

La perversion masculine de la violence est le facteur fondamental de la dégradation des femmes. Le pénis est conçu comme une arme, et son action sur la femme est censée être destructrice et nocive. Les femmes ne sortiront pas de leur impuissance parce qu'on leur a donné un fusil bien qu'elles soient capables de tirer tout autant que les hommes. Chaque fois qu'on leur a confié des armes pour une lutte déterminée, on les leur a retirées ensuite, et elles se sont retrouvées aussi impuissantes qu'avant. Il faut adopter le principe opposé. Il faut que les femmes humanisent le pénis, qu'il ne soit plus arme d'acier mais chair. La plupart des femmes émancipées se moquent du mythe du pénis et de l'importance que les hommes attachent à leur virilité, sans se rendre compte comment on en est venu à cette aberration et les effets qu'elle a eus sur elles-mêmes. Les hommes sont las de porter seuls la responsabilité sexuelle et il serait temps de les en délivrer. Je ne veux pas dire qu'il faille adopter le saphisme sur une grande échelle, mais qu'il faut cesser de mettre l'accent sur la génitalité masculine pour le reporter sur la sexualité humaine. L'organe sexuel de la femme doit entrer dans ses droits. Répétons-le, l'attitude féminine envers la violence est inséparable de ce problème.

Bien que beaucoup de femmes ne soient pas attirées par les vainqueurs de conflits violents et portées à offrir leur sollicitude au vaillant vaincu, socialement, dans un sens plus général, elles préfèrent toutes les vainqueurs. Un éminent professeur-femme, s'adressant à un auditoire d'adultes dans une université, déplorait que le réflexe de supériorité des hommes les empêchât de sortir avec les jeunes filles de même niveau intellectuel de la même institution. On ne pouvait s'attendre que ces jeunes filles s'abaissent à fréquenter des hommes moins cultivés. Donc, elles ne sortaient pas du tout. Mais si les hommes choisissent de partager leurs loisirs avec des femmes intellectuellement inférieures, pourquoi les jeunes filles n'en feraient-elles pas autant ? Les femmes disent avec mépris que les hommes ne sont intellectuels que pendant les heures de travail et qu'ils se détendent en bavardant avec une charmante idiote. Ils jouent les pères qui savent tout devant des petites filles qui feignent d'avoir le souffle coupé par l'admiration. La raillerie est justifiée. Mais il est tout aussi vrai que trop souvent les intellectuelles sont arrogantes, agressives, autoritaires et envahissantes. Elles surestiment leur culture et deviennent incapables de divertissements plus innocents. Elles recherchent l'homme dont la culture fera valoir la leur. Elles ont besoin qu'un autre supplée à leur propre insuffisance, et les hommes ne tardent pas à sentir l'âpreté de ce désir. Beaucoup d'hommes se fatiguent vite des écervelées, mais les bas-bleus leur inspirent plus d'aversion encore. Plutôt que de vouloir être escortées par leurs rivaux pourquoi les femmes ne se détendraient-elles pas en prenant plaisir à la compagnie de leurs « inférieurs » ? Il leur faudrait renoncer à leur besoin d'*admirer* l'homme et accepter de l'aimer. Une « cérébrale » ne risque pas de châtrer un chauffeur de camion comme elle le ferait d'un rival intellectuel parce qu'il n'a pas un respect exagéré pour ses connaissances livresques. L'absence d'érudition ne signifie pas la stupidité et plus d'une femme brillante aurait besoin du correctif de la sagesse des humbles. Dans les familles d'ouvriers, le rôle du père n'a pas le caractère de supériorité qu'il a dans les milieux bourgeois car souvent les femmes savent mieux écrire et se chargent des rapports avec l'administration. Un mari ouvrier serait peut-être fier d'avoir une femme qui « pense ». Les impôts payés, les honoraires de la femme ne modifieraient guère la situation financière du couple. Le revenu des professions libérales dans ce pays est si bas qu'aucun homme n'a besoin de se sentir humilié par les gains de sa femme, quels que soient ses diplômes. Les femmes socialistes qui sont en train de fulminer dans des groupes séparés après avoir consacré tous leurs efforts à servir les révolutionnaires bourgeois du mouvement feraient mieux de mettre leur compétence dédaignée au service de la classe qu'elles sont censées représenter. On juge en général du succès d'une femme au degré de promotion sociale que lui apporte son mariage. Il serait normal qu'une révolution aboutisse au renversement de ce critère. Bien entendu, il y faut de la sincérité. La condescendance serait désastreuse.

Si les femmes veulent améliorer leur condition, il leur faut refuser de se marier. On ne peut exiger d'un travailleur qu'il signe un contrat à vie. S'il le faisait, son employeur serait en situation de ne tenir aucun compte de ses efforts pour obtenir des augmentations de salaire et de meilleures conditions de travail. C'est ce qu'on observe là où l'employeur détient un monopole. Il ne doit pas dépendre de l'employeur d'accorder des avantages par bonté de cœur. Il faut que ses travailleurs conservent leur pouvoir de négociation. On peut objecter que les femmes ne signent pas un contrat à vie puisque le divorce est possible. Mais en l'état actuel des choses, le divorce profite à l'homme, non pas seulement parce qu'il a été institué par des hommes mais parce qu'il dépend de la possession d'une fortune ou d'un revenu indépendant. Il est rare que les femmes mariées aient l'une ou l'autre. Les hommes affirment que l'obligation de la pension alimentaire peut les ruiner, ce qui est vrai, mais c'est eux qui en sont responsables. La pension alimentaire est nécessaire surtout parce qu'on confie en général la garde des enfants à la mère. La femme qui élève des enfants sans la présence du père avec une pension alimentaire n'est pas plus libre qu'avant. Il y a encore moins de sens à signer un contrat qui ne peut être rompu que par l'employeur. Il est encore plus amer de penser que le revenu de la femme qui travaille est imposé comme faisant partie de celui de son mari qui n'est même pas obligé de lui dire combien il gagne. Si l'indépendance est nécessairement concomitante de la liberté, les femmes ne doivent pas se marier.

Pourquoi la jeune fille se marie-t-elle en général ? On répondra probablement : par amour. L'amour peut exister en dehors du mariage. En fait pendant longtemps il n'existait qu'en dehors du mariage. L'amour peut prendre beaucoup de formes. Pourquoi serait-il exclusif ? Quant à la sécurité, c'est une chimère, surtout si elle est censée préserver « l'être ensemble » heureux qui règne au moment du mariage. Même s'il n'arrive pas de désastre sous forme d'adultère ou de séparation, les êtres changent. Aucun des deux partenaires ne sera à la fin de l'union la personne qu'il était au moment de se marier. Si une femme se marie pour se dispenser de travailler, elle n'a que ce qu'elle mérite. Il faut améliorer les possibilités d'emploi et non pas y renoncer. Si une femme se marie parce qu'elle veut avoir des enfants, elle ferait bien de penser que, jusqu'à présent, la famille moyenne n'a pas été un cadre très favorable à l'épanouissement des enfants. Le monde n'ayant pas un besoin urgent d'enfants, elle ferait mieux de profiter de la contraception pour attendre une meilleure possibilité. Le dédain et les incapacités dont souffrent la femme

célibataire qui n'a pas le droit de contracter d'hypo-
thèque et est souvent considérée comme une loca-
taire indésirable, ne peuvent être combattues que
par la femme célibataire. Ce n'est pas un mariage
contracté par lâcheté qui les supprimera. Même s'il
est plus difficile d'élever un enfant illégitime et
si une cohabitation amicale risque de provoquer
des remarques injurieuses et des persécutions de la
part de citoyens plus traditionnalistes, se marier
pour échapper à ces inconvénients n'a pas de sens.

Il est facile de déclarer catégoriquement qu'une
femme qui veut se libérer ne doit pas se marier,
mais si cela implique que les femmes mariées sont
une cause perdue, l'émancipation des femmes en
général se trouverait indéfiniment différée. La
femme mariée sans enfants conserve un certain
pouvoir de négociation, à condition qu'elle décide
de ne pas avoir peur d'être quittée. Les discussions
entre gens mariés se déroulent sur des bases inégales.
L'épouse finit par constater que sa vie a radicalement
changé, mais pas celle de son mari. Cet état de
choses est en général admis comme juste. Par
exemple, le ministère de l'Intérieur a récemment
refusé à une femme de vivre dans son pays d'origine
parce qu'elle avait épousé un Indien et que la
coutume veut que la femme adopte le pays d'origine
de son mari. Il en va de même pour la ville où il
est né, celle où il travaille, son domicile et ses amis.
L'inégalité des concessions dans le mariage s'explique
par l'inégalité des liens affectifs, bien qu'en beaucoup
de cas, elle soit une illusion. Beaucoup d'hommes
ont tout aussi peur que leurs femmes d'être quittés
et rejetés en tant que maris.

Une femme qui n'a pas peur d'être obligée de
subvenir à ses besoins peut lui tenir tête. C'est une
question de sang-froid. Au fur et à mesure que le
mécontentement des femmes s'accroît, il devrait
en résulter des organisations de coopération en vue

The Rebel Girl

Paroles et musique de Joe Hill, copyright 1916.

Chœur :

**That's the Rebel Girl, that's the Rebel Girl !
To the working class she's a precious pearl.
She brings courage, pride and joy
To the fighting Rebel Boy;
We've had girls before but we need some
[more
In the industrial Workers of the World
For it's great to fight for freedom
With a Rebel Girl.**

I. W. W. Songs.

*(Célébration de la jeune fille révolutionnaire qui
contribue à la révolution ouvrière.)*

de faciliter l'indépendance individuelle, bien qu'il
y ait probablement moins de clubs et d'associations
de coopération féminine aujourd'hui qu'il y en
avait entre les deux guerres, à considérer le tableau
qu'en trace *Girls of Independant Means*. L'utilité
essentielle de l'organisation n'est pas la constitution
d'un front politique mais le développement de la
solidarité et de l'entraide qui peut être efficace sur
une très petite échelle. Retourner chez maman
risque d'être une solution très déprimante car les
mères sont souvent difficiles à vivre, conservatrices
et lasses des problèmes de leurs enfants, prêtes à
exploser en reproches. La plupart des femmes
en sont encore à avoir besoin de leur propre chambre
et ne peuvent la trouver que hors de leurs foyers.

La situation des mères est plus désespérée que
celle des autres femmes et plus elles ont d'enfants,
plus leur problème semble sans issue. Pourtant,
des mères ont réussi à conquérir leur liberté, avec

ou sans leurs enfants. Tessa Fothergill quitta son mari, emmenant ses deux enfants, et lutta pour trouver un appartement et un emploi. Elle se heurta à tant de difficultés qu'elle décida de fonder une organisation pour venir en aide aux femmes ayant les mêmes problèmes. Elle l'appela *Gingerbread*. Il en existait déjà une autre, *Mothers in Actions*. Quelle que soit l'obstruction administrative, il est plus facile de surmonter les difficultés ensemble. On finira par créer un journal féminin qui annoncera la publication de tels groupes et recrutera des membres. La plupart des femmes, en raison de l'importance qu'elles attachent à leur rôle de mère, hésiteront à l'idée de quitter leur mari et leurs enfants, mais en l'occurrence il faut réviser radicalement les idées reçues. Tout d'abord, les enfants n'appartiennent pas à la mère, bien que la plupart des juges lui donnent la préférence en cas de conflit à propos de la garde des enfants. Il est bien plus nocif pour les enfants de grandir dans une atmosphère de souffrance, même si l'on s'efforce de la leur cacher, que de s'adapter à un changement de régime. Leur difficulté à s'y adapter est une preuve du caractère antisocial du renforcement du lien ombilical et il est probablement plus sain pour les enfants à long terme de découvrir que leur mère n'est pas leur esclave. De toute façon, il est bon de leur expliquer la situation car ils sont plus mal à l'aise et se tourmentent davantage lorsqu'ils redoutent de vagues menaces que lorsqu'ils sont confrontés avec des faits. Une femme sachant que si elle quitte son mari, elle ne pourra élever ses enfants que dans la misère même si elle est capable de gagner sa propre vie, doit prendre une décision raisonnable et vaincre les préjugés qui pèsent sur la femme qui abandonne son mari. Dans bien des cas, le mari trouve une consolation à garder les enfants et les traite mieux, avec moins d'angoisse, que ne le ferait une femme. Il est plus à même de payer une gouvernante ou une nurse que ne peut le faire la femme. La femme divorcée qui lutte pour élever ses enfants est toujours menacée de devoir les mettre en nourrice, ce qui est la pire des solutions. Une femme qui quitte son mari et ses enfants pourrait leur verser une pension alimentaire si la société lui en donnait les moyens.

Pour que la femme mariée se libère il faut d'abord qu'elle comprenne sa situation, lutte contre le sentiment de culpabilité qu'elle éprouve devant son incapacité à affronter une situation intolérable et qu'elle en examine la nature. Il faut qu'elle rejette les descriptions tendancieuses qu'on lui fait de son équilibre, de sa moralité, de sa sexualité, et qu'elle se forge sa propre vérité. Il faut qu'elle sache identifier ses ennemis, les médecins, les psychiatres, les travailleurs sociaux, les conseillers conjugaux, les prêtres, les moralistes. Il faut qu'elle analyse son comportement de consommateur, ses subterfuges et ses malhonnêtetés, ses souffrances, ses sentiments réels envers ses enfants, son passé et son avenir. Le plus sûr soutien dans une telle entreprise lui viendra de ses sœurs. Elle ne doit pas permettre à son mari de la tourner en dérision ou de la désarçonner par ses arguments, ou se laisser duper par ses protestations d'innocence et l'offre magnanime de prendre en considération toute suggestion « raisonnable ». Il faut qu'elle retrouve sa propre volonté, ses propres buts et le courage de les imposer. Pour cela, il se pourrait que des suggestions ou des exigences « déraisonnables » soient nécessaires.

L'oppression de la femme ne peut s'expliquer totalement, comme le prétend Ti-Grace Atkinson, par le fait que les hommes ont résolu le mystère biologique de la procréation. En réalité, ils n'ont pas résolu le mystère de la paternité. On sait que le

père est nécessaire, mais non pas comment l'identifier, si ce n'est négativement. Les femmes ont
librement compensé cette problématique de la

**Tout ce qu'il y a aujourd'hui de bon et de
louable continuerait à exister si on abrogeait
demain les lois du mariage... J'ai un droit
inaliénable, constitutionnel et naturel, d'aimer qui je veux, aussi longtemps ou aussi
brièvement que dureront mes sentiments,
et de changer d'amour tous les jours si cela
me plaît !**

Victoria Claflin Woodhall,
20 *novembre* 1871.

---

paternité en donnant, par leur fidélité, la garantie —
peut-être après y avoir été contraintes par la claustration et la surveillance —, de l'identité du père.
Aujourd'hui où il n'est plus possible de cloîtrer
les femmes nous pouvons aussi bien retirer cette
garantie et rendre la famille patriarcale impossible
en défendant la paternité de tout le groupe : tous
les hommes sont pères de tous les enfants. Ce refus
de garantir la paternité n'entraîne pas nécessairement la promiscuité bien qu'au stade initial il semble
en être ainsi. Le travail temporaire qui permet à la
secrétaire de choisir son emploi peut avoir un
effet révolutionnaire et contraindre les hommes à
reconnaître leur contribution au fonctionnement
de l'entreprise. De même, le refus des femmes
de se limiter à la monogamie absolue et d'être
dévouées comme des chiennes devra peut-être
s'effectuer sur le fondement d'une promiscuité
effective.

Les femmes doivent aussi refuser leur rôle de
principaux consommateurs de l'économie capitaliste.

Il serait rétrograde de ne pas acheter d'appareils ménagers puisque le travail de la femme et sa claustration domestique s'en trouveraient accrus. Mais si les femmes consentaient à partager une machine à laver pour plusieurs familles sans éprouver le besoin d'acquérir le dernier modèle par souci de prestige, elles porteraient un coup sérieux à l'industrie. Elles pourraient organiser les tâches domestiques afin d'avoir chacune des jours de liberté. Au lieu de dresser les enfants les uns contre les autres on pourrait les inciter à partager les jouets qui demeurent inutilisés sitôt qu'ils en sont las. Les enfants ont moins de répugnance à le faire que les parents ne l'espèrent. Je me souviens d'avoir été battue pour avoir donné mes jouets quand j'avais quatre ans. Je n'en voulais plus. Les enfants n'ont pas besoin de jouets chers et les femmes pourraient ignorer la publicité qui s'efforce de leur extorquer des millions à chaque Noël. Elles pourraient s'opposer à l'inflation des lessives en résistant à l'attrait de l'emballage et en achetant en vrac des produits sans marque. De même, on peut acheter les produits alimentaires directement chez le producteur et si les femmes s'unissent pour éviter l'intermédiaire, la tactique ne sera que plus efficace. Il est plus facile d'obtenir une prime à la quantité en effectuant des achats en commun. Les femmes devraient également surmonter leur prévention contre des vêtements et des objets d'occasion. Les vêtements des enfants qui grandissent pourraient être partagés. Les enfants y seraient indifférents s'ils n'étaient déjà victimes de la publicité. La plupart des familles d'ouvriers échangent les landaus. Cette coopération aurait l'avantage de supprimer l'isolement de la famille individuelle ou du père ou de la mère privés de conjoint. Mais j'envisage avant tout la possibilité d'éviter aux femmes d'être les victimes de la publicité et les principaux artisans du gaspillage.

La plupart des femmes trouveraient très dur de renoncer à toute coquetterie bien que beaucoup de mouvements de libération féminine les incitent à se débarrasser d'une friperie servile. Lorsque les cosmétiques sont utilisés consciemment et délibérément pour mettre en valeur la nature, il n'en résulte aucune aliénation. Ce n'est que lorsqu'ils deviennent un masque destiné à dissimuler une réalité jugée laide et répugnante que leur fonction devient suspecte. Les femmes qui n'osent pas sortir sans faux cils souffrent de troubles psychiques graves. Les produits les plus chers ne sont pas fondamentalement différents des moins onéreux. Il n'existe pas d'onguents miraculeux qui puissent effectivement rajeunir des tissus vieillissants. Le régime et le repos demeurent les meilleurs des traitements de beauté, et les cosmétiques ne devraient être utilisés que par jeu. Les meilleurs et les moins chers sont ceux du maquillage de scène. Le meilleur cosmétique pour les yeux reste le khôl. Au lieu d'acheter les extraits de charbon ruineux vendus sous étiquette française, les femmes pourraient fabriquer leurs propres parfums avec de l'alcool de camphre, de l'essence de girofle, de l'encens, de la poudre de lavande, du patchouli et de l'essence de rose. Au lieu de suivre la mode, les femmes pourraient se coiffer de la façon qui leur convient le mieux et selon leur humeur, éviter d'imposer à leurs cheveux des mises en plis qui ne tiennent pas parce qu'elles contrarient la nature.

Beaucoup de ces tendances existent déjà. Les jeunes filles ont beaucoup moins recours au coiffeur que leurs mères. Elles dédaignent le couturier et portent ce qu'elles ont envie de porter, des vêtements les plus romantiques aux vêtements de sport des hommes. Elles se désintéressent également de la gastronomie. La plupart d'entre elles ont dû vivre d'expédients pendant la durée de leurs études et ne perdront pas cette indépendance acquise. L'éviction des cigarettes et de la bière par la marijuana peut avoir des conséquences économiques considérables si elle se généralise. La vogue des aliments macrobiotiques, la réduction des quantités manifestent un changement d'attitude à l'égard de la nourriture et de la commercialisation des produits alimentaires. Jusqu'à présent ces caractéristiques sont celles d'une minorité, mais plus nombreuses que les militantes du féminisme. Pourtant, c'est bien la libération qui est recherchée. On peut considérer que la non-violence des hippies a échoué puisque les policiers n'ont pas hésité à répondre à coups de matraques à leur offre de fleurs, mais la question a été posée et le débat n'est pas encore clos.

Remplacer la compulsion par le principe du plaisir demeure le principal moyen de libération des femmes. Faire la cuisine, s'habiller, se maquiller, nettoyer, ces occupations sont devenues des contraintes dans lesquelles l'anxiété a depuis longtemps remplacé le plaisir de l'entreprise réussie. Pourtant, ces activités pourraient être des divertissements. L'essence du plaisir est la spontanéité. Cela signifie qu'il faut rejeter les normes et lui substituer un principe d'autorégulation. Je prendrai l'analogie de la drogue. Les femmes absorbent des médicaments par compulsion, pour atténuer leur tension nerveuse, leurs douleurs, leur anxiété, et il en résulte inévitablement un syndrome de dépendance ; il devient bientôt impossible de déterminer si le médicament cause le symptôme pour lequel il avait été pris : on est enfermé dans un cercle vicieux. La personne qui utilise la marijuana n'a pas besoin de le faire. Elle l'utilise en vue d'obtenir un certain état d'âme et s'arrête lorsqu'elle l'a atteint. Elle n'est pas tentée de justifier cette pratique au nom d'une thérapeutique, bien que la réglementation de l'usage du chanvre indien risque de lui donner cette apparence. De la même façon, il devrait être possible de préparer un repas parce qu'on a envie de le faire et que tout le monde a envie de le manger, de le servir quand on en a envie au lieu de le faire dans le cadre d'un programme hebdomadaire ou de s'imposer comme une croix un menu varié de plats nouveaux et difficiles à réaliser. Malheureusement, la routine est si fortement enracinée dans ce pays que ces délits domestiques, le bingo et la bière, deviennent une manie dont les ménagères ne peuvent plus se passer. On admet que la routine des tâches domestiques tient du cercle vicieux, que le travail engendre plus de travail, et cela continue indéfiniment. Pour briser un tel engrenage, il faut entreprendre quelque chose de radicalement différent. Des périodes régulières de liberté sont inefficaces parce qu'elles demeurent partie intégrante du système. La plupart des compromis ne feront qu'atténuer temporairement la tension nerveuse. Pour la même raison il ne sert à rien d'incorporer au cercle vicieux un travail librement choisi parce que le stimulant et l'énergie sont constamment viciés. Il n'y a pas d'autre solution que de rompre le cercle vicieux.

Mes arguments, monsieur, sont ceux d'un esprit désintéressé. Je plaide pour mon sexe et non pour moi-même. J'ai toujours considéré l'indépendance comme le premier des biens et le fondement de toute vertu. Cette indépendance je la garantirai en réduisant mes besoins, dussé-je vivre sur une lande désertique.

Mary Wollstonecraft.
A Vindication of the Rights of Women,
1792, p. IV.

Aux yeux de certains, cette rupture emportera aussi le centre du cercle et réduira le monde à l'état de chaos. La liberté nous fait peur, mais cette peur fait partie du système et contribue au maintien du *statu quo*. Si les femmes refusent la polarité du masculin et du féminin, il faudra qu'elles acceptent l'existence du risque et la possibilité de l'erreur. Renoncer à l'esclavage c'est aussi renoncer à la chimère qu'est la sécurité. Le monde ne changera pas du jour au lendemain et la libération ne se produira pas si les femmes n'acceptent individuellement de passer aux yeux des tenants de l'ordre établi pour des réprouvées, des excentriques, des perverties. Il y a eu dans le passé des femmes qui ont montré beaucoup plus d'audace que nous n'avons à le faire aujourd'hui, qui ont tout risqué et peu gagné, mais qui ont survécu. Les femmes qui vitupèrent contre leur condition sont tournées en dérision par la presse et méprisées par les autres, qui gagnent beaucoup d'argent tout en demeurant féminines. Mais du moins, ne sont-elles plus brûlées. Il ne faut pas s'attendre que les femmes résolues à se libérer deviennent du jour au lendemain équilibrées, heureuses, créatives et prêtes à la coopération. Mais en général, les symptômes les plus effrayants de la dépersonnalisation disparaissent. Les besoins et les angoisses artificiellement engendrés persistent, mais du moins sont-ils reconnus pour ce qu'ils sont et supportés lucidement. La situation n'apparaîtra dans toute sa complexité qu'une fois qu'elle sera contestée. Les femmes seront peut-être effrayées par la rapidité avec laquelle la police oublie les scrupules qui lui interdisent de frapper des femmes, et par la violence des injures dont on les accable, mais de telles découvertes ne peuvent que renforcer leur détermination. La clef de la stratégie de libération consiste à mettre la situation en évidence et la plus simple façon de le faire est d'opposer aux pontifes et aux experts l'impudence du langage et des actes en usant du prétendu « illogisme féminin » pour révéler au grand jour la suffisance, l'absurdité et l'injustice des hommes. L'arme de la femme a toujours été traditionnellement sa langue, et la principale tactique révolutionnaire, la diffusion des informations. Aujourd'hui comme autrefois, il faut que les femmes refusent d'être soumises et de recourir à la ruse car on ne peut servir la vérité par la dissimulation. Les femmes qui s'imaginent qu'elles manœuvrent le monde par la rouerie et la cajolerie sont des imbéciles (1). Ce sont des tactiques d'esclaves.

Il est difficile, au stade actuel, d'esquisser un nouveau régime sexuel. Nous ne vivons qu'une fois et il importe avant tout de trouver le moyen de sauver cette vie des incapacités que notre civilisation lui a déjà infligées. Ce n'est que par l'expérimentation que l'on peut ouvrir de nouvelles perspectives et découvrir la voie d'une évolution dont le *statu quo* est la donnée actuelle. La révolution féminine est nécessairement situationnelle. Nous ne pouvons pas prétendre que tout sera résolu lorsque les socialistes auront réussi à abolir la propriété privée et à instaurer la propriété collective des moyens de production. Nous ne pouvons pas attendre aussi longtemps. La libération des femmes, si elle abolit la famille patriarcale, abolira une substructure

(1) Diane Hart tenta, en mai 1969, de lancer un « Petticoat Party », parti des jupons. Elle publia dans *The Times* l'annonce suivante : « Mesdames, ne bayez pas aux corneilles. Si vous en avez assez des châteaux en Espagne, siégez à la Chambre des communes. On demande 630 femmes disposées à risquer chacune 500 livres pour une circonscription électorale. » Inutile de dire qu'aucun parti politique n'en résulta. Diane Hart se présenta aux élections et fut battue. Trois séduisantes Américaines fondèrent une « Pussycat League » pour exprimer un *Pussycat Power*, qui obtiendrait le pouvoir universel par les caresses et la cajolerie (*Sunday Mirror*, 2-11-1969). Cette technique qui n'est pas nouvelle n'a donné aucun résultat ni politique ni autre.

nécessaire à l'État autoritaire et, une fois qu'il aura disparu, les théories de Marx seront réalisées. Donc, agissons. Que les hommes distribuent des tracts dans les usines où le prolétariat est devenu l'esclave des achats à crédit au lieu de devenir communiste. L'existence de cet esclavage repose lui aussi sur la fonction de consommateur de la femme au foyer. Les statistiques montrent que la plupart des achats à crédit sont réalisés par des gens mariés. Si les femmes se révoltent, cette situation changera. Les femmes représentent la classe la plus opprimée de travailleurs liés par un contrat à vie sans rémunération. Il n'est pas excessif de les qualifier d'esclaves. Elles représentent le seul véritable prolétariat qui reste, mais elles sont la majorité de la population. Pourquoi ne se révolteraient-elles pas ? En pratique, leur oppression fait obstacle à leur association en un groupe cohérent, capable de tenir tête à ses maîtres. Mais l'homme a commis une erreur : en réponse à une agitation vaguement réformiste et humanitaire, il a admis les femmes dans la politique et les professions libérales. Les conservateurs qui y ont vu une atteinte portée à notre civilisation et la fin de l'État et du mariage avaient finalement raison. Il est temps que la démolition commence. Point n'est besoin de provoquer une épreuve de force. Il suffit que nous refusions de coopérer à l'édification du système qui nous opprime. Nous pouvons aussi faire de l'agitation çà et là, manifester contre les bars interdits aux femmes ou les concours de beauté, siéger dans des comités, envahir les moyens de communication de masse, bref, faire ce qu'il nous plaît. Avant tout nous devons non seulement refuser de faire certaines choses mais refuser d'avoir envie de les faire.

L'expérience coûte trop cher. Nous ne pouvons pas toutes nous marier afin de savoir à quoi nous en tenir. Nos sœurs plus âgées doivent nous enseigner ce qu'elles ont découvert. Nous devons constamment partager l'expérience acquise, et nous garder de porter des jugements hâtifs, entachés de snobisme ou influencés par des critères masculins. Il nous faut lutter contre la tendance à constituer une élite féminine ou une hiérarchie de type masculin dans nos propres structures politiques et défendre la coopération et le principe matriarcal de fraternité. Il n'est pas nécessaire que les féministes prouvent que le matriarcat est une forme préhistorique de collectivité ou que le patriarcat est une perversion capitaliste pour justifier notre politique, parce que la forme de vie que nous envisageons peut aussi bien être entièrement nouvelle que très ancienne. Nous n'avons pas à nous appuyer sur une anthropologie douteuse pour nous expliquer, bien que les femmes qui ont du goût pour l'érudition puissent utilement faire des recherches sur le rôle historique des femmes afin de préciser nos concepts sur ce qui est naturel et possible dans le domaine féminin. Aujourd'hui, un nombre croissant de femmes sont disposées à écouter. Il est temps qu'elles commencent aussi à s'exprimer, fût-ce avec hésitation et incertitude, et que le monde les écoute.

La *joie de la lutte* demeure le meilleur critère de la justesse de la voie suivie. La révolution est la fête des opprimés. Il est possible que pendant longtemps la femme n'en tire d'autre profit que celui d'avoir retrouvé sa dignité et une raison de vivre. La joie n'est pas l'euphorie. Elle résulte de l'application délibérée de l'énergie à une entreprise librement choisie, qui se traduit par de la fierté et de l'assurance. Elle entraîne la communication et la coopération avec d'autres, fondées sur le plaisir qu'on éprouve en leur compagnie. Être libérées de l'impuissance et du besoin et fouler librement la terre est votre droit naturel. De même que rejeter les entraves et les distorsions pour prendre possession de votre corps en jouissant pleinement de ses capacités et en l'acceptant en fonction de ses normes naturelles de beauté. Avoir quelque chose à désirer, quelque chose à faire, quelque chose à accomplir, et quelque chose d'authentique à donner. Être libérées de la culpabilité, de la honte, et de l'inlassable auto-discipline des femmes. Ne plus avoir à feindre, à dissimuler, à cajoler, à manipuler, pour maîtriser et sympathiser. Prétendre aux vertus masculines de magnanimité, de générosité et de courage. C'est beaucoup plus qu'un salaire égal à travail égal. Il devrait en résulter une révolution des conditions de travail. « L'égalité des chances » n'a pas de sens car il faut apparemment que ces chances soient totalement changées, que l'âme de la femme change elle-même afin qu'elle désire profiter de ces chances plutôt que de les craindre. La première découverte significative que nous ferons sur la voie de notre

---

Establishment of Truth depends on destruction of Falsehood continually.

On Circumcision, not on Virginity, O Reasoners of Albion.

Blake, *Jerusalem*, pl. 55, III, 65-66.

(La vérité ne peut s'établir que par la destruction constante de l'erreur.)

---

liberté est que les hommes ne sont pas libres, et qu'ils en déduisent que personne ne doit l'être. Nous ne pouvons répondre qu'une chose : les esclaves asservissent leurs maîtres et, en nous affranchissant nous-mêmes, nous leur montrerons la voie qu'ils pourraient suivre s'ils voulaient échapper à leur propre servitude. Les femmes

> **... Parmi ceux qui refusent de croire à une religion révélée je n'ai pas trouvé en un demi-siècle un seul adversaire de la doctrine des droits égaux pour l'homme et la femme.**
>
> Long, *Eve*, 1875, p. 112.

privilégiées tenteront de vous enrôler dans la lutte pour les réformes, mais les réformes sont rétrogrades. Le vieux processus doit être brisé et non pas remis à neuf. Des femmes amères vous inciteront à la rébellion, mais vous avez trop à faire. Qu'allez-*vous* faire?

TABLE

DOCUMENTS

L'AVENTURE
AUJOURD'HUI

ROMANS-TEXTE INTÉGRAL

L'AVENTURE MYSTÉRIEUSE

ÉDITIONS J'AI LU
31, rue de Tournon, Paris-VIe

Exclusivité de vente en librairie:
FLAMMARION

IMPRIMÉ EN FRANCE PAR BRODARD ET TAUPIN
6, place d'Alleray - Paris.
Usine de La Flèche, le 20-03-1973.
1097-5 - Dépôt légal, 1er trimestre 1973.